BELVA PLAIN

Née à New York, Belva Plain a fait des études d'histoire à l'université de Barnard. Elle a publié plusieurs best-sellers, parmi lesquels *Les cèdres de Beau-Jardin* (1984), *Les silences du cœur* (1994), *Et soudain le silence* (1996), *Promesse* (1997) et *À force d'oubli* (1998), tous parus aux éditions Belfond. Plus récemment, trois de ses romans ont été publiés en France : *Comme un feu secret* (2001), *La tentation de l'oubli* (2002) et *Le plus beau des mensonges* (2003). Ses histoires, intenses et vraies, ont conquis un public mondial.
Belva Plain vit dans le New Jersey avec son mari.

COMME UN FEU SECRET

DU MÊME AUTEUR

CHEZ POCKET

À L'AUBE L'ESPOIR SE LÈVE AUSSI
ET SOUDAIN LE SILENCE
COMME UNE EAU DORMANTE
À FORCE D'OUBLI
PROMESSES
LE SECRET MAGNIFIQUE
LES MIRAGES DU DESTIN
LES CÈDRES DE BEAU-JARDIN
LES DIAMANTS DE L'HIVER

Prologue

Pendant la réunion de l'association Mères privées de la garde de leurs enfants, elle balaie la pièce d'un regard anxieux, comme pour débusquer dans un coin une solution à ses problèmes. C'est un endroit triste, mal entretenu, avec des rideaux gris et un amaryllis assoiffé qui se fane ; l'air est saturé de chagrin.

L'immigrante désespérée, dont le mari est reparti pour l'Inde en lui prenant leurs deux filles, se tient la tête entre les mains. Elle est trop pauvre et trop perdue dans son nouveau pays pour pouvoir les récupérer. La femme élégante au foulard corail et aux magnifiques boucles d'oreilles, elle, n'a plus son fils de douze ans qui lui préfère le luxe de la demeure paternelle, au bord d'un lac. L'ancienne alcoolique supplie en vain qu'on lui accorde une seconde chance.

Elle les plaint de tout son cœur, et pourtant on ne souffre jamais autant que de son propre malheur. Incapable de supporter cette atmosphère une minute de plus, elle se lève discrètement et sort dans l'air étouffant de ce milieu de journée d'été.

Du haut de la colline où sa voiture est garée, elle voit la ville à ses pieds, et se demande quels actes de cruauté gratuite peuvent bien se cacher sous ces toits. C'est bizarre – non, pas si bizarre, quand on y songe –, elle a eu exactement la même pensée il n'y a pas si longtemps, à la fenêtre d'un hôtel parisien…

1

Imposante, entourée de vastes pelouses et d'une végétation luxuriante, la maison était située juste à l'extérieur de la ville, là où les faubourgs rejoignaient la campagne sur la route sinueuse qui montait vers les collines du Berkshire. Le terrain s'élevait par ondulations successives. Le matin, le soleil levant baignait les hauteurs d'une brume rosée ; au crépuscule, les derniers rayons formaient une bande pourpre paresseuse entre la terre obscure et un océan écumeux de nuages gris.

Par une de ces soirées splendides, Hyacinthe posa sur son bureau esquisse et fusain pour observer la scène avec plaisir. Pas un bruit. Seul un murmure de feuilles à peine perceptible se percevait dans la tiédeur de ce mois de septembre. Elle resta sans bouger devant la fenêtre ouverte, émerveillée par toute cette beauté.

Avec un certain humour, elle baptisait ces moments d'harmonie ses « humeurs poétiques ». Pourtant, cela n'avait rien de risible, surtout maintenant qu'elle était si heureuse. Elle se sentait bien, sûre de l'avenir, et aimée… Quel incroyable bonheur !

Ce fut alors que lui parvint un bruit de conversation. Ses parents, suivant leur habitude, venaient de sortir pour s'asseoir dans la véranda ouverte, juste en bas. Toujours discrète, elle n'aurait pas songé à prendre la liberté de les écouter si elle n'avait entendu son prénom.

— Hya a vingt et un ans, disait son père, ce n'est plus une enfant.

— Mais elle n'est pas plus mûre qu'une fille de douze ans !

— Enfin, Francine, comment peux-tu dire une chose pareille ? Elle a fait des études brillantes, et elle a décroché un stage dans un des plus grands musées du pays, et ce à peine un an après sa licence. Cette petite, elle a du talent, en plus ! continua-t-il avec toute la fierté d'un père qui se vante de son unique fille. Tu vas voir, elle va devenir célèbre.

— Je ne te parle pas de ses résultats universitaires. Elle n'a aucune maturité affective, voilà le problème. Tu as vu son air béat ? Ça ne m'étonnerait pas qu'elle pense déjà au mariage. Ah ! ce garçon, si je pouvais l'expédier en Australie, ou en Terre de Feu, pour m'en débarrasser !

Hya approcha sa chaise de la fenêtre et resta là, frappée de stupeur.

— Je ne vois pas ce que tu as contre lui, Francine ! Bon, tu ne l'aimes pas beaucoup, c'est ton droit, mais pourquoi une telle véhémence ?

— Il va lui briser le cœur, Jim. C'est un coureur de jupons. Je le sens… Pour l'instant, il essaie de se faire une situation, mais dès qu'il aura réussi, il la laissera tomber. Je n'ai aucune confiance en lui. C'est un séducteur. Il aime trop les femmes et elles le lui rendront bien. Il est trop beau garçon, on croirait un jeune premier d'Hollywood. Hyacinthe n'arrivera jamais à supporter ça.

— Là, tu y vas un peu fort ! On ne fait pas plus empressé. Il la voit trois fois par semaine et tous les week-ends.

— Je ne te dis pas qu'il n'est pas sincère aujourd'hui. C'est possible qu'il le soit, à sa manière. Après tout, elle a des qualités rares. Une grande intelligence, du goût, de la distinction. Et puis, elle est à ses pieds. C'est flatteur, pour un homme.

— Tu inventes des problèmes là où il n'y en a pas.

— Jim ! Il va l'humilier, lui faire du mal. Ce n'est pas un garçon pour elle ! Surtout pas !

Le sang de Hyacinthe lui martelait les tympans. « Pas un garçon pour moi ? Mais qu'est-ce que tu en sais ? Tu ne le connais pas, et tu ne sais pas qui je suis non plus, d'ailleurs ! »

— C'est une fille adorable, Jim, profondément humaine.

— Oui, c'est vrai, très vrai.

Aussi clairement que si elle s'était trouvée avec eux dans la véranda, Hyacinthe voyait leur visage : les yeux clairs de son père, qui ressemblaient tant aux siens, pensifs, perdus dans le lointain ; le regard curieux de sa mère, vif et bleu, avec les deux rides d'expression verticales entre les sourcils qui se creusaient dès que son attention s'éveillait ou qu'elle devenait catégorique.

— Francine, tu te trompes. Il est agréable, bien élevé, intelligent. Il est étudiant en médecine, membre de la Société médicale. Un beau parti, je dirais. Qui plus est, je l'aime bien.

— Oui, il n'est pas désagréable, mais, je te le répète, il est trop compliqué pour notre innocente de fille. Elle ne connaît rien à la vie, rien aux gens. Elle n'a jamais fréquenté que de jeunes étudiants, et peut-être deux ou trois artistes rencontrés à son travail. Pratiquement personne. Gerald la monopolise depuis presque un an.

La meilleure année de ma vie. L'année qui m'a métamorphosée.

— C'est une artiste, continua Francine, une fille réfléchie, une solitaire.

— Beaucoup de gens sont comme ça : des artistes dans l'âme, des solitaires... Des gens tout ce qu'il y a de bien.

— Oui, et c'est souvent ceux qui souffrent le plus.

— Si tu as vraiment peur, pourquoi ne lui en parles-tu pas ?

— Comment veux-tu ? Elle a beau être adorable, elle peut être têtue comme une mule. Tu le sais aussi bien que moi. Depuis combien de temps lui demandons-nous d'arrêter de fumer, par exemple ? Est-ce qu'elle l'a fait ? Bien sûr que non. Ça m'étonnera toujours, d'ailleurs. Ce n'est pas du tout son genre de se balader une cigarette à la bouche.

Que faire ? Fallait-il descendre pour leur crier son indignation ? Elle ne fit pourtant pas un geste, incapable de bouger un muscle, attendant la suite.

Son père reprit avec calme :

— Ne te mets pas dans cet état.

— Le pire, c'est de ne rien pouvoir faire alors que ce type profite de ma fille.

— Que veux-tu dire par là ? Il profite d'elle... Tu crois qu'il couche avec elle ?

— Ce serait bien possible. Mais il y a d'autres façons de profiter des gens.

— Par exemple... ?

— Il sait où est son intérêt. Prends la maison... Elle est plutôt confortable, non ? Il regarde autour de lui comme s'il évaluait ce que nous avons. Je l'ai vu faire.

— Il a bien le droit d'être curieux. C'est normal. C'est un garçon qui a toujours été pauvre, il s'est endetté jusqu'au cou pour aller à l'université. Ça ne te ressemble pas d'être aussi critique, aussi cynique.

La phrase se termina par un soupir. Son père détestait les conflits.

— Je ne suis pas cynique, juste réaliste.

— Rentrons. Il y a des moustiques.

Mais Francine n'avait pas terminé.

— Ne te laisse pas tromper par l'intelligence de Hyacinthe, ni par son énergie ou son ambition. Elle, c'est une cérébrale. Pour s'occuper, elle n'a besoin que d'un livre ou d'un CD neuf, ça la comble. Ce n'est pas une fille compliquée. Lui, c'est une autre histoire. Ils n'ont aucun goût en commun.

— Et l'attirance physique, tu en fais quoi ? demanda son père avec un rire. Tu te souviens de l'époque de notre mariage ?

— Rien à voir. Toi, tu étais un garçon bien sous tous rapports, le sel de la terre, et tu n'as pas changé, répondit Francine doucement avec un petit sourire dans la voix. Elle, c'est une tendre, comme toi. Elle ne me ressemble pas, Jim.

— Bon, mais, malgré nos différences, nous nous entendons très bien. Allez, viens, on rentre. Tu t'inquiètes pour rien, je te dis. Et même si la situation était aussi grave que tu le crois, nous n'y pourrions strictement rien.

En bas, la porte moustiquaire claqua. La nuit se fit, tombée du ciel. Hyacinthe resta dans le noir, tremblante. Elle était blessée, se sentait dégradée, humiliée.

Pourquoi toutes ces horreurs sur Gerald ? Il était si gentil, si prévenant… si bien ! On ne pouvait pas dire mieux, c'était un garçon vraiment bien, qui avait travaillé dur toute sa vie, sans aucun privilège. Pourtant, il ne se plaignait jamais. Il appréciait les moindres plaisirs : un livre pour son anniversaire ou une invitation à dîner chez elle de temps à autre.

« Je devrais descendre tout de suite pour prendre sa défense, pensa-t-elle, folle de colère. Je me demande ce que j'attends. » Mais ses jambes étaient en coton. En quelques minutes, ses forces avaient été siphonnées telle l'eau s'écoulant d'un évier.

Inutile d'essayer de continuer à dessiner ce soir. Elle alluma une cigarette et mit de l'ordre sur son bureau, rangeant ses fusains et son carnet de croquis. Au bout d'un moment, elle se déshabilla et s'allongea sur son lit.

Une peur soudaine s'empara d'elle. Mon Dieu, s'il arrivait quelque chose ! Mais que pourrait-il se passer ? Si Gerald avait été là, il l'aurait prise dans ses bras pour la rassurer… Elle se calma un peu, et laissa affluer les souvenirs.

Elle se remémorait chaque détail de leur première rencontre. L'endroit, l'heure, leurs premières phrases, et même les vêtements qu'elle portait. Elle se revoyait en imperméable, car il pleuvait des cordes ; le parking du musée était transformé en mare de boue. En descendant la colline et en passant devant l'université, elle avait vu dans le rétroviseur un jeune homme qui attendait devant la faculté de médecine, tête nue sous la pluie, sans manteau. Trempé jusqu'aux os, il serrait contre lui quelques livres protégés par un sac en plastique.

Elle avait fait marche arrière.

— Vous voulez que je vous dépose quelque part ?

— J'attends l'autobus. Il passe toutes les heures, mais je crois que je viens d'en rater un.

— Oui, je l'ai vu il y a dix minutes. Je vous emmène, montez.

— Merci, mais je vais dans l'autre sens.

— Ce n'est pas grave. Vous ne pouvez pas rester sous cette pluie.

C'était un temps à ne pas mettre un chien dehors, avec la pluie et un froid qui annonçaient l'automne.

— Je ne dis pas non… seulement jusqu'au prochain arrêt, alors. Merci.

— Je ne vais pas vous laisser là, dit-elle alors qu'ils approchaient de l'arrêt suivant. Où vivez-vous ? Je vous emmène.

— Attendez, j'habite à Linden ! Laissez-moi ici.

Elle n'avait jamais rencontré personne qui vivait à Linden, une ville industrielle avec un pont ferroviaire et une intense circulation de poids lourds. Un endroit qu'on ne faisait qu'apercevoir et qu'on contournait en se rendant ailleurs. À quinze bons kilomètres…

Il faisait pitié, avec ses livres encore serrés contre lui. Elle avait à peine vu son visage, à moitié caché par une broussaille de cheveux mouillés et son col relevé tout trempé. Elle prit alors la peine de le regarder : il avait l'air gentil et inspirait confiance.

— Je vais vous conduire là-bas, déclara-t-elle.

— Non, je ne peux pas accepter.

— Vous ne pourrez pas m'en empêcher, à moins de sauter en marche.

— Bon, d'accord, répondit-il avec un sourire. Je m'appelle Gerald. Et vous ?

— Hyacinthe, mais j'ai horreur de mon nom.

Pourquoi éprouvait-elle toujours le besoin de s'excuser pour son prénom ridicule ? Il fallait qu'elle se débarrasse de cette habitude.

— Et pourquoi donc ? C'est un prénom très doux. Il va bien avec votre visage.

Doux, quel drôle de commentaire !

Elle se sentait tout sauf douce en cet instant, allongée sur son lit, des souvenirs obsédants plein la tête.

— Ma voiture est en panne, expliqua-t-il. Elle a treize ans. J'espère que ce n'est qu'un problème de batterie.

— Oui, moi aussi.

Un silence embarrassé se fit. Il dut en être gêné également car il le rompit très vite.

— Je suis en quatrième année de médecine, mes examens sont en mai prochain. Et vous, vous êtes étudiante ?

— J'ai passé ma licence en mai dernier, maintenant, je travaille.

— Déjà entrée dans la vie active… Moi, il me reste encore trois ans, peut-être quatre si j'obtiens une année supplémentaire de spécialisation dans un hôpital après mon internat.

— Ça a l'air de vous ennuyer.

— Non, pas vraiment. J'aime ce que je fais. Je suis juste pressé d'en finir avec mes études pour pouvoir gagner ma vie. Et vous, vous faites quoi ?

— J'ai une licence d'art plastique. Maintenant, je suis stagiaire au musée. J'apprends à restaurer les tableaux. Je peins, aussi. J'ai un atelier chez moi.

— C'est vrai qu'il y a mille façons de gagner de l'argent. Je n'avais jamais pensé à la restauration de tableaux…

— Ce n'est pas seulement pour l'argent. Cela demande beaucoup de dextérité.

Elle regretta aussitôt sa réponse. On aurait pu croire qu'elle voulait se mettre en avant. Pour essayer de dissiper cette fausse impression, elle lui donna plus de détails.

— On nous envoie des peintures et des sculptures de tout le pays. Il s'agit d'œuvres qui ont été mal restaurées, ou laissées à l'abandon. Pour l'instant, j'enlève le vernis d'un portrait à l'huile de 1870 qui a jauni.

— Ça doit être intéressant.

— Oui, très. J'adore ça, mais j'ai encore beaucoup à apprendre. La réparation des déchirures, par exemple. C'est très éprouvant pour les nerfs.

— Sans doute comme la chirurgie. C'est ce que je veux faire.

L'ennui, avec les conversations, c'était qu'il fallait toujours renvoyer la balle. On devait vite trouver une réponse, de peur de se montrer impoli. Pourquoi cependant tenir à tout prix à se rendre sympathique à quelqu'un qu'on ne connaissait pas ? Elle continua néanmoins.

— La fac de médecine est très bonne. Une des meilleures universités publiques du pays, paraît-il.

— C'est exact. Je suis vraiment heureux d'avoir obtenu une bourse et des facilités de financement ici, mais si on m'avait offert un prêt aussi intéressant ailleurs, dans l'Ouest ou le Sud, j'aurais sauté sur l'occasion pour changer d'air.

— Moi aussi, j'avais envie de partir, mais j'ai trois frères aînés qui ont quitté la maison avant moi, et mes parents on fait un peu pression pour que je reste.

Après un nouveau silence de quelques minutes, Gerald reprit la parole.

— Elle est bien, votre voiture.

— Oui, je pense que mes parents me l'ont offerte un peu pour me récompenser d'être restée à la maison.

Oui, telle était sans aucun doute la raison de ce cadeau. On lui avait donné sa petite voiture rouge, son beau joujou brillant, comme on l'avait envoyée suivre un cours d'art en Italie pendant l'été. Elle se retint juste à temps de mentionner ce voyage. Il valait mieux ne pas se vanter de ses séjours en Europe devant quelqu'un qui ne vivait que d'une bourse et d'un prêt étudiant.

— C'est fou ce que cette région industrielle se transforme, fit-il remarquer. Cette ville devient un vrai pôle culturel. Il paraît que le musée est très bien coté.

— Oui. Vous l'avez visité ?

— Non, je ne m'y connais pas du tout en art.

— Il est magnifique. Vous devriez aller y faire un tour.

— J'irai un de ces jours.

Les essuie-glaces parvenaient à peine à chasser la pluie du pare-brise. La voiture envoyait des gerbes d'eau en passant sur les nids-de-poule et tanguait sous les rafales, mobilisant toute l'attention de sa conductrice. La conversation s'interrompit jusqu'à l'entrée de Linden, où Hyacinthe demanda comment l'emmener chez lui.

— C'est dans Smith Street. Au centre-ville. Je vais vous guider.

Quand il descendit et fit le tour de la voiture jusqu'à la portière de Hyacinthe pour la remercier, elle remarqua pour la première fois sa haute taille, ses beaux cheveux noirs, ses yeux vifs, son visage ovale et résolu. Il devait attirer l'attention de tout le monde, des hommes ainsi que des femmes.

— Je ne sais comment vous remercier, dit-il avec ferveur.

— À vous entendre, on croirait que j'ai fait quelque chose d'extraordinaire.

— Mais oui !

Elle fit demi-tour et reprit la rue bordée de magasins miteux, où s'intercalaient de temps à autre les tristes reliques d'anciennes demeures bourgeoises du Massachusetts. Ici on réparait des chaussures, là on achetait des journaux, on vendait de la viande, on coupait les cheveux ; au-dessus des boutiques, derrière les escaliers d'incendie, des rideaux fatigués pendaient à des fenêtres maussades. Ce spectacle, aperçu sous la fin du déluge, tempéra beaucoup sa bonne humeur.

Gerald. Il ne lui avait même pas dit son nom de famille. Elle se souvint de la honte brûlante qu'elle avait éprouvée en se formulant une pensée qu'elle avait jugée complètement inepte : *C'est le genre d'homme que je pourrais aimer*. Après tout, elle avait passé juste vingt minutes en sa compagnie !

« On ne sait jamais de quoi demain sera fait, disait toujours sa grand-mère qui était spécialiste en clichés. Quand on rencontre le prince charmant, on ne se pose pas de questions. » Dans le fond, sa grand-mère ne manquait pas de bon sens.

Deux jours seulement après cette pluie torrentielle, alors qu'elle travaillait, elle se rendit compte que les têtes se tournaient vers la porte située derrière elle ; regardant par-dessus son épaule, elle vit Gerald qui collait le nez à la vitre.

— Je peux entrer ? demanda-t-il.

Toute rouge et très surprise, elle se demandait encore que répondre quand il poussa la porte.

— J'ai suivi votre conseil, dit-il. Je viens visiter le musée.

— Nous... nous sommes en plein travail, expliqua-t-elle maladroitement, pensant que les autres n'apprécieraient pas cette intrusion.

Elle était en train de nettoyer un bouddha de bronze ancien avec un noyau d'olive. La scène lui revenait avec précision : l'atelier spacieux et clair avec sa lumière du nord, ses mains tremblantes sur le trésor qu'on lui avait confié, et le regard de Gerald posé sur elle.

— Je comprends. Je vais vous attendre dehors. Je voulais juste vous revoir.

Elle n'avait rien oublié... À présent apaisée, sa fureur évanouie, elle leva les yeux vers les ombres du plafond et sourit.

2

Le lendemain matin, sa colère fit un retour en force.

« Il est trop compliqué pour elle. Il va lui briser le cœur. C'est un coureur de jupons. »

Elle se brossait les cheveux avec une telle rage qu'elle se faisait mal. « Ah ! Tu crois qu'il va me briser le cœur ? Mais c'est toi qui me fais de la peine, Francine, c'est toi. »

— Pourquoi appelles-tu ta mère par son prénom ? lui avait demandé Gerald.

— Parce qu'elle préfère ça.

En fait, sa mère s'appelait Frances ; ses ancêtres étaient d'origine française si l'on remontait au moins à quatre générations. Elle ne parlait pas un mot de cette belle langue, mais aimait prendre l'air français. Sans doute pensait-elle que ce style convenait à sa beauté.

L'indignation de Hyacinthe allait croissant. Tous les différends qui l'opposaient à sa mère remontaient à la surface ; les rancœurs qui s'accumulent naturellement entre des gens qui vivent sous le même toit, les petits griefs plus ou moins bien étouffés. Elle laissa libre cours à sa colère à voix haute.

— Sous prétexte que dans ta jeunesse tu as été sélectionnée pour concourir à un titre de reine de beauté, tu veux que ta fille t'imite, ou même te surpasse. Oh ! Je comprends ! Je sais bien que je t'ai déçue. Je suis trop grande, trop mince, trop anguleuse, trop gauche. Je ne sors pas en bande le samedi soir, comme toi à mon âge. Je n'ai jamais été bonne en sport, en tout cas pas assez pour devenir capitaine de l'équipe de natation, ou pour participer au championnat de basket, comme toi. Tu ne t'intéresses pas vraiment à ma peinture. Tu n'oserais jamais l'avouer, mais je sais ce que tu penses. Oui, tu m'aimes, sans aucun doute, et tu es une bonne mère, mais je te déçois tout de même. Heureusement je ne déçois que toi, et pas papa, ni les gens du musée, et sûrement pas Gerald…

Le silence régnait dans la maison. Soudain, elle eut envie de fuir avant que ses parents s'éveillent. Elle se sentait incapable de faire bonne figure après ce qu'elle avait entendu la veille au soir. Elle s'habilla rapidement, sortit de sa chambre pieds nus et alla à l'escalier.

Les murs du palier étaient tapissés de photos de famille. Hya était passée des milliers de fois devant, pourtant, aujourd'hui, malgré sa hâte, l'envie de s'arrêter pour regarder ces visages familiers s'empara d'elle. Il y avait le bourgeois du XIXe siècle portant un haut col blanc, la jeune fille des années 1920 avec son chapeau cloche sur la tête. Qui se cachait derrière ces demi-sourires aimables et artificiels ? Leur ressemblait-elle ? Il y avait aussi ses frères aînés : George en short blanc, son inévitable raquette de tennis à la main ; les deux autres à leurs mariages respectifs au côté de leurs épouses convenables en robe de dentelle.

George, Paul et Thomas, versions masculines de leur mère. Ils ne ressemblaient pas du tout à Hyacinthe.

— Eux, tu leur as donné des prénoms normaux, avait-elle protesté maintes fois, pourquoi m'as-tu appelée Hyacinthe ? C'est ridicule. Qu'est-ce qui t'a pris ?

— Pour eux, j'ai bien été obligée de me contenter de ces prénoms banals, expliquait Francine avec une patience d'ange, il fallait l'admettre. À cause de leurs deux grands-pères et de leur oncle tués à la guerre. Alors, quand tu es arrivée, j'ai voulu donner à ma seule fille le plus joli prénom auquel je pouvais penser. J'ai cherché un nom de fleur de printemps.

Pour une femme intelligente, Francine arrivait à dire beaucoup de bêtises. Elle était souvent un peu ridicule. Il était désagréable de penser de telles choses de sa mère, pénible, même, comme d'avoir un caillou dans sa chaussure. Mais quand l'absurde virait à la cruauté, comme la veille au soir, cela devenait beaucoup plus grave.

Elle prit sa voiture et roula jusqu'au croisement où elle s'arrêta, indécise. Où aller ? On était samedi, et Gerald voulait passer ce jour-là et le lendemain à réviser un contrôle des connaissances qu'il devait passer le lundi. L'atelier de restauration du musée était fermé, sauf pour les restaurateurs qualifiés indépendants. La seule alternative était une visite à sa grand-mère.

On pouvait toujours se confier à elle à cœur ouvert. Elle était aussi réconfortante et revigorante que… qu'un bol de porridge chaud par un lundi matin d'hiver. Même sa maison, située dans une vieille rue au cœur d'une ville ancienne et originale, vous accueillait chaleureusement, entourée par sa véranda en galerie, avec ses garnitures de bois dentelées, et ses fleurs – tulipes, roses trémières et asters – qui poussaient contre la barrière du jardin. C'était là que Granny était née et qu'elle s'était mariée. Elle mourrait fort probablement là aussi, mais sûrement pas avant très longtemps. C'était une femme robuste et sereine avec un bel air de santé, qui n'essayait pas d'impressionner ses voisins et se moquait du qu'en-dira-t-on. Tout le monde savait, sans jamais y faire allusion, que Francine et Granny ne s'entendaient pas.

Quand la porte s'ouvrit, une bonne odeur de sucre et de cannelle accueillit Hyacinthe. Elle huma l'air.

— Tu as déjà mis des gâteaux au four ? Il est juste huit heures.

— C'est de la tarte aux pommes, pour le couple qui ne sort jamais, à quelques maisons d'ici. J'essaie de leur apporter quelque chose de bon tous les week-ends. Entre. Ou préfères-tu rester dans la véranda ? Il fait bon.

— Oui, pourquoi pas.

— Attends, je vais chercher ma couture. Je fais un patchwork pour le bébé de ton frère. Des carrés et des ronds en rose, bleu et jaune, pour être sûre de ne pas me tromper.

On ne la voyait jamais les mains vides. Peut-être était-ce son éducation protestante qui lui donnait ce besoin de s'occuper en permanence. En y réfléchissant pendant que sa grand-mère s'installait avec son ouvrage sur les genoux, Hyacinthe se dit qu'elle avait largement hérité de cette énergie débordante.

— Je n'aurais jamais pensé vivre assez longtemps pour travailler à une couverture pour un arrière-petit-fils. Ça te plaît ? Franchement.

Hyacinthe pesa sa réponse.

— Je n'aurais pas mis autant de rose. Le rose, à mon avis, ne doit être utilisé que lorsque l'on veut rehausser les autres couleurs.

Penchant la tête d'un côté puis de l'autre, sa grand-mère étudia la question.

— Tu sais, je crois que tu as raison. Tu as toujours eu le sens des couleurs. Tu devrais fabriquer quelque chose pour le bébé, toi aussi... Un cadeau de bienvenue de sa tante Hyacinthe. Tu n'as pas oublié comment on se sert d'un crochet à tapis, j'espère.

— Non, ça fait longtemps, mais je m'en souviens bien.

— Évidemment. Tu as des doigts de fée, chérie. J'avais voulu apprendre tout ça à ta mère... rien à faire.

En effet, Francine n'était pas du genre à passer des heures à peiner sur un ouvrage difficile, ni à s'éterniser dans la cuisine. Elle préférait sortir, s'occuper d'associations caritatives et d'œuvres humanitaires dont elle devenait souvent la coordinatrice ; elle aimait aussi les sports de compétition, comme le tennis et le golf, et terminait souvent première dans les tournois. Francine avait besoin de gagner, d'organiser, de diriger les gens.

— Comment va ton travail ? demanda Granny. Ton père m'a dit que tu faisais partie d'un des meilleurs ateliers de restauration du pays.

— C'est vrai, mais je commence seulement à apprendre le métier. Ce n'est qu'après des années de formation qu'on vous confie des tableaux qui valent des millions de dollars.

— N'arrête pas de peindre. Un jour, tes toiles te rendront célèbre, tu verras. J'ai beaucoup apprécié l'étude de ton père pendant sa sieste.

Le compliment fit plaisir à Hyacinthe. Tout le monde admirait ce croquis. On disait du portrait qu'il était adroit et sensible.

Sa grand-mère l'observait attentivement. Après quelques remarques anodines, elle l'interrompit soudain.

— Tu ne veux pas me dire pourquoi tu es venue me voir si tôt, ce matin ? Tu dois avoir des soucis.

Malgré l'envie qu'elle avait eue de confier ses griefs à sa grand-mère, elle se mit à regretter d'être venue. Finalement, l'histoire était trop sordide : quoi de plus banal qu'une mère qui n'aime pas l'amoureux de sa fille ? Elle se fit donc un peu violence pour raconter ce qui s'était passé, et conclut :

— Je suis désolée. Je ne devrais pas te demander de prendre parti. Je n'aurais pas dû te mêler à cette histoire. Il aurait mieux valu que je garde ça pour moi.

— Non, pas si ça te soulage de m'en parler. Je veux toujours être là pour t'écouter, tu le sais. Mais je ne te donnerai qu'un seul conseil : n'attache pas trop d'importance à la conversation que tu as surprise. Fais semblant de n'avoir rien entendu, continue comme si de rien n'était. Est-ce que Gerald t'a demandée en mariage ?

— Non, pas encore, mais ça ne saurait tarder.

— Et tu vas dire oui ? Tu es sûre de toi ?

— Bien sûr que oui. Je l'aime.

— Tu sais, ta mère est loin d'être bête…

Cette remarque, venant d'une belle-mère habituellement peu tendre envers sa bru, étonna Hyacinthe.

— Nous ne sommes pas souvent d'accord, tu dois l'avoir remarqué, compléta Granny avec une petite grimace, mais tu devrais tout de même réfléchir à ce qu'elle a dit. Moi, je ne connais pas du tout ce garçon, je sais juste que le mariage n'est pas facile tous les jours, et qu'il vaut mieux être sûre de soi.

Pour la première fois de sa vie, Hyacinthe n'obtenait pas le réconfort escompté auprès de sa grand-mère. Elle avait pensé qu'elle prendrait son parti sans hésiter.

— Tu m'en veux, Hyacinthe, tu avais envie d'entendre autre chose.

— Oui, peut-être.

— Allez, ne t'en fais pas. Ce n'est pas la fin du monde. Demain, il fera jour.

Les phrases toutes faites que Hyacinthe trouvait en général plutôt drôles et touchantes ne firent cette fois que l'agacer.

— Prends une tarte aux pommes pour chez toi, proposa Granny. J'en ai préparé trois.

— Nous sommes tous au régime, répondit Hyacinthe un peu brusquement.

— Que de chichis pour quelques kilos de trop ! Toi, surtout, qui es maigre comme un coucou. Ta mère ne vous donne à manger que de la salade ! Et toi, tu ne fais jamais la cuisine ? Tu devrais. Je t'ai appris de bonnes recettes. Prends la tarte aux pommes et la marmite de poulet : il m'en reste au congélateur.

Hyacinthe lui obéit. C'était beaucoup plus simple d'accepter sans protester. De toute façon, quoi qu'elle dise, Granny la forcerait à tout emporter. Elle la remercia donc, reprit sa voiture et descendit la rue au ralenti, ne sachant trop où aller.

Elle se sentait glacée, seule et révoltée. N'ayant aucune envie de retourner à la maison ni de voir des amis, elle s'arrêta devant la bibliothèque. Un endroit comme un autre pour se cacher toute la journée…

En rentrant, elle vit que la voiture de Francine n'était pas dans le garage. Le répit, même de courte durée, était le bienvenu. Son père devait être dans le jardin, en train de planter des oignons de fleurs de printemps, ce qui l'arrangeait aussi, car elle n'avait envie de parler à personne.

En haut, dans la chambre qui avait été celle de George et dont elle avait fait son atelier, elle s'enferma pour regarder ses peintures. Elle les inspecta d'un œil critique pendant quelques minutes, tâchant de juger avec autant d'impartialité que possible : avait-elle réussi les proportions, la perspective, les ombres et les coups de pinceau ? Ses professeurs l'avaient tous félicitée pour ses paysages de neige. En les revoyant ce soir, elle trouva que, en effet, elle était parvenue à rendre l'atmosphère feutrée de la neige qui tombe, douce, silencieuse, comme dans un rêve. Elle ressortit le portrait de son père. L'esquisse était très juste. Il lui sembla avoir réussi à reproduire ses traits de façon frappante.

Depuis que l'usine d'industrie chimique où il travaillait avait réduit son personnel et l'avait envoyé en préretraite, son père avait vieilli et était devenu plus silencieux. Il avait toujours été calme, mais, à présent, son regard restait mélancolique, même quand il riait. Oui, elle avait saisi son âme ; c'était lui, prêt à être encadré.

Soudain, elle eut une révélation : son travail était bon ! Quoi qu'il advienne, elle puiserait sa force dans sa peinture. Ce don lui donnerait la liberté, lui ouvrirait les portes du monde. Ce serait trop bête de laisser quoi que ce soit entamer sa confiance en elle et en l'avenir. Pourquoi venait-elle de gâcher une journée entière à s'attrister ?

Du jardin lui parvint le vrombissement de la vieille tondeuse que son père utilisait pour couper l'herbe le long des bordures. Elle se pencha à la fenêtre.

— Papa ! Je suis là !

— Je pensais bien avoir entendu la porte du garage. Ta mère n'est pas encore rentrée. Où étais-tu passée ?

— Je me suis baladée. Je suis allée chez Granny et, comme d'habitude, elle m'a obligée à prendre à manger. Il y a son plat au poulet et aux crevettes que tu aimes bien. Je vais préparer une salade pour l'accompagner.

— Non, pas la peine. Tu travailles dur toute la semaine. Aujourd'hui, tu te reposes.

— Mais papa, une salade, ce n'est rien.

— Bon, d'accord. Je vais mettre la table dans la véranda. Nous aurons juste le temps de dîner et de débarrasser avant la nuit.

Il aimait ces moments de bonheur familial partagés avec sa fille, c'était visible. Elle se rendait compte que, même s'il n'en disait rien, il souffrait du départ de ses fils – à Singapour pour George, qui travaillait dans une banque, et sur la côte Ouest pour les deux autres qui s'étaient associés.

Elle prépara les crudités, y ajoutant quelques fraises et des morceaux de noix, et apporta le tout dans un magnifique saladier de grès fin Wedgwood habituellement exposé dans le vaisselier de la salle à manger. En le voyant, son père écarquilla les yeux.

— Tu te sers de ça ?

— Pourquoi pas ?

— Mais c'est une pièce de collection très ancienne…

— Excellente raison pour en profiter. Je trouve qu'il faut se faire plaisir tous les jours, pas seulement quand on reçoit des invités. N'est-ce pas agréable, ce bleu magnifique ?

Son père garda le silence un moment.

— Je ne sais pas qui tu vas épouser, mais il aura bien de la chance, ce garçon, remarqua-t-il. Intelligente, talentueuse, avec un bon métier et pourtant pleine d'intérêt pour les petits conforts domestiques qui donnent à un mari envie de rentrer chez lui et d'y rester.

Ce fut au tour de Hyacinthe de se taire. N'avait-elle pas décidé, sur les conseils de sa grand-mère, de ne rien dire ? Et pourtant, elle ne put retenir les mots qui s'échappaient de ses lèvres.

— Tu ne sais pas qui je vais épouser ? Je crois que si. Je vous ai entendus hier soir, Francine et toi. Enfin, je devrais dire que j'ai surtout entendu Francine. Je ne voulais pas vous écouter, mais je suis restée malgré moi.

— Je suis navré, absolument navré... Tu as dû t'apercevoir que je ne lui donnais pas raison.

— Encore heureux ! Elle a dit des choses abominables.

— D'accord, mais écoute-moi quand même. L'opinion de ta mère vaut la peine qu'on s'y attarde. Elle est poussée par les meilleures intentions du monde, et elle t'aime, tu le sais.

— Je n'ai jamais rien entendu d'aussi cruel, d'aussi méchant. Comme s'il en voulait à mon argent, et ne pensait qu'à séduire toutes les femmes qui passent... Elle le connaît à peine ! Tu as dit toi-même que tu la trouvais véhémente. Tu l'as bien dit, non ?

— Oui, c'est vrai, mais essaie de comprendre qu'elle exprimait simplement ses craintes. Elle pense que tu fais peut-être une erreur. Elle réagit comme une mère qui protège son enfant.

— Justement, je n'en suis plus une ! J'ai vingt et un ans, je gagne ma vie, j'apprends un métier que j'adore.

— Exact. Mais tu oublies que tu es aussi diablement cabocharde, ajouta son père avec un sourire un peu triste.

— Quand on est sûre d'avoir raison, c'est une qualité, d'être tenace. Je prends la défense de Gerald. On a dit du mal de lui, et je l'aime.

— Parfait… Mais ne tombe pas amoureuse trop fort et trop vite, si tu le peux. Le temps permet souvent d'y voir plus clair.

Passer sur les désaccords avec le sourire, faire comme si de rien n'était, et tout s'arrangeait toujours. Que de platitudes, d'aimables façons de ne rien dire…

— J'espère que tu ne vas pas monter sur tes grands chevaux, Hyacinthe. Je ne vois pas à quoi cela te servirait de faire une scène. Mieux vaut ne pas discuter de tout ça à chaud.

— Je sais. Granny a dit la même chose. Je ne suis pas idiote, et je n'ai aucune envie de me disputer avec Francine. En fait, je te ressemble beaucoup sur ce plan.

— Si Gerald est quelqu'un de bien, comme tu le dis, et comme je veux bien le croire, ta mère finira aussi par s'en rendre compte. Cela prendra un peu de temps, voilà tout.

Il jeta un coup d'œil à sa montre, comme s'il voulait achever la discussion rapidement avant le retour de sa femme.

— Enfin, conclut-il, tu ne te maries pas demain, il n'y a pas d'urgence.

Tandis qu'il achevait sa phrase, Francine apparut à l'entrée de la véranda.

— Je suis en retard, remarqua-t-elle. Je ne pensais pas qu'il y aurait autant de circulation. Ce défilé de mode n'en finissait pas. Ce qu'il ne faut pas faire pour collecter des fonds ! Nous avons réuni seize mille dollars pour l'hôpital d'enfants, vous vous rendez compte ? Je me suis vraiment donné un mal de chien pour organiser ce déjeuner.

— Tu n'as pas l'air trop épuisée, commenta le père de Hyacinthe. Tu es très élégante.

Le tailleur de tweed gris était d'une grande simplicité et aurait même été un peu trop strict si elle n'avait drapé avec art un châle de soie vert jade autour de son cou et de ses épaules. Lorsqu'elle leva le bras pour remonter une mèche qui lui tombait sur le front, ses bracelets en argent étincelèrent. Avec cette pose, encadrée comme elle l'était dans l'ouverture de la porte, elle évoquait un tableau. Hyacinthe lui donna même un titre : *Femme aux bracelets d'argent*. Malgré ses vêtements modernes, elle avait la prestance d'une femme du début du siècle ; un peintre comme Sargent aurait nommé la scène *Portrait de Francine*.

— Que c'est joli, cette table ! s'exclama-t-elle. On dirait le poulet mitonné de ta mère, Jim. C'est toi qui l'as fait, Hyacinthe ?

— Non, c'est Granny. Je suis allée lui dire bonjour ce matin.

— Eh bien, quel festin ! Je n'ai rien pu avaler au cours du déjeuner, je meurs de faim.

Bavarde comme à son habitude, Francine anima la conversation, papillonnant d'un sujet à l'autre, certaine qu'elle fascinait son auditoire.

— Je n'en reviens pas que ce soit déjà le deuxième anniversaire de mariage de Tom. Vous ai-je dit que Diana a téléphoné hier pour nous remercier ?

— Je ne me souviens plus de ce que nous avons envoyé, commenta Jim.

— Une fontaine à café en cuivre superbe, d'une capacité de cinquante tasses. Ils donnent beaucoup de réceptions pour les relations publiques de l'entreprise. Ce que je peux être fière de Tom… Et c'est vraiment une chance que Diana aime autant recevoir. Ce qui me fait penser, Hyacinthe, je suis passée devant chez Martha, et j'ai vu qu'on déchargeait des chaises d'un camion pour leur réception. Sa mère était d'ailleurs au déjeuner, aujourd'hui. Elle dit que leur maison va être pleine à craquer. Tu sais déjà ce que tu vas mettre ?

— Je n'y vais pas.

— Tiens ! Mais pourquoi ?

Si la tonalité d'une réponse pouvait s'analyser comme un tissage, Hyacinthe y aurait vu des fils bien distincts : inquiétude, impatience, et un soupçon d'exaspération.

— Ça ne m'intéresse pas. Je n'aime pas les mondanités.

— Il faut que tu te fasses des amis.

— Mais j'en ai des quantités.

— Ce n'est pas pareil. Tu connais Martha depuis l'école primaire, il faut que tu cultives tes anciennes connaissances, que tu fréquentes les voisins. Je ne vois pas pourquoi tu la rejettes.

— Je ne rejette personne. Tu crois qu'elle ne se moque pas que je vienne ?

Francine repoussa son assiette à dessert à moitié pleine et se maîtrisa pour retrouver un ton plus serein.

— Tu n'en sais rien. C'est peut-être plus important pour elle que tu ne le crois. Ce ne serait pas gentil de lui faire de la peine.

Lui faire de la peine ! Comme si c'était possible ! Martha traversait la vie avec une aisance déconcertante. Finalement, elle ressemblait d'une certaine façon à Francine. Elle aurait pu être sa fille.

— Je ne veux faire de la peine à personne ! De toute façon, j'avais prévu autre chose, donc je ne pouvais pas accepter.

Personne ne dit mot. Jim, qui suivait cet échange, se servit une autre tasse et tourna longuement son café, jusqu'à ce que Francine se décide à reprendre la parole.

— En arrivant, j'ai cru entendre que vous disiez que tu n'étais pas pressée de te marier. Si c'est vrai, je suis bien contente, mais est-ce qu'il y a un rapport entre lui et ton refus d'aller à la fête de Martha ?

— Absolument, répondit Hyacinthe avec fermeté. Je préfère passer mon temps avec Gerald.

— Tu n'as qu'à l'emmener avec toi.

— Non, ça n'irait pas du tout, il ne s'entendrait pas avec ce genre de gens.

— Pourquoi pas ? D'ailleurs, que reproches-tu à « ce genre de gens » ? Ce sont des jeunes filles et des jeunes gens charmants, il me semble.

— Je n'ai rien contre eux, répondit Hyacinthe d'un ton maussade.

Poussée dans ses derniers retranchements, elle aurait aimé pouvoir quitter la table.

— Alors... Je ne comprends pas ce que tu veux dire.

— C'est difficile à expliquer. C'est subtil, des petites différences entre les gens, voilà tout.

« Pourquoi refuse-t-elle de comprendre que tout ce que je veux – tout ce que nous voulons – c'est nous retrouver un peu seuls. Nous n'avons presque jamais l'occasion de nous voir tous les deux. Déjà que nous n'avons nulle part où nous retrouver, à part un motel sordide... Et toi, tu voudrais que j'aille à une fête sans importance. »

— Des différences subtiles... En effet, elles sont très subtiles. Et toi, tu es folle de gâcher ta liberté en ne voyant qu'un seul garçon. Sors plus en groupe, donne-toi l'occasion de les observer, ces différences subtiles, au lieu de passer tout ton temps avec lui.

Francine avait beau faire, elle perdait patience.

— Il s'appelle Gerald, au cas où tu l'aurais oublié ! s'écria Hyacinthe en laissant exploser sa colère. J'aime autant que tu le saches : j'ai entendu tout ce que tu as dit hier soir.

— Hya ! Tu avais promis de ne rien dire, s'exclama son père en posant sa tasse si fort que son café aspergea la table.

— Je suis désolée que tu en aies été témoin, déclara Francine. Vraiment. Mais je ne peux pas m'empêcher de maintenir mon jugement. Je ne te demande pas de ne jamais revoir Gerald. J'ai seulement peur que tu ne t'attaches trop à lui. Peut-être ai-je tort, mais je ne crois pas.

Ses sourcils se plissèrent d'inquiétude. C'était une expression que Hyacinthe trouvait ridicule, trop théâtrale.

— Je suis déjà très attachée à lui.

Elles échangèrent un regard lourd de sens, se rappelant toutes deux une conversation qu'elles avaient eue à peine un mois auparavant.

— Hyacinthe, avait dit Francine, il faut que je te demande quelque chose. Je sais que tu as vingt et un ans, et que tu es adulte. C'est ta vie, mais les parents ne cessent pas du jour au lendemain de se faire du souci pour leurs enfants. Est-ce que tu couches avec lui ?

L'humiliation avait été totale.

— Pas encore, avait-elle menti, puis elle avait ajouté – pour se donner le plaisir de la provoquer :

— Pas encore, mais il en a envie.

— Bien sûr qu'il en a envie ! Et je me doute bien que vous couchez ensemble. Je veux juste te dire de ne pas le laisser jouer avec tes sentiments. Tu as peut-être vingt et un ans, mais tu ne sais pas encore tout. La sexualité n'est pas un jeu.

Ce souvenir redoubla l'indignation de Hyacinthe.

— En fait, tu détestes Gerald, c'est ça le problème ! Je n'en reviens pas de tout ce que tu as pu dire. Ça ne te ressemble pas d'être si méchante.

— Je n'ai jamais dit que je le détestais. Ce que tu peux être entêtée !

— Papa m'a déjà servi le compliment, aujourd'hui.

Francine la foudroya du regard.

— Eh bien, c'est que c'est vrai !

— Et quand tu étais amoureuse de papa, tu ne t'es pas entêtée, toi aussi ?

— Il n'y a aucune comparaison. Aucune. Nous nous connaissions bien. Nos familles se fréquentaient. Nous étions du même milieu. Notre mariage ne s'est pas décidé en deux secondes.

Hyacinthe ne quittait pas des yeux les fines rides entre les sourcils qui marquaient le visage délicat de sa mère. À part cela, elle avait une peau parfaite. « Une peau de lait », disait toujours son père.

« Elle est tellement sûre d'avoir raison », songea Hyacinthe.

— Ce n'est pas tellement la rapidité de la décision qui te perturbe, en fait, dit-elle durement, c'est justement que Gerald n'est pas « de notre milieu ». Ça ne te plaît pas qu'il vive seul dans une chambre à Linden.

— En voilà une opinion de moi flatteuse ! s'indigna Francine. Tu devrais avoir honte. Tu l'as entendue, Jim ?

— Oui. Ta mère a raison, Hyacinthe, tu es très injuste. Ta mère est tout sauf snob. Elle n'est pas du genre à juger les gens sur leur argent.

Oui.. sans doute avait-elle eu tort. Pourtant, Francine avait dit certaines choses sur Gerald, sur sa façon de regarder la maison…

Elle présenta ses excuses.

— Bon, pardon. Je n'aurais pas dû dire ça. Mettons simplement que, pour une raison quelconque, tu ne l'aimes pas. Et rien que ça, c'est déjà impardonnable.

Pour une mère et sa fille, elles se disputaient trop souvent, et maintenant, elles avaient atteint une impasse.

Une fois de plus, ce fut Jim qui parvint à alléger l'atmosphère.

— Vous vous emportez, et c'est vraiment dommage, parce que vous êtes toutes les deux intelligentes et que vous vous aimez. Je sais ce qu'il faut faire : nous allons arrêter de parler de ça, et tout de suite. Je ne veux plus entendre un mot là-dessus, sérieusement. Nous ne connaissons pas ce jeune homme assez bien pour nous forger une opinion valable. Tu pourrais lui dire, Hyacinthe, que nous avons envie de le voir plus souvent. S'il est sincère, il sera ravi. À présent, terminons notre tarte en paix.

3

— Un trajet de trente kilomètres dans les deux sens pour aller voir un film d'art et d'essai, est-ce que ça en vaut la peine, par ce temps ? objecta Francine.

Elle s'exprimait sans animosité, et après plus de deux semaines de coexistence pacifique Hyacinthe ne prit pas mal sa remarque.

— Un peu de pluie, ce n'est rien.

— Regarde par la fenêtre.

Un vent violent secouait les arbres et faisait ployer jusqu'à terre les branches basses qui fouettaient l'air en se redressant.

— C'est le dernier jour, expliqua Hya. Nous ne voulons surtout pas rater ce film, il paraît qu'il est très beau.

— Mais ça t'oblige à faire un grand détour, d'aller le chercher à Linden.

— Ma voiture est plus fiable que la sienne. Ne t'inquiète pas. La pluie, ça n'a rien à voir avec une tempête de neige. Nous prendrons notre temps pour arriver, et nous mangerons un morceau en sortant de la séance. Ne t'étonne pas si je rentre un peu tard.

Sur l'écran, deux amoureux regardaient un voilier entrer dans une baie couleur saphir de la mer Tyrrhénienne. Ils étaient tout proches, main dans la main. La brise faisait danser la jupe de cotonnade de la jeune fille au-dessus de ses genoux nus.

Gerald serra la main de Hyacinthe dans la sienne.

— Viens, on part. On n'a pas besoin d'attendre le générique…

— Que c'est beau, murmura-t-elle. Je voudrais bien voir les dernières images.

— Tu n'as qu'à les imaginer. Je vais te montrer quelque chose de mieux. Tu peux me croire.

Le Highway Motel était situé entre un entrepôt abandonné et un terrain vague qui servait de dépotoir pour des machines rouillées. Une grande enseigne placée bien en vue, illuminée au néon dans l'obscurité croissante de cette fin d'après-midi, annonçait la location de chambres avec télévision et magnétoscope. Ils étaient venus si souvent que Hyacinthe était persuadée que la réceptionniste les reconnaissait.

Gerald eut un frisson réprobateur.

— C'est vraiment sordide, cette saleté. Dieu sait que je devrais y être habitué, puisque j'ai vécu longtemps dans un hôtel de ce genre.

— Ce n'est pas si sale que ça.

— Je reconnais bien là ma Hyacinthe, toujours à voir le bon côté des choses.

— Pourquoi pas ? J'ai apporté un bel édredon de chez moi. Il est dans le coffre, enveloppé pour que personne ne puisse deviner ce que c'est. De toute façon, ça ne les regarde pas.

— Tu penses à tout, dit Gerald en riant.

— Je pense à toi. Je ne fais que ça toute la journée.

Ils entrèrent. Elle ne vit pas le nom qu'il inscrivit dans le registre, et ne le lui demanda pas. Cela non plus ne regardait personne. Quand ils eurent fermé leur porte et tourné la clé dans la serrure, elle retira les couvertures du lit, les remplaça par l'édredon et se déshabilla.

— Sens mon cœur, comme il bat, dit-elle.

— À te voir comme ça, une jeune fille si raffinée, si sérieuse, si ambitieuse, on ne devinerait jamais cet aspect de ta personnalité. Moi, je ne m'en doutais pas.

— Dans ce cas, pourquoi es-tu venu me chercher au musée, la première fois ?

— Je ne sais pas. Qui peut dire ce qui attire un homme chez une femme ? Tu m'intéressais beaucoup.

— Tu n'as pas eu le coup de foudre ? Ne te moque pas, ça arrive. Et pas seulement dans les contes de fées.

— Bon, d'accord, disons que j'ai eu le coup de foudre. Allez, viens. Mets-toi sous les draps avec moi.

Après un bref sommeil et la paix familière qui suit le plaisir, ils restèrent au lit à regarder la pluie tomber devant la fenêtre grise.

— Tu te souviens du déluge, le jour où nous nous sommes rencontrés ? murmura Hya.

Le cou de Gerald était doux sous ses lèvres. Elle aurait voulu rester couchée là sans bouger, pour toujours, ne plus faire qu'un avec lui jusqu'à la fin du monde. Une violente émotion lui gonfla la poitrine, un bonheur, une tendresse qu'elle n'avait encore jamais connus. Son cœur battait fort.

Dans le couloir, des voix sonores éclatèrent, et une porte claqua brutalement.

— Quel sale endroit, maugréa Gerald.

— Moi, ça ne me dérange pas, du moment que nous sommes ensemble. Ça ne te suffit pas ?

— Non, nous méritons mieux que ça.

Une tristesse indéfinissable lui noua la gorge comme si elle allait pleurer. Le vieil adage lui revint en mémoire : « Après l'amour, l'homme est triste. » Pourquoi en était-il souvent ainsi ? Par peur que l'extase ne revienne jamais ? Était-ce la même sensation quand on écoutait une musique d'une beauté impérissable ? Cela se rapprochait de l'éphémère perfection des journées de juin, qui, sitôt passées, s'enfuient pour toujours. Ou alors, elle avait peur qu'il ne l'aime moins qu'elle ne l'aimait. Elle s'accrocha si fort à lui qu'il sentit ses cils humides sur son épaule.

— Je ne sais pas..., commença-t-elle.

— Je plaisantais, tout à l'heure, quand j'ai prétendu que nous n'avions pas eu le coup de foudre.

— Dis-moi ce qui te plaît en moi.

— J'aime ton charme grave, ton esprit, ton talent, ta voix, ton désir, tout. Hyacinthe, chérie, tu te poses trop de questions.

Soudain, elle se surprit elle-même en disant :

— Nous devons être complètement honnêtes l'un envers l'autre, tu sais.

— Parce que nous ne le sommes pas ? Je ne comprends pas.

— Parfois, j'ai hésité à te dire... à te dire des choses qui ne sont pas faciles... Mes parents voudraient mieux te connaître... Nous nous voyons tellement souvent.

Dans la pénombre, elle n'avait pas vu son sourire mais l'avait entendu dans sa voix. Elle se redressa, alluma, et l'observa avec inquiétude.

— Tu n'es pas en colère ?

— Mais non, bien sûr que non. Ils se conduisent comme tous les parents. Des parents qui ont une fille.

— Papa trouve ça très bien que tu fasses médecine. Il est chimiste, ce doit être son côté scientifique qui lui fait apprécier les médecins. En plus de ça, il te trouve vraiment sympathique.

— Oui, je m'en suis rendu compte. Et aussi que ta mère ne m'aime pas beaucoup…

Hyacinthe se sentit rougir.

— Oh, elle… En fait, nous n'avons pas parlé beaucoup de toi. Ce n'est pas aussi facile de discuter avec elle qu'avec papa, alors nous ne… Je ne veux pas dire que nous ne nous entendons pas, mais elle a son caractère, et moi, je suis plutôt têtue. Je me connais, alors parfois j'essaie d'éviter la discussion.

Elle s'éloignait du sujet avec une maladresse impardonnable, s'arrêtant juste au moment où Gerald levait la main pour l'interrompre.

— Je comprends ce que tu veux dire… avec beaucoup de tact. Tu me demandes de ne pas me vexer si je ne me sens pas accueilli très chaleureusement par ta mère. Tu sais, je vois depuis le début qu'elle ne m'apprécie pas.

— Ah ? Je ne me doutais pas…

— Tu voulais qu'on se parle en toute franchise, non ?

— Oui, mais… Que s'est-il passé ? Elle t'a dit quelque chose ?

— Rien du tout… elle a un visage très expressif, et je devine assez bien ce que les gens ont dans la tête. C'est préférable, pour un médecin.

— Je suis désolée. Mon chéri, pardon ! Elle ne te connaît pas, c'est pour ça. Comme elle est honnête, elle sera la première à reconnaître qu'elle se trompe.

— Si tu me disais ce qui lui déplaît, je pourrais essayer de faire un effort.

Comment lui répéter ce que Francine avait dit ? Incapable de le regarder en face, elle lui donna une version très édulcorée de l'opinion de sa mère.

— Elle pense que tu ne resteras pas avec moi, et que je ne devrais pas trop compter sur toi.

— Mais ça ne tient pas debout ! Elle verra bien qu'elle fait erreur.

— Tu ne lui en veux pas, tu es sûr ?

— Bien entendu.

Toute cette histoire, ces soupçons mesquins les humiliaient tous deux. Elle regrettait d'avoir pris le risque d'aborder le sujet. À présent, elle brûlait de gêne, des pieds à la tête.

— Ne prends pas cet air, Hya. Viens avec moi voir la tête que tu fais.

Dans la salle de bains, toujours nus, ils se mirent devant le grand miroir.

— Regarde, tu es trop jolie pour t'enlaidir avec cette mine triste.

— Tu me trouves vraiment jolie ?

— Tu le sais très bien.

Ses cheveux châtains mi-longs encadraient un charmant visage symétrique au regard sérieux et aux pommettes hautes, dominé par un large front.

« Tu pourrais être vraiment mignonne si tu te maquillais un peu plus, disait souvent Francine. Tu serais très bien si tu ne t'ingéniais pas à te rendre aussi terne. »

« Tu as du caractère, lui disait sa grand-mère, toujours à l'opposé de Francine. Tu n'as aucun besoin de te mettre tout un plâtras sur la figure. »

Ce qui impliquait que Francine, elle, se maquillait trop.

Ce souvenir cocasse fit sourire Hyacinthe. Elle se demanda alors pourquoi elle perdait si facilement confiance en elle et quelle était la cause de ces hauts et ces bas dans son humeur. Peut-être cela arrivait-il à tout le monde, sauf que les gens n'en parlaient pas ou ne voulaient même pas se l'avouer à eux-mêmes.

— Pense à te tenir droite, lui avait recommandé Francine. Les femmes grandes comme toi ont tendance à se tenir voûtées. Il faut que tu te surveilles, surtout si tu es en compagnie d'un homme plus petit que toi.

Avec Gerald, pas de risques ! Dire qu'il était là, près d'elle, cet homme miracle qui s'attirait l'admiration générale et qu'elle avait tout à elle.

— Tu trembles, remarqua-t-il. Habillons-nous. On gèle, ici. Et puis, il est tard, presque minuit. Nous ferions mieux d'y aller. Ne t'en fais surtout pas pour ta mère et moi. Tu n'as qu'à prendre la situation avec le sourire et me laisser faire. Je te garantis qu'elle va m'apprécier, et plus tôt que tu ne le penses. Elle apprendra peut-être même à m'aimer.

4

Les flammes qui crépitaient dans la cheminée donnaient un chaud reflet au garde-feu de cuivre et envoyaient une lumière dansante sur le tapis persan rosé.

Gerald s'étira avec un soupir.

— C'est le bonheur ! Le bonheur intégral. Il neige dehors, alors qu'ici tout est beauté, tranquillité...

Hyacinthe vit le salon à travers ses yeux : les livres, les chevaux de cristal sur le manteau de la cheminée, et le gardénia en fleur de Francine devant la baie vitrée. Elle supposait aussi qu'il comparait cette pièce à l'endroit où il vivait et qu'elle n'avait visité qu'une seule fois : un espace sombre et exigu, envahi par les bruits de l'immeuble et de la rue ainsi que par des odeurs de friture. Un lieu encombré et très triste.

D'une certaine façon, au cours des derniers mois, ils étaient entrés dans la vie l'un de l'autre. Ils avaient appris à se connaître au-delà de l'intimité que procure l'amour physique, d'une façon toute différente qui allait bien plus loin. Elle éprouvait de plus en plus de tendresse pour Gerald, un sentiment fort distinct de la passion.

— J'aime tes cheveux, dit-il.

— Ils sont trop raides. Je devrais prendre le temps de les onduler.

— Surtout pas : ils sont tellement lisses que la lumière les rend presque roux.

Il lui caressa la tête d'un geste possessif, comme s'il avait des droits sur elle, en mari qui demande une faveur à sa femme. Cette preuve d'intimité lui alla droit au cœur, de même qu'elle était touchée lorsqu'il lui conseillait de saler moins sa nourriture ou, sur la route, de garder ses distances avec la voiture qui la précédait.

Son père avait eu raison de lui demander d'amener Gerald à la maison une fois par semaine. Peu à peu, malgré quelques difficultés au début, il avait commencé à s'intégrer à la vie familiale. Les deux hommes s'entendaient à merveille. Même Francine, malgré son manque d'enthousiasme, avait beaucoup changé vis-à-vis de Gerald ; elle semblait l'accepter sans laisser percer la moindre animosité. On voyait que, sincèrement, elle essayait d'envisager la situation de façon objective.

— Quelle pièce agréable, dit Gerald. Cette maison, c'est l'idéal. Elle est toujours aussi paisible ?

— Depuis que mes frères sont partis, oui, mais avant, je t'assure qu'il y avait de l'animation. Pourtant, ils nous manquent à tous.

— Ce qui me fait penser que ton père m'a dit la semaine dernière qu'il n'avait pas souvent l'occasion de disputer de parties d'échecs dignes de ce nom depuis leur départ.

— Je sais… Ma mère et moi, nous faisons de notre mieux, mais nous ne sommes pas assez fortes pour lui. Il gagne trop facilement, ça ne l'amuse pas.

— Je me disais que ce serait gentil de lui proposer de rejouer une partie maintenant.

— Mais oui, pourquoi pas ? Il te trouve excellent adversaire. Je vais rester dans le salon avec vous et en profiter pour regarder le sublime livre d'art que tu m'as offert. Tu ne devrais pas te ruiner pour moi comme ça. Vraiment.

— Et si j'en ai envie ? Tu mérites bien cela, je trouve. Je vais chercher ton père.

Ils avaient prévu d'aller se promener autour de la grande mare dans l'après-midi, mais la neige s'était mise à tomber, et ils avaient préféré rester au chaud pendant que les flocons tourbillonnaient dans le vent de l'autre côté de la fenêtre. La partie d'échecs se déroula dans l'habituelle atmosphère de concentration intense. Un moment, Hyacinthe observa les deux têtes penchées sur l'échiquier, l'une brune, l'autre grisonnante. Ce spectacle la plongea dans une douce félicité, un contentement paresseux.

Une image bizarre lui vint à l'esprit, une de ces visions incongrues qui surgissent sans qu'on sache comment ; en l'occurrence, elle vit des billes colorées dans un pot. Lorsqu'on agitait le récipient, elles changeaient toutes de place. « Que se serait-il passé, songea-t-elle, si je n'avais pas été élevée par cet homme-là ?… Serais-je devenue la même personne ? Non, très probablement pas. Je n'aurais certainement pas rencontré ce garçon-là ! Maintenant, nous sommes liés les uns aux autres, et à Francine qui est en haut, pendue au téléphone pour une de ses associations. Un pot de billes… »

Elle ouvrit le livre d'art et lut la moitié du chapitre consacré aux néo-impressionnistes. Mais elle relisait les mêmes phrases sans en absorber le sens ; elle feuilletait les belles reproductions sans les voir. Son esprit était ailleurs, loin du salon et de l'instant présent.

D'ici à quelques mois, ils atteindraient un moment décisif. Gerald cherchait un poste d'interne dans un hôpital. Où partirait-il ? Et elle, que deviendrait-elle ? Rien n'avait encore été décidé pour leur avenir. N'était-ce pas un peu inquiétant ?

Pourtant, ils se disaient tout, se faisaient les plus intimes confidences, parlaient de sujets douloureux et tristes, s'avouaient des souvenirs gênants qu'ils avaient enterrés dans les recoins les plus secrets de leur mémoire.

Gerald lui avait parlé de sa mère, morte de la maladie d'Alzheimer après de longues souffrances. Hyacinthe savait comme il avait souffert de cette tragédie, pâti de la pauvreté de sa famille, et qu'il regrettait de n'avoir pas été assez courageux pour – c'était lui qui le disait – « se montrer plus à la hauteur ».

Elle s'était sentie assez en confiance pour lui confesser les petits détails les plus risibles, se moquant d'elle-même en parlant de Martha, qui vivait à quelques maisons de chez elle. Martha était son ennemie jurée depuis leurs neuf ans, quand on avait commencé à se moquer de son prénom : « Ben toi, s'était-elle souvent entendu dire, t'as une drôle de tête pour une fleur. » À cette époque, Martha avait eu de grandes nattes qui lui descendaient jusqu'à la taille et pas d'appareil dentaire.

Ils avaient même discuté de leurs anciennes histoires de cœur, ou plutôt, en ce qui concernait Hyacinthe, de sa totale inexpérience.

— Je n'ai jamais aimé personne avant toi. Les garçons que j'ai rencontrés n'étaient que des copains.

— Moi, j'ai connu des femmes, beaucoup, même, mais aucune ne te ressemblait. Elles n'ont pas compté. Personne ne t'arrive à la cheville.

Soudain, les deux hommes se levèrent.

— Je m'incline devant mon maître, dit Gerald, beau joueur, en joignant le geste à la parole.

— Mais quelle idée ! Nous n'avons pas terminé, et je suis obligé de me battre pied à pied. Je ne me suis levé que parce que j'aperçois Francine à la porte. Cela signifie que le dîner est prêt et que nous devons nous interrompre.

Hyacinthe avait préparé presque tout le repas. Francine s'était chargée des courses, avait mis la table et épluché les légumes : c'était un partage des tâches équitable, puisque l'une adorait cuisiner et l'autre non. Des tulipes penchaient gracieusement la tête dans un vase de verre bleu. Un parfum de bouquet garni montait du ragoût de bœuf entouré de pommes de terres et de carottes mijotées. Une salade verte était disposée devant chaque assiette, et deux carafes identiques contenaient un bon vin rouge.

— Quel festin ! s'exclama Gerald.

— Hyacinthe, en plus d'être une artiste talentueuse, est excellente cuisinière.

Elle rougit. On aurait cru entendre un père qui vantait les mérites de sa fille pour la marier ! Mais ce n'était pas le cas. Il était trop direct, trop innocent pour user d'un tel stratagème. C'était simplement une façon d'exprimer son affection.

D'ailleurs, il amenda aussitôt sa remarque :

— Sans vouloir ôter de lauriers à mon épouse, bien entendu.

Francine sourit, d'un sourire si discret qu'on le voyait à peine. Il s'esquissait au coin des lèvres, juste assez pour creuser une fossette dans chaque joue. Elle portait une robe bleu foncé et aucun bijou, hormis deux petits diamants à ses oreilles. Ils étincelaient dès qu'elle bougeait la tête. Aujourd'hui, elle parlait peu car, Hyacinthe le savait, elle voulait laisser à Gerald l'occasion de mener la conversation. Elle l'observait, attendant que se révèle Dieu sait quel défaut.

Néanmoins, elle ne trahissait rien, gardant une attitude irréprochable. Il fallait la connaître à fond pour deviner ce qui se passait dans sa tête sous ses dehors aimables. Elle présentait une image impeccable, jusqu'au bout de ses ongles vernis de rose pâle.

Hyacinthe baissa les yeux sur ses propres mains. Elle avait oublié de les passer à la pierre ponce pour se débarrasser de la peinture ocre qui restait de sa séance de travail de la veille. Elle pouvait prendre autant de douches qu'elle voulait, cela ne suffisait jamais à enlever la couleur. Elle trouva soudain l'atmosphère pesante. Ce dîner avait quelque chose d'artificiel, contrairement à la partie d'échecs qui l'avait précédé.

— Oui, disait Gerald en réponse à une question de Jim, je suis sûr de mon choix. Nous avions un voisin qui avait été blessé pendant la guerre de Corée. Il a fallu lui remodeler tout le visage. Cela m'a fasciné. Pour moi, c'était à la fois une prouesse technique et du grand art. En le revoyant, j'ai compris presque aussitôt que je consacrerais ma vie à cette spécialité.

Il s'exprimait avec une précision égale à celle qui caractérisait tous ses gestes, que ce fût pour couper une pomme, plier un pull, ou, comme à présent, poser son couteau dans son assiette, parallèlement au bord de la table.

— Combien de temps prend la spécialisation de chirurgie esthétique ?

— Au moins trois ans.

— Donc, intervint Francine, vous devez être en train de chercher un poste d'interne.

— Oui, j'ai déjà envoyé pas mal de dossiers.

— Il faut choisir un bon hôpital universitaire, continua-t-elle en ajoutant, lorsqu'il eut approuvé : Il n'y en a pas, par ici. Notre hôpital ne serait pas à la hauteur.

— Oui, c'est vrai.

Ils croisaient le fer par-dessus la tête de Hyacinthe. Bien entendu, se dit-elle, Francine était ravie qu'il soit obligé de partir bientôt. Pourquoi ne lui avait-il jamais parlé de son internat ? Cela cachait quelque chose.

— Au moins, les internes reçoivent un salaire, de nos jours, remarqua Jim. Dans le temps, ils étaient censés se satisfaire du privilège d'apprendre leur métier.

— Nous sommes payés, mais très peu, surtout pour ceux qui ont des dettes à rembourser...

— Ah oui, c'est vrai. Vous avez pris des prêts étudiants à l'université, d'après ce que m'a dit Hyacinthe.

— Et je dois encore de l'argent pour les soins donnés à ma mère avant son décès.

— Vous êtes un jeune homme ambitieux et responsable. Je vous tire mon chapeau.

« Ça n'en finira donc jamais ? » se demanda Hyacinthe.

Comme s'il avait deviné sa gêne, son père changea de conversation pour parler des tulipes.

— C'est vraiment gentil d'avoir apporté des fleurs. Ça donne l'impression que le printemps n'est pas loin.

Gerald s'adressa à Francine.

— Elles m'ont évoqué votre papier peint. Votre salle à manger, la maison tout entière, d'ailleurs, pourrait figurer dans un magazine de décoration.

Une conversation légère suivit, qui rebondissait d'un côté de la table à l'autre. Hyacinthe l'entendit à peine. Une angoisse sourde s'était emparée d'elle.

— Et si nous passions au salon boire un cognac ? suggéra Jim. On sent presque ce vent glacial traverser les murs.

— Allez-y, dit Hyacinthe, je vais débarrasser et remplir le lave-vaisselle.

« Il va partir Dieu sait où, pensait-elle. Je ne veux pas l'attendre trois ans ! Il va trouver quelqu'un d'autre. »

— Je vais t'aider, proposa aussitôt Gerald. Ne vous en faites pas, ajouta-t-il en se tournant vers Francine. Je sais qu'on ne met pas les verres en cristal dans le lave-vaisselle. J'y ferai très attention.

Il se donnait tant de mal pour se faire aimer ! Mais pourquoi se préoccuper de l'opinion de Francine si leur histoire devait bientôt s'achever ?

— Non, répondit-elle, je me débrouillerai toute seule. Va finir ta partie d'échecs avec papa.

En tournant la tête alors qu'elle était devant l'évier, elle vit Francine sur le pas de la porte qui la considérait, une expression un peu triste sur le visage.

— Je vais laver les verres, proposa celle-ci.

— Mais enfin, il n'y en a que huit, pour l'eau et le vin, je ne vois pas pourquoi tout le monde en fait une telle histoire !

L'instant d'après, regrettant sa brusquerie, elle essaya de se rattraper.

— Pardon. Je dois être fatiguée.

— Inquiète, plutôt, rectifia Francine doucement.

— Non, je ne suis pas inquiète. Je n'ai aucune raison de l'être.

Elle ne voulait pas donner à sa mère l'occasion d'aborder la question qui semblait lui brûler les lèvres.

— Je ne sais pas si tu devrais avoir des sujets d'inquiétude ou pas, Hyacinthe. C'est à toi de m'en parler, si tu le souhaites. Si tu penses que je peux t'aider.

— Seulement si tu as changé d'avis sur lui.

Elle avait envie de crier : « J'ai peur. Je voudrais que quelqu'un, toi ou n'importe qui, me dise ce que je dois faire. Je ne sais pas s'il vaut mieux parler la première, ou attendre qu'il se décide lui-même. Tout à l'heure, à table, son attitude m'a semblé étrange, à moi aussi. Je ne sais plus… »

— Mon opinion sur Gerald n'a pas changé, je le trouve toujours aussi charmant et intelligent. Il parle bien, il fait tout pour nous plaire, et comme je le dis depuis le début…

Jim cria de l'entrée :

— Francine, viens voir ! Insiste pour que Gerald reste dormir ici. Il pense que ça va te déranger, mais la route est complètement verglacée. Ce serait de la folie de rouler par ce temps !

— Bien sûr, cela ne me dérange pas du tout que vous restiez. Nous avons largement la place.

Gerald hésitait.

— J'ai du travail pour lundi à terminer.

— Vous pourrez repartir demain vers midi, insista Jim. Les routes seront plus praticables à cette heure-là.

Il vous restera largement le temps de finir ce que vous avez à faire.

— C'est très gentil, mais, je vous assure, j'ai déjà conduit sur le verglas…

Hyacinthe attendit, se sentant seule sous la lumière du hall. Pourquoi insister tant pour qu'il reste ? Il n'en avait aucune envie, c'était pourtant facile à voir.

Son père en avait cependant décidé autrement.

— Monte avec lui, Hya, et installe-le dans la chambre de Paul.

Ils se rendirent à l'étage.

— Tu n'avais pas envie de rester, remarqua Hyacinthe. Ne te force pas, si tu ne veux pas.

— Tu es en colère ? demanda Gerald, surpris.

— Oui. Oh, pas vraiment en colère, mais j'ai de la peine. Tu as pris toutes les décisions dont tu parlais tout à l'heure sans m'en dire un mot.

— J'allais le faire aujourd'hui, et puis je n'en ai pas eu le courage. Je ne voulais pas gâcher la journée.

— Comment ça, gâcher la journée ? Qu'est-ce que tu veux dire ?

— Assieds-toi, je vais t'expliquer.

Elle s'assit sur le lit et le fixa. Il était sur le point de lui annoncer une nouvelle qui allait l'anéantir, c'était sûr. Elle se blinda, assise le dos bien droit, et attendit.

— Je ne voulais te parler de ça qu'en tête à tête. On m'a déjà offert un poste d'interne… deux, en fait, et tous les deux excellents. Malheureusement, ils se trouvent dans le Texas.

— Pourquoi, malheureusement ?

— Eh bien… ce n'est pas la porte à côté. Le voyage est long et cher.

Lui qui s'exprimait d'ordinaire avec tant de facilité avait du mal à aligner les phrases. Il lui adressa un faible sourire.

— Continue, dit-elle.

Écartant les bras en signe d'impuissance, il se mit à se lamenter.

— Je le sais depuis deux semaines, mais je n'osais pas t'en parler. Tu m'attendras ? J'avais peur que tu ne me dises non. Tu m'attendras, dis ?

Elle commençait à comprendre où il voulait en venir.

— Tu veux dire qu'on ne va pas pouvoir se voir pendant trois ans ? C'est ça que tu veux ? Pourquoi ?

Il entoura doucement ses épaules contractées, dures comme de l'acier, et répondit à voix basse :

— Je peux te répondre en un mot : l'argent.

— Mais tu vas toucher un salaire.

— N'oublie pas que je suis criblé de dettes.

— Je n'arrive pas à croire que tu puisses envisager ça, murmura-t-elle.

— Mais, ma chérie, il n'y a pas d'autre solution.

— Tu dis toujours que tu ne peux pas passer une semaine entière sans moi.

— Je sais.

— C'est comme si on nous avait jeté un mauvais sort…, continua-t-elle dans un souffle. Ce soir, j'ai eu une horrible prémonition. Quand nous étions à table, en te regardant, j'ai ressenti une tristesse épouvantable ! Tu comprends ? Et j'étais en colère, furieuse contre le monde entier. Je ne savais pas pourquoi. C'était comme si quelqu'un était mort, ou parti pour toujours.

— Pas pour toujours.

— Ça n'a aucun sens. D'autres couples trouvent le moyen de se débrouiller. Tu ne crois tout de même pas que je vais cesser de travailler ?

— Ce n'est pas si simple. Les célibataires ont droit à une chambre quasiment gratuite. Marié, je n'aurais droit à rien.

— Je ne t'ai pas parlé de mariage.

— Je ne vois pas de quoi il pourrait s'agir d'autre si tu me suis.

— Nous resterions ensemble, pour ne pas nous quitter.

— Non. Je ne veux pas arriver dans un hôpital comme ça. Soit j'y vais seul, soit j'y vais avec ma femme. Je ne veux pas de demi-mesure.

— Alors, c'est une demande en mariage ?

— Oui, absolument, avec une condition. Nous devrons attendre.

Elle lui jeta un regard de désarroi, de désespoir.

— Regarde, dit-il en sortant un calepin et un stylo de sa poche. Je vais te montrer mes calculs au centime près, et tu vas voir qu'on ne peut pas faire autrement.

Elle fixa la main qui courait sur le papier, avec ses délicates veines bleues et ses beaux ongles ovales, cette main qui connaissait la moindre courbe de son corps. Paniquée, elle cherchait déjà des solutions, tirant les conclusions des additions et des soustractions qui prenaient forme sous ses yeux. « Papa, pensa-t-elle, il nous aidera. Il n'est pas riche, mais il fera quelque chose. »

— On trouvera un moyen, dit-elle. Je vais demander à mon père.

— Tu vas lui demander de l'argent ?

— Oui.

— Je ne pourrai pas accepter. Je ne veux pas recevoir d'argent de lui, surtout pas de lui.

— Je ne te demande pas de le lui demander toi-même. C'est normal que ce soit moi qui le fasse. Et pourquoi ne veux-tu surtout pas recevoir d'argent de lui ?

— Ça semble évident, non ? C'est humiliant…

— Davantage pour moi que pour toi.

— Non, pour moi aussi. C'est pour moi que tu vas le lui demander.

— Tu ne t'es pas senti humilié quand tu as accepté de l'argent de la faculté de médecine.

— Ça n'a rien à voir. Il s'agissait d'un prêt.

— Eh bien, dans ce cas, nous n'avons qu'à faire pareil. Nous lui rembourserons l'argent quand tu commenceras à exercer.

Il y eut un long silence que Gerald finit par rompre sans enthousiasme.

— Cette solution ne me plaît pas du tout.

— Mais à moi, si.

Il sourit.

— Je commence à comprendre pourquoi on te traite d'entêtée dans ta famille.

— Ah ! Je me sens mieux maintenant que je sais que ce n'était qu'une question d'argent, s'exclama-t-elle en lui rendant son sourire. Je croyais… C'était horrible, je croyais que tu ne m'aimais plus.

— Tu es folle, répondit-il en riant. Complètement folle. Mais, reprit-il avec sérieux, ce ne sera peut-être pas aussi facile que tu l'imagines. Tu n'as pas oublié la mauvaise opinion que ta mère a de moi.

— C'était il y a des mois ! Et puis, si papa a envie de nous aider, il le fera, quoi qu'elle en pense.

Il y eut un nouveau silence que Gerald rompit encore une fois.

— Alors, pose-leur la question si tu veux. Moi, en tout cas, je ne pourrai jamais.

Souvent, au cours du printemps, Hyacinthe songea qu'un jour lointain elle repenserait à cette période de sa vie comme le font les vieilles gens, sa grand-mère par exemple, en ressassant sans fin ses beaux souvenirs ; elle se rappellerait tout de cette époque où les espoirs se réalisaient, et où les baisers, les larmes, le champagne, les vœux de bonheur, les robes blanches et les chapeaux à fleurs s'épanouissaient.

— Je suis très heureux de pouvoir faire ça pour vous, avait déclaré Jim le soir où tout avait commencé. Tant mieux si je peux vous offrir la liberté de vous consacrer à votre travail sans inquiétude, Gerald. Un portefeuille trop plat, c'est mauvais pour la concentration.

— Donc c'est décidé ? demanda Francine. Fiançailles, remise des diplômes, mariage, et départ pour le Texas ?

— Oui, deux semaines après la fin de l'année universitaire, compléta Hyacinthe, maintenant rose de bonheur sous son joli chapeau.

Ils se tenaient dans le salon. Le feu brûlait bas dans la cheminée, et la musique que Jim écoutait quand Hyacinthe était entrée s'élevait en doux fond sonore. C'était le *Requiem* de Verdi, qui devait rester par la suite toujours lié pour elle à cet événement.

— Je tiens à vous dire à tous les deux, déclara Gerald, que je vous dois une reconnaissance éternelle. Jamais je ne vous remercierai assez. Sachez aussi que je ne vous vole pas Hyacinthe. Elle m'a dit que vos fils vous manquaient beaucoup, et je promets qu'après ma formation je reviendrai ici et que nous vivrons près de vous. Les médecins sont plutôt sédentaires. Je vais aussi essayer de me souvenir, ajouta-t-il en s'adressant particulièrement à Francine, de ne plus appeler Hyacinthe « Hya », il paraît que vous détestez ça.

— Ce n'est pas grave, Gerald. Appelez-la comme elle voudra. Je ne suis pas un ogre, vous savez.

Cette fois, son sourire était charmant et elle prit Gerald dans ses bras avec chaleur. Ce qu'elle pensait réellement, Hyacinthe n'arrivait pas à le deviner. Elle n'était sans doute pas très surprise par la tournure que prenaient les événements. Et puis, elle avait très probablement changé d'opinion sur Gerald. Au moins, elle devait se rendre compte qu'il essayait de plaire par tous les moyens.

Il fit bon usage des dernières semaines du semestre avant la remise des diplômes, avec leur emploi du temps presque vide qui semblait conçu tout exprès pour lui permettre de s'intégrer à la vie de la maisonnée. Le printemps était exceptionnel, verdoyant, avec de belles journées fraîches bien plaisantes après l'hiver rigoureux.

Jim voulait créer une nouvelle bordure de fleurs vivaces du côté ombragé de la maison. En compagnie de Gerald, il feuilleta des livres de jardinage, à la recherche des espèces qui s'accommoderaient de cette exposition, acheta des plants chez le pépiniériste, et se mit au travail. Ils jardinèrent ensemble jusqu'à la nuit, profitant des soirées qui s'allongeaient. Les fils de Jim lui avaient rarement accordé autant de temps et d'attention. Ils repeignirent les chaises longues, allèrent à la pêche, achetèrent de quoi préparer des grillades au barbecue et s'occupèrent de la cuisson.

L'ambiance était paisible, merveilleuse. À quelques pas de la maison s'étendait une forêt dont le propriétaire autorisait l'accès. Hyacinthe et Gerald s'y promenèrent pendant des heures, s'asseyant sur des troncs couchés pour converser longuement dans une paix et un silence dont il avait peu l'habitude. Hyacinthe trouvait qu'ils devenaient encore plus proches, d'une nouvelle façon.

Un soir, ils se laissèrent gaver par Granny qui leur avait préparé un dîner délicieux. Après le repas, elle continua de les régaler, cette fois d'histoires de sa jeunesse, du temps où la ville était encore entourée de grands domaines, avec les petits trains privés qui servaient à les parcourir, et leurs vaches de concours agricole ; dans la rue commerçante circulaient des Pierce Arrow avec chauffeur ; les orchestres jouaient *Over There*, en 1917. Avant leur départ, Granny sortit les cadeaux qu'elle leur avait tricotés : deux pulls, un pour chacun, de la même couleur bleu marine. Hyacinthe avait eu peur que Gerald ne s'ennuie car sa grand-mère avait tendance à s'écouter parler et ne savait pas s'arrêter alors que la conversation n'intéressait souvent qu'elle. Mais non, il l'avait trouvée charmante, « une adorable vieille dame avec beaucoup de personnalité ».

En mai, tout était organisé. Par une magnifique matinée de grand soleil, dans toute la splendeur et l'apparat de la tradition, eut lieu la cérémonie officielle de remise des diplômes. Hyacinthe, les yeux humides, regarda Gerald recevoir son certificat de docteur en médecine. Ensuite, à la maison, il fut présenté comme il se devait à la famille éloignée et aux amis. Plus tard dans la soirée, il fut même exhibé devant Martha, l'ennemie jurée, et montré au reste de la « bande ». Comme par hasard, Hyacinthe était passée avec lui devant chez sa voisine, et tout le monde put ainsi se rencontrer ; voyant l'expression de Martha qui, sans s'intéresser beaucoup à l'événement, marquait une certaine surprise, Hyacinthe ressentit une satisfaction triomphante qui la remplit aussitôt de honte à l'idée de se préoccuper ainsi de l'opinion des gens.

On passa ensuite à la préparation de la petite cérémonie de mariage qui devait avoir lieu dans le jardin. Les frères de Hyacinthe achetèrent leur billet d'avion. Elle choisit sa robe de mariée et commanda avec Francine les invitations gravées. Quelques cadeaux étant déjà arrivés, elle envoya des mots de remerciement. Le voyage vers le Texas avait été prévu dans ses moindres détails.

Ce fut le père de Hyacinthe qui parla d'une réception après le mariage, insistant même pour qu'elle ait lieu.

— J'admets que tu ne veuilles pas trop de monde à la cérémonie, si c'est ce que tu préfères, mais tu regretteras de ne pas avoir marqué le coup après. D'ailleurs, ce serait vraiment mal élevé de ne pas inviter les voisins alors que tu as vécu toute ta vie dans ce quartier et que tu es allée à l'école ici. Qu'en penses-tu, Francine ?

En fait, cela aurait plutôt été le rôle de sa mère de suggérer la réception, mais Francine accepta sans se faire prier. Depuis la nuit neigeuse où Jim avait ouvert son cœur et son portefeuille à Gerald, elle se conduisait avec cette même bonne grâce tout en restant quelque peu sur la réserve, pensait parfois Hyacinthe sans en être tout à fait sûre.

— J'adore toutes les fêtes, vous le savez, dit Francine. Hyacinthe, il faudra que tu me donnes tes idées pour la décoration, le buffet et les invités. Je m'y attelle tout de suite.

À plusieurs reprises, alors que le jour du mariage approchait, Hyacinthe fut sur le point de demander à Francine ce qu'elle pensait vraiment de Gerald maintenant qu'il était devenu un intime de la maison. Chaque fois pourtant elle se retint ; si Francine n'abordait jamais le sujet, n'était-ce pas parce qu'elle avait changé d'avis sur lui – comment faire autrement ? – et qu'elle avait honte de se souvenir de son erreur de jugement ? Il valait mieux, et de loin, oublier ce mauvais départ.

Hyacinthe trouvait la vie bien douce.

5

Les invités dansaient depuis le début de l'après-midi au son d'un excellent orchestre de cinq musiciens. Un plancher avait été posé sur le gazon, et un chapiteau dressé en cas de pluie, précaution inutile car, heureusement, pas un nuage ne se profilait à l'horizon. Tout autour de la piste était disposée une guirlande de petites tables nappées de blanc et garnies de nœuds de taffetas. À l'une d'entre elles, la famille s'était retrouvée pour se reposer un moment en regardant les danseurs.

Jim était « dans son élément », pour reprendre une expression qu'il aimait utiliser et dont il faisait usage à l'instant.

— Regardez comme Gerald est bon danseur ! Il est vraiment dans son élément. Et Hya le suit sans aucune difficulté. Je ne savais pas qu'elle se débrouillait si bien.

Francine était pensive. « Ce n'est sûrement pas la seule chose que nous ignorions d'elle », songeait-elle.

— Dire que ma sage petite sœur est la première de son année à se marier, commenta George. Qui l'eût cru ! Et pas avec n'importe qui. Un type vraiment valable. Et permettez-moi de vous dire que des gens valables, j'en ai rencontré un certain nombre dans le secteur bancaire international.

— Oui, approuva Granny. Il a du charme, non ? J'ai eu le coup de foudre dès que je l'ai vu. Comme je l'ai dit à Hyacinthe, le mariage est une affaire très, très sérieuse. Mais ce mariage-ci va être réussi. Elle va être follement heureuse, je le sens d'instinct. Vous ne pensez pas, Francine ?

« Évidemment, pensa celle-ci, Hyacinthe lui a raconté ce que j'ai dit de lui ce fameux soir, et maintenant elle veut me contraindre à me prononcer clairement. Cela la surprendra d'apprendre que je commence à l'apprécier. À tout le moins, je n'ai eu aucune critique à formuler pendant ces derniers mois. »

— Oui, certainement, répondit-elle.

Elle le souhaitait de tout son cœur, espérant qu'elle n'avait pas trop fait de dégâts en portant ce mauvais jugement sur l'homme que Hyacinthe adorait tant. Pourvu, se disait-elle, que le souvenir de ses paroles sévères s'efface complètement. Sous le soleil de ce bel après-midi, elle avait le cœur lourd. Il avait été si facile d'élever les trois garçons qui s'amusaient sur la piste de danse… Aucun de ses trois fils ne lui avait causé le moindre tracas, contrairement à Hyacinthe. « J'ai dû beaucoup l'agacer, c'est certain. Je me faisais du souci pour elle, alors nous nous sommes accrochées bien trop souvent. Mais je ne désirais rien d'autre que de la voir plus heureuse, plus légère. En fait, je voulais qu'elle devienne quelqu'un qu'elle ne pouvait pas être ! »

— Regardez-la, dit Jim. Elle s'est épanouie comme une rose.

Francine suivait déjà sa fille des yeux. Hyacinthe rejetait la tête en arrière en riant, la voilette au vent et les pieds agiles. Elle dansait avec un jeune homme du musée. Ses camarades de travail lui avaient envoyé un cadeau de mariage original et charmant, une série de photos, très joliment encadrées, de l'expédition Shackleton au pôle Sud. Hyacinthe s'était fait ses propres amis.

Quand Gerald vint prendre la place de son cavalier, Hyacinthe se dressa sur la pointe des pieds pour l'embrasser sur la bouche, puis elle repartit rapidement dans la danse, voilette au vent, radieuse et amoureuse. Oui, elle s'était épanouie comme une rose, ainsi que Jim venait de le remarquer.

Lui aussi rayonnait de bonheur.

— Quelle réception réussie, ma chérie, ma merveilleuse femme, toujours efficace. La perfection, comme d'habitude. J'aimerais un jour te voir oublier un petit détail. Rien qu'une petite chose, une seule fois.

— Eh bien, c'est fait. Les carafes sont presque vides. Je cours voir si j'ai bien pensé à dire aux serveurs qu'il reste du vin dans le garage.

À son retour, Francine apportait un message pour Granny.

— Le traiteur voudrait savoir qui a acheté les cookies et combien ils ont coûté. Ça l'intéresse.

Granny éclata de rire.

— Mon Dieu, c'est simplement ceux aux épices que je fais toujours. Je crois que c'est une recette du XVIIIe siècle d'un livre de cuisine de Williamsburg, ou peut-être de La Nouvelle-Orléans. Je ne me souviens même pas.

— Eh bien, il n'en reste presque plus, et tu dois en avoir fait au moins deux cents. Mais, Jim, Gerald n'a pas dit qu'ils voulaient partir à dix-huit heures ? Si c'est le cas, ils devraient commencer à se changer… Où est-il passé, d'ailleurs ? Je ne le vois pas.

— Il est rentré depuis un moment, dit Granny. Peut-être a-t-il un peu trop bu. Et puis, c'est fatigant, toutes ces émotions.

— Je vais le chercher pour voir ce qu'il veut faire. L'orchestre est à notre disposition. Ils sont prêts à arrêter ou à continuer, selon ce qu'on leur demandera.

À part la cuisine, en pleine ébullition, la maison était plongée dans le silence quand Francine la traversa. Puis elle crut entendre un bruit de voix en haut, qui venait du petit atelier de Hyacinthe. En montant, elle appela :

— C'est toi, Gerald ?

— Oui, je suis là. Je montre le travail de Hya… de Hyacinthe, à son amie, Martha.

Francine fut saisie par une soudaine colère qui se ficha droit dans son cœur. Qu'est-ce que cela signifiait ? En entrant dans l'atelier, elle fut surprise par le sourire éclatant de Martha. Cette expression lui ressemblait si peu que Francine ne fut d'abord pas certaine qu'il s'agissait bien d'elle. Martha vivait et travaillait à New York, à présent. Ses cheveux, clairs à l'origine, étaient décolorés en blond, avec un brillant et des racines si irréprochables que cela ne pouvait être que l'œuvre d'un grand coiffeur.

— Depuis le temps que je connais Hya ! s'exclama-t-elle, je ne me doutais pas qu'elle avait autant de talent ! Ce portrait de son père… il est superbe ! Et la nature morte avec les fruits est vraiment jolie.

— Déjà vendue, intervint Gerald. Un de ses amis du musée va la lui acheter. Et sa grand-mère veut l'aquarelle de la maison pour en faire cadeau à George le jour de son anniversaire.

— Dire que je ne me doutais de rien ! Hya est tellement modeste. Elle l'a toujours été, d'ailleurs, au lycée comme à l'université.

— Oui, c'est vrai.

— Normal, de la part d'une artiste. Les artistes ne sont pas comme tout le monde.

Francine s'adressait de sévères reproches : « Que tu es bête. Qu'as-tu été imaginer ? As-tu vraiment cru qu'ils étaient montés pour un rendez-vous galant ? N'empêche, ce n'est pas convenable de quitter la réception comme ça, tous les deux seuls. Ils devraient savoir que c'est incorrect.

« Elle, elle le sait très bien. Elle sent le pouvoir qu'elle a sur les hommes et elle aime ça, même sans vouloir aller bien loin, comme aujourd'hui. Est-ce que je ne sentais pas ce pouvoir, moi aussi ? Mais une fois que j'ai eu Jim, je ne m'en suis plus servi, c'est différent. »

— J'adore cette scène de neige, continua Martha, qui prenait son temps pour commenter les tableaux de façon à rendre sa visite de l'atelier plus innocente. On sent vraiment le froid, vous ne trouvez pas ?

Des pensées que Francine avait étouffées depuis longtemps perçaient de nouveau tel le chiendent qui, malgré tous les efforts possibles, refait surface après avoir été arraché. Était-ce une maxime d'un philosophe français, ou simplement un proverbe populaire, qui disait qu'en amour il y en avait toujours un qui aimait et l'autre qui se laissait aimer ? Dans le cas présent, c'était Hyacinthe qui aimait. Hyacinthe donnait son cœur, son âme, avec une totale sincérité parce qu'elle était droite. Elle était directe, honnête, très innocente : une fille sans la moindre malice.

Par la fenêtre, Francine contempla l'heureuse et bruyante assemblée. Elle voyait soudain la scène comme un essaim d'abeilles qui bourdonnaient en tournoyant les unes autour des autres. N'existait-il rien d'autre que la lutte pour la survie ?... Gerald, bien entendu, s'était douté que Jim accepterait de donner de l'argent... Il avait bien joué son jeu.

Il s'adressa à elle.

— Vous vouliez me parler ?

— Oui, je me suis souvenue que vous et Hyacinthe aviez prévu de partir à six heures, et je voulais vous rappeler que l'heure tourne.

— Merci. J'allais redescendre. Regardez, ajouta-t-il en se tournant vers Martha. Vous ne trouvez pas que Francine est très belle ?

— Oui, très. Et elle ne vieillit pas.

Prenant Francine dans ses bras, il lui donna un baiser sur la joue. Elle observait son regard expressif depuis le début. Pour l'instant, il ne reflétait que tendresse et sympathie.

— Vous êtes inquiète. Votre dernier bébé vous quitte, et ça vous rend triste, c'est normal. Mais, je vous en prie, n'ayez pas trop de peine. Je promets de la rendre très, très heureuse.

« Malgré moi, je sens que c'est faux. Mais il ne faut surtout pas que je réveille ces idées noires. C'est dangereux. Je dois faire attention de déguiser mes pensées. »

— Mais oui, répondit-elle, je suis sûre que vous la rendrez heureuse.

La voiture rouge, le coffre rempli de bagages neufs, était prête à partir dans l'allée, tandis que les invités attendaient les mariés pour leur souhaiter bon voyage. Francine et Jim, au premier rang, vivaient avec angoisse ce départ, le départ de leur dernier enfant, comme Gerald l'avait bien compris. Derrière eux s'élevaient des commentaires.

— Hyacinthe était resplendissante. Elle étincelle de bonheur.

— Et lui ? Tu ne le trouves pas beau, lui aussi ?

— Est-ce qu'ils vont directement dans le Texas ?

— Non, ils vont se balader pendant une quinzaine de jours avant le début de son travail : le Grand Canyon, les Tetons, tous les hauts lieux touristiques. Il n'est jamais allé dans l'Ouest, contrairement à elle.

— Elle, elle est allée pratiquement partout.

« Oui, pensa Francine, nous avons fait notre possible pour cultiver cet esprit curieux et intelligent. Et elle n'a pas perdu une miette de tout ce que nous lui avons donné, cette petite tête de mule… »

— Maman, fit Hyacinthe.

Elle s'était changée pour le voyage, en jean et sweat-shirt épais car un vent frais s'était levé. Pas question pour Hyacinthe d'adopter le traditionnel tailleur de voyage de noces !

— Maman, je voudrais te dire quelque chose à l'oreille, s'il te plaît. Je suis tellement heureuse que toi et Gerald… Il n'existe pas de meilleure mère que toi. Je veux que tu oublies toutes les bêtises que j'ai pu te dire ou dire de toi. Je t'en prie. J'ai eu un mariage de rêve. Allez, tu sais bien ce que je veux te dire. Ça me donne envie de pleurer, il faut que j'arrête.

— Ma chérie, moi aussi j'ai la larme à l'œil. Portez-vous bien tous les deux. Ça me rappelle une phrase que disent les Irlandais… Que la route…

— … que la route vous porte, compléta Jim, et que le vent vous pousse.

— Allez, on y va ! s'exclama Gerald en ouvrant la portière pour Hyacinthe. Monte.

— Dans ma voiture porte-bonheur. À la différence qu'aujourd'hui il ne pleut pas.

Il s'assit au volant, ils agitèrent le bras, et quelques secondes plus tard la voiture rouge porte-bonheur disparaissait.

6

Parfois, en rentrant en fin d'après-midi, Gerald s'arrêtait sur le pas de la porte et secouait la tête, incrédule.

— Jamais je n'aurais cru que ma vie serait aussi belle.

— Moi non plus, répondait Hyacinthe.

Elle se sentait comme une reine en son palais. L'appartement offrait tous les conforts. Le mobilier, simple et solide, était prévu pour durer toute une vie, et plus, car Francine et Jim, qui avaient financé l'emménagement, pensaient que la qualité revenait moins cher à long terme, sans compter le plaisir qu'on en retirait.

Les étagères étaient déjà pleines à craquer de livres et de disques ; des tissus à motifs fleuris décoraient les pièces et le paravent laqué que George leur avait envoyé de Singapour figurait en bonne place ; la cuisine, fraîchement repeinte en bleu glacier, était bien rangée, avec une barre où pendaient des casseroles à fond de cuivre. Puis on passait à la plus jolie chambre à coucher du monde, jaune jonquille et douce sous les pieds grâce au plus grand, au plus beau, au plus ancien des tapis au crochet de Granny, qui les avait suivis jusqu'ici.

Chaque fenêtre leur offrait un spectacle différent. Dans la petite cuisine, celle du fond s'ouvrait sur la grande plaine plate texane, avec une vue dégagée qui donnait au loin sur un groupe inattendu de gratte-ciel, certains terminés, d'autres encore à l'état de squelettes de poutrelles métalliques. Quand on ouvrait la fenêtre du côté, une brise soufflait du bosquet de peupliers de Virginie qui poussait de l'autre côté de la rue. Les fenêtres de la chambre dominaient de jeunes plaqueminiers dont, avait-on dit à Hyacinthe, le vert brillant virerait au jaune à l'automne ; pour l'heure, ils penchaient tristement la tête sous une chaleur de 40°. Du séjour, on voyait la route encombrée qu'ils prenaient tous les matins pour aller au centre-ville. Ils dépassaient d'abord des résidences privées et leurs maisons cossues cachées derrière de luxueux murs de pierre, puis traversaient de riches avenues commerçantes pour atteindre l'hôpital de Gerald, non loin de la petite galerie d'art de Hyacinthe.

Ici, il n'y avait aucune possibilité de trouver du travail dans un musée. Avec un rire fataliste, elle avait raconté à Gerald que, dans la région, les rares pièces à restaurer étaient toujours envoyées au musée qu'elle venait de quitter. Donc, la meilleure solution pour elle avait été la galerie de peinture. Cela ne manquait pas d'intérêt, et ses horaires lui laissaient le temps de faire des aquarelles et des croquis, assise à la table de la cuisine où Gerald la trouvait généralement en plein travail quand il rentrait.

Elle ne l'avait jamais vu aussi exubérant, d'aussi bonne humeur qu'à présent. Plongé dans la vie de l'hôpital, il admirait énormément les chirurgiens capables de remodeler le visage d'un enfant né avec une moitié de nez, ou de reconstituer un bras écrasé par une machine. Avec humour, il avouait s'impressionner lui-même en se fixant pour objectif de parvenir un jour à accomplir ce genre de miracle.

Pour un tel homme, la tranquillité d'un appartement accueillant devait être très importante après des journées d'intense concentration. Hyacinthe était touchée par le plaisir qu'il ressentait à de petits détails, comme les bons dîners qu'elle cuisinait ou la jolie table qu'elle préparait pour les lui servir. Il remarquait le bon goût du café fraîchement moulu, ainsi que le joli motif de sa tasse, et la louait pour la moindre de ses attentions.

Un soir, il releva les yeux du texte qu'il étudiait pour dire brusquement :

— C'est bon, ce sentiment de permanence.

— Pardon ?

— C'est bon, la permanence. Je n'ai jamais vécu plus de deux ans au même endroit, et encore, rarement aussi longtemps.

Hyacinthe aussi était en train de lire, pourtant la réflexion et l'air tendre de Gerald l'émurent au point qu'elle se leva pour passer les bras autour de son cou.

— Oui, nous deux, c'est pour toujours.

— L'autre jour, je pensais à ta mère, à la façon dont elle a changé d'avis sur moi. Maintenant, j'ai vraiment l'impression qu'elle m'apprécie. Toi aussi, tu devrais éprouver une grande affection pour elle.

— Moi, j'ai de la tendresse pour tout le monde, déclara Hyacinthe solennellement. Je voudrais que tous les gens puissent être aussi heureux que nous. Ça va peut-être te sembler naïf, mais, vraiment, parfois j'ai l'impression d'aimer la terre entière.

Hyacinthe n'était tout de même pas assez naïve pour croire que cet amour universel était autre chose qu'un état de grâce passager qui ne durerait pas et ne reparaîtrait que rarement, comme tous les sentiments de ce genre. Elle n'avait pas non plus la candeur d'imaginer que les premiers moments enchantés de la lune de miel continueraient sans aucune ombre.

Inévitablement, on découvrait qu'on ne savait pas tout de l'autre. Quand on pensait aux dizaines et aux dizaines de manies, de souvenirs et de goûts qui constituaient une personnalité, comment pouvait-on supposer qu'un être humain puisse trouver son double ?

Par exemple, un jour elle avait voulu aller au vernissage d'une exposition au musée, et Gerald avait refusé de l'accompagner.

— Ce n'est qu'à une demi-heure en voiture, avait-elle protesté. Et ces tableaux sont des prêts de la National Gallery. Tu ne voudrais quand même pas manquer ça !

— Si tu veux le savoir, ça m'est complètement égal. Je me contrefiche de la peinture. En fait, je t'ai raconté des histoires, avait-il achevé d'un air penaud.

Puis, voyant à quel point il la déroutait, il avait ajouté :

— Tu devrais être flattée que je me sois donné tant de mal pour te séduire.

Autre exemple quand elle préparait de bons petits plats, ce qui lui arrivait très souvent, elle aimait allumer la radio dans la cuisine pour écouter de la musique. Un jour, elle avait surpris la grimace qu'il avait faite en rentrant et lui avait demandé ce qui se passait.

— Il y en a du bruit, ici.

— Mais c'est beau, c'est du Mozart.

— Tu dois avoir ça dans le sang. Ton père écoutait toujours ce genre de truc.

— Oui, c'est vrai. Si tu veux, je ne mettrai plus la radio quand tu seras là.

Au milieu de la cuisine, une cuillère en bois à la main, elle se débattait contre des sentiments mêlés. Elle était un peu agacée, et pourtant elle savait que cela ne se justifiait pas. Car il était ici chez lui aussi, et si la musique le dérangeait il n'y avait aucune raison de la lui imposer.

En fait, ils avaient simplement des goûts différents. La seule chose qui la surprenait était qu'il eût caché les siens si longtemps. Mais le mariage, au moins en ces premiers jours, ne pouvait qu'être jalonné de ce genre de découvertes. Ensuite, au fil des ans, on finissait par fusionner complètement… ou en tout cas, rectifia-t-elle en redevenant plus réaliste, à se rapprocher beaucoup.

Le tête-à-tête de la lune de miel ne pouvait pas durer indéfiniment non plus. Quand, comme Gerald, on travaillait dans un grand hôpital très animé, on se faisait beaucoup d'amis. Elle ne s'était pas doutée qu'il aimait autant être entouré. Peu à peu, leur appartement devint un pôle d'attraction le samedi soir. Elle se rendit compte que Gerald avait déjà atteint une position de leader dans le groupe ; on le respectait pour son intelligence et on était séduit par sa personnalité. Elle l'avait vu évoluer d'une façon subtile depuis qu'elle le connaissait.

S'apercevant qu'il prenait un immense plaisir à tous ces changements dans sa vie, elle se sentait touchée. Leur appartement faisait la fierté de Gerald car la plupart des autres jeunes couples se contentaient de

« camper », comme ils disaient, et prenaient tous leurs repas dehors. Chez eux, au contraire, on trouvait belles couleurs, confort et mets appétissants.

— Jamais ils ne mangent aussi bien qu'ici, dit Gerald.

— Il faut remercier Granny, c'est elle qui m'a appris.

Hyacinthe, elle aussi, était fière d'accueillir ces joyeuses soirées chez elle. Pourtant, au bout d'un certain temps, elle se prit à désirer qu'elles soient un peu moins nombreuses, ou tout au moins qu'on lui donne l'occasion d'y prendre une part un peu plus active. Car les conversations ne s'écartaient que rarement du domaine médical, qu'il s'agisse de sujets sérieux ou de commérages sur les absents. Le plus souvent, elle en était réduite au rôle d'observatrice silencieuse, se contentant d'écouter les autres en étudiant le jeu des personnalités, les rivalités masculines et les attirances qui s'ébauchaient entre hommes et femmes.

— Tu as vraiment de la curiosité pour ce qui t'entoure, avait un jour commenté Gerald. Tu remarques tout. Tu décortiques ce qui se passe comme si tu voulais que rien ne t'échappe.

Il avait raison. Elle voyait une foule de choses, et s'arrêtait aux plus petits détails. Au fil des saisons, après l'automne et leur premier hiver, elle se fit son opinion sur les visiteurs qui venaient si souvent chez eux. Comme il était dans son caractère d'aimer presque tout le monde, ou de n'éprouver d'aversion que pour très peu de gens, elle ne se prit d'antipathie que pour une seule de ses invitées, un médecin du nom d'Elizabeth qu'on appelait Bettina. Sans être une beauté classique, elle possédait un charme fou dont elle avait conscience. Elle se savait séduisante et n'ignorait pas que les autres femmes ne l'appréciaient guère, ce qui n'avait rien d'étonnant.

La première fois qu'elles s'étaient vues, Bettina avait salué Hyacinthe par cette remarque :

— Ah ! C'est vous, la femme du beau gosse ! Si vous aviez entendu les commentaires des infirmières le jour de son arrivée ! Les patientes vont se bousculer dans son cabinet. Il a un charisme irrésistible, et en plus, il est intelligent.

Charisme était bien le mot. Avant leur mariage, Hyacinthe n'avait jamais vu Gerald en groupe et elle découvrait sa voix et ses expressions dans ce nouveau contexte. Son rire s'était transformé récemment : il avait adopté un petit rire communicatif, charmeur, accompagné d'un regard malicieux et complice.

Puis, un soir particulièrement animé, elle avait entendu une voix féminine à son oreille.

— Tu es vraiment patiente. Patiente et indulgente.

Stupéfaite, Hyacinthe avait regardé dans la même direction que celle qui venait de lui parler et s'était arrêtée sur Gerald et Bettina en grande conversation dans l'entrée où ils se trouvaient depuis fort longtemps.

— Mais j'imagine que ça ne te préoccupe pas vraiment. Bettina ne quittera jamais son gros mari et ne se risquera même pas à lui faire de vraies infidélités. Il est bourré de fric, et elle adore la vie qu'il lui offre.

Hyacinthe, se sentant rougir comme une pivoine, répondit froidement :

— Je ne comprends pas bien. Pourquoi aurais-je besoin d'être indulgente ?

L'autre femme, qui ne participait qu'occasionnellement aux soirées, haussa les épaules.

— Tu restes là sans rien dire, tu te laisses humilier devant tout le monde.

L'invitée avait trop bu, et Hyacinthe décida de la planter là.

— Je ne me sens pas humiliée du tout, jeta-t-elle, regrettant de ne pouvoir renvoyer ses invités.

Elle ne savait plus où elle en était. Prenait-elle l'affaire trop au sérieux, faisait-elle preuve d'un puritanisme ridicule ? Ou était-ce de la jalousie, comme avec Martha ? Si c'était le cas, il fallait que cela cesse…

Mais, bien plus tard, après s'être lavé les dents et déshabillée, Hyacinthe s'aperçut que l'incident lui restait sur le cœur. Vêtue d'une chemise de nuit transparente de soie mauve, cadeau de Francine, évidemment, elle alla se mirer dans le grand miroir et souleva son déshabillé pour s'observer d'un œil critique. Elle était mince avec pourtant des formes pleines ; son visage était agréable, mais sans traits frappants. Quand elle entrait dans une pièce, toutes les têtes ne se tournaient pas vers elle, à la différence de Bettina.

Gerald passa la porte et se mit à rire.

— Qu'est-ce que tu fais là ? Tu te plais, j'espère.

— Ce n'est pas le plus important. Le plus important, c'est de savoir si je te plais à toi.

— Tiens ? Que se passe-t-il ?

— Je me compare à… à cette femme, à Bettina.

— Oh, je t'en prie !

— C'est important que nous nous disions tout.

— N'est-ce pas ce que nous faisons ?

— C'est affreux ! La jalousie, c'est… tellement bas ! J'ai honte.

Gerald eut l'air désolé. Il rencontra son regard et le retint avec une expression qu'elle connaissait bien, sincère, implorante et un peu triste.

— Hyacinthe, ma chérie, excuse-moi si je t'ai fait de la peine, mais tu es une petite bête. Comme si cette nullité t'arrivait à la cheville ! Ce n'est qu'une coquette, une allumeuse ! Viens au lit. Ne fais pas l'idiote. Allez, viens, ou faut-il que j'aille te chercher ? Il est presque une heure du matin.

Elle resta un long moment allongée dans ses bras, le visage enfoui contre son épaule, se cachant contre le corps bien-aimé tandis qu'il murmurait des mots tendres en lui caressant les cheveux.

— Ma petite Hya, si douce, si intelligente, comparée à cette imbécile ! Petite naïve ! Ce n'est pas ce que Francine disait de toi ?

Un désir fou s'était emparé d'elle. Elle sentait dans son cœur, sa gorge, dans tout son être, le besoin de fondre son corps au sien, de ne plus faire qu'un avec lui.

— Je donnerais ma vie pour toi, souffla-t-elle.

— Non, non, ne dis pas ça.

— Mais si, je t'assure. Tu te souviens de l'histoire de la passagère du *Titanic* ? Mme Straus, je crois. C'est ça, Mme Straus. On a voulu la faire monter dans une chaloupe, mais elle a refusé. Elle voulait mourir avec son mari. Moi aussi, j'aurais fait comme elle.

— Et moi, je t'aurais poussée dans la chaloupe. Allez, changeons de sujet. Tu sais de quoi nous avons besoin, toi et moi ?

Ses mains, chaudes et fermes, relevèrent la chemise de nuit de soie.

— Enlève-moi ça tout de suite…

7

Par un bel après-midi, lors de leur deuxième automne au Texas, Hyacinthe, qui téléphonait à une amie de son Massachusetts natal, éprouva une fois de plus le besoin de s'extasier sur la différence de climat entre les deux régions.

— Pour les gens d'ici, il fait frais, alors que le thermomètre ne descend pas au-dessous de 27° ! Tu imagines ? Et la saison de football a commencé très, très fort. La rivalité est aussi féroce entre les équipes qu'entre la France et l'Allemagne pendant les guerres mondiales. Mais je m'amuse beaucoup. Les gens sont plus faciles à vivre, plus accueillants, même dans les grandes villes. Ah ! Et j'ai appris toutes les paroles de *The Yellow Rose of Texas* !

C'est de cette même belle humeur qu'elle entra dans le cabinet du médecin. Une demi-heure plus tard elle en ressortait ébahie, un sourire irrépressible aux lèvres.

— Aucune méthode n'est sûre à cent pour cent, lui avait expliqué le gynécologue, souriant lui aussi. Juin, c'est un bon mois pour mettre un enfant au monde, avant les grosses chaleurs, si nous avons de la chance.

L'obstétrique, se dit-elle, devait la plupart du temps être une spécialité bien agréable à exercer. Elle se sentait des ailes. Elle pétillait, débordait de bonheur comme une bouteille de champagne dont le bouchon vient de sauter, et se sentait des envies de rire comme si elle avait bu.

Seulement quatre heures de l'après-midi. Elle serait obligée de contenir sa joie pendant encore deux heures, jusqu'au retour de Gerald. Elle se retenait de chanter ou d'arrêter les passants, n'importe qui, pour annoncer l'incroyable nouvelle. Elle avait l'impression que tout aurait dû s'arrêter à cause du bébé qu'elle portait en elle. Ils n'avaient pas prévu d'avoir d'enfants avant la fin de l'internat de Gerald, et voilà, une surprise ! Mais peu importait ; ce bébé devait être pressé de voir le monde. En poursuivant sa route, elle regardait les landaus, les poussettes, comme si elle les voyait pour la première fois.

Elle eut envie de s'offrir des cadeaux pour fêter la nouvelle. Elle courut donc les magasins et retourna au parking les bras chargés : un énorme panda en peluche, un bouquet d'asters, une bouteille de bon champagne, et un gâteau pour deux.

Une fois rentrée, elle se souvint d'un coup que ses parents devaient venir le lendemain. Ils faisaient la tournée de leurs fils pour voir leurs petits-enfants, et s'arrêtaient chez elle sur le chemin du retour. L'année prochaine, à la même époque, ils auraient un nouveau bébé à visiter sur leur route. Il faudrait qu'elle achète un appareil photo. Et puis, le gâteau était trop petit. Comment avait-elle pu oublier leur arrivée ? Demain matin, il lui faudrait se dépêcher d'en acheter un autre. Ou peut-être en préparer un elle-même si elle avait le temps. Les gâteaux maison étaient toujours meilleurs et faisaient plus plaisir. Et une deuxième bouteille de champagne. Les idées se bousculaient dans sa tête pendant qu'elle mettait la table pour le dîner. Cela fait, elle prit les asters pour les mettre dans un vase.

— C'est quoi, ça ? demanda Gerald dès son entrée, en apercevant le panda posé au bout du canapé.

— Devine !

— Un de tes frères va avoir un autre bébé ?

— Pas exactement, mais tu brûles, dit-elle en éclatant de rire.

Il la regarda avec surprise.

— Je ne comprends pas.

Elle s'amusait à prolonger le suspense.

— Aujourd'hui, je suis allée voir le Dr Lilly.

— Lilly ? Du service de gynéco-obstétrique ?

— Mais oui, bien sûr. Mon amour, c'est pour juin ! Je voulais être complètement sûre et l'entendre de sa bouche avant de t'en parler. C'est bien ça.

Gerald ôta sa veste et la posa avec sa précision habituelle, sans y faire un seul pli, sur le dos d'une chaise. Il gardait le silence.

— Que se passe-t-il ? Tu es tellement surpris que tu as perdu ta langue ? Ça me fait penser aux vieux films comiques où la femme annonce qu'elle est enceinte et où le mari s'évanouit, et…

— Surpris ? Oui, on peut dire ça. Ce n'est pas vraiment le moment, non ?

Quelle tête il faisait ! Il pinçait les lèvres si fort qu'elles ne formaient plus entre ses joues qu'une barre mesquine. Elle n'arrivait pas à quitter cette bouche des yeux.

— Tu es bien sûre ? demanda-t-il sèchement. Louie ne t'a laissé aucun doute ?

— Quelle drôle de question. Évidemment, que c'est sûr.

Elle sentait ses forces l'abandonner. Ses jambes tremblaient si fort qu'elle dut s'asseoir à la table, le bouquet d'asters encore serré dans les mains.

— Je ne comprends pas, dit-elle. Je pensais que tu serais tellement content !

— Eh bien, non. Ce n'est pas le bon moment. Sois raisonnable, Hya. Ça n'aurait pas pu plus mal tomber. J'en ai encore pour presque deux ans avant d'avoir terminé. Et cet appartement, il est trop petit pour y faire entrer un berceau, un landau, des couches, et... De grâce, occupons-nous-en et attendons le moment propice, comme nous l'avions prévu. Je t'en prie.

Son cœur battait si violemment qu'elle eut grand-peine à répondre.

— Nous en occuper ? Mais qu'est-ce que ça veut dire ?

— Ne joue pas les imbéciles, tu veux ? Ton innocence finit par être un peu lassante, on dirait une gamine. Tu sais très bien de quoi je parle !

Elle n'arrivait pas à comprendre. « Je n'y crois pas. Comment est-ce possible, comment ces mots peuvent-ils sortir de sa bouche ? Comment peut-il dire cela, lui, entre tous ? »

— Un avortement, murmura-t-elle. C'est ça que tu me demandes de faire ?

— Ce n'est pas le moment d'avoir un enfant, c'est tout. Tu le sais comme moi. Ça tombe très mal, ce n'était pas prévu. Nous en aurons plus tard. Sois raisonnable, Hya, tu es trop sentimentale.

— Sentimentale ? Tu parles de mon bébé... de notre bébé. Tu n'en veux pas, et tu me traites de sentimentale ?

Elle éclata en sanglots et, se levant d'un bond, heurta si fort la table que la bouteille de champagne tomba et se fracassa par terre.

— Attention ! s'écria-t-il. Ne marche pas sur le verre !

— Tu ne crois pas que je m'en fiche, du verre ? Tu ne m'aimes pas ! Si tu m'aimais, tu aimerais aussi notre enfant. Tu ne me demanderais pas de le tuer. Nous sommes jeunes, nous sommes en bonne santé, nous ne mourons pas de faim, nous ne sommes pas dans un camp de concentration ! Un avortement… Tu devrais avoir honte ! Comment peux-tu…

Gerald ferma la fenêtre à grand bruit.

— Tu es hystérique, comme d'habitude ! Nous n'avons pas besoin d'en faire profiter tout le voisinage.

— Je m'en fiche complètement ! Au contraire, je veux que tout le monde sache que j'ai le cœur brisé, que c'est toi qui me l'as brisé ! Que tout le monde sache qui tu es, en fait.

— Attends une minute, calme-toi, Hya. Ça ne sert à rien de…

Mais elle s'était déjà réfugiée dans la chambre. La porte claqua si fort que les murs vibrèrent. En pleurs, tremblant de tous ses membres, elle se laissa tomber sur le lit ; puis, prise d'un soudain malaise, elle courut à la salle de bains pour vomir. Quand elle retrouva son lit, elle resta immobile, plongée dans le plus profond désespoir, comme si son cœur allait éclater.

Des heures plus tard, lorsqu'elle s'éveilla, la chambre était plongée dans l'obscurité. Elle portait encore ses vêtements et Gerald dormait tout au bout de leur immense lit. Elle se leva et s'arrêta pour le regarder un moment. Ainsi, on pouvait se marier en toute candeur, puis un jour, en une minute, cette totale confiance était pulvérisée, et on ne gardait plus que l'horrible amertume de la colère. En silence, elle sortit de la pièce et alla se déshabiller dans la salle de bains. Ses yeux étaient si gonflés qu'il n'y avait plus que deux fentes entre ses paupières, et le reste de son visage était pâle et bouffi. Elle se trouva affreuse. Si seulement elle avait pu joindre sa mère et son père pour leur demander de ne pas venir le lendemain ! Mais comment ? Et quelle excuse aurait-elle pu invoquer ? C'était impossible.

Non, rien n'était jamais impossible, rien. Elle essaya de se rassurer à voix haute.

— Non, rien. Ce n'est qu'un mauvais moment à passer. Comme je pourrai.

— Applique-toi un gant trempé dans l'eau froide, conseilla Gerald, ça te fera du bien.

Il se tenait sur le pas de la porte. Peut-être s'était-il réveillé, ou peut-être avait-il seulement fait semblant de dormir.

— Je vais te dire ce qui me ferait du bien. Je veux retourner chez moi, d'où je suis partie pour te suivre ici, le cœur si léger. Ça me rappelle un poème… de Robert Frost, je crois : « Rentrer chez soi, c'est aller là où, quand on cherche refuge, on vous ouvre toujours la porte. » Mais ce ne sera que temporaire. Je me débrouillerai toute seule. Moi et mon bébé, on y arrivera. Nous n'avons pas besoin de toi.

— Leur vol arrive à quelle heure demain ? demanda-t-il sans lui répondre.

— 10 h 15. Quelle importance ?

— Bien sûr que c'est important. Tu ne peux pas y aller avec cette tête, et tu ne peux pas non plus les faire attendre.

— Ça ne te regarde pas. Ce sont mes parents, et j'irai les chercher toute seule.

— Ne dis pas de sottises. J'ai pris ma matinée pour aller à l'aéroport.

— Comme si tu tenais tant que ça à eux !

— J'irai sans toi, ça te donnera une heure et demie de plus pour te décongestionner le visage avant leur arrivée.

— Je ne comprends pas ! Tu crois que nous allons pouvoir survivre à ce désastre en gardant le secret ?

— D'abord, ça n'a rien d'un désastre. C'est quelque chose dont nous pourrions discuter raisonnablement, si tu y mettais un peu du tien. Mais nous n'avons pas besoin non plus de leur lancer tout ça à la tête dès qu'ils passeront la porte. Je ne dis rien d'autre.

— Ne me fais pas la morale. J'ai horreur de ce ton dur que tu prends. Si je n'avais pas un bébé dans le ventre, j'aurais envie de mourir tout de suite, ou de te tuer.

— Hyacinthe, tu veux bien m'écouter ? Et pour l'amour du ciel, j'en ai assez de te le répéter, arrête de fumer ! J'en ai par-dessus la tête de voir tes cigarettes !

— Eh bien, dans ce cas, ne les regarde pas. Laisse-moi tranquille. Je n'ai plus rien à faire avec toi. Je ne veux plus te voir.

Il n'y avait nulle part où dormir, à part le lit. La nuit avait fraîchi, et, frissonnante de nervosité, elle resta longtemps les yeux ouverts, à regarder les éclairs de lumière que formaient les nuages en passant devant la lune. Elle ne savait pas si Gerald dormait, et s'en moquait.

Les asters de la veille, qu'elle avait récupérés par terre, se trouvaient désormais sur la table. De part et d'autre du vase, elle avait disposé les chandeliers de cristal que Jim et Francine venaient de leur offrir. Elle avait préparé le plat favori de son père, aux crevettes et au poulet, et mis au frais le champagne que Gerald avait servi. Francine avait donné des nouvelles des frères de Hyacinthe et de leurs enfants ; elle était ravissante, avec son chemisier rouge cerise et ses perles. « Elle n'a jamais de soucis », se disait Hyacinthe. Tout était comme d'habitude, familier et agréable. Ou tout l'aurait été si elle n'avait hésité à leur annoncer la nouvelle maintenant ou plus tard, par lettre ou au téléphone après leur retour.

Les anecdotes tournaient autour des petits-enfants qui, comme la plupart des petits-enfants, étaient extraordinaires, avec aussi des détails sur la maison de Paul et la mutation de George qui rentrait de Singapour. C'était surtout Jim qui animait la conversation. Francine, très silencieuse contrairement à son habitude, jetait des petits coups d'œil à Hyacinthe plus souvent que nécessaire.

— Nous nous sommes dit, expliqua Jim, ou plutôt, nous commençons à penser, que notre maison est trop grande et trop vide pour nous. Bien sûr, j'adore mon jardin. Nous l'aimons tous les deux, mais si nous pouvions trouver une maison plus petite avec un terrain aussi grand, et si vous reveniez dans l'Est tous les deux, vous pourriez avoir envie de vivre dans notre maison, et nous pourrions peut-être vous la donner.

— C'est une maison magnifique, s'exclama Gerald. Ce serait un cadeau incroyable !

— Il est encore trop tôt pour en parler vraiment, intervint Francine avec un calme bon sens.

— Oui, bien sûr, approuva Gerald. Nous sommes loin d'en être là.

Il embraya sur des anecdotes de son travail, qui semblèrent les intéresser. Comme à son habitude, il racontait bien, de façon très vivante.

— Un accident vraiment bête : ils n'avaient pas mis leurs ceintures de sécurité. Il était à la place du mort et il est passé à travers le pare-brise. Vous n'avez pas idée de l'état de son visage. Il faut savoir que toute sa vie aurait pu être fichue par terre, psychologiquement. Un jeune type, avec la vie devant lui. J'étais mort de peur, vous pouvez me croire, quand Grump – c'est comme ça que nous appelons le chef du service, Malcolm Grumboldt – m'a dit d'opérer. Bien sûr, il est resté à côté de moi en permanence, et il m'aurait arrêté si j'avais commis une erreur. Dieu merci, tout s'est bien passé.

— Je ne sais pas comment tu fais, dit Jim, admiratif. Cela remonte à quand ?

— À hier après-midi, répondit Gerald avec un sourire. J'étais encore comme une pile électrique quand je suis rentré à la maison.

« Il dit ça pour moi, pensa Hyacinthe. Et si je parlais maintenant ? »

Francine la regardait encore.

— Tu as des problèmes d'yeux ? Je les trouve rouges et gonflés.

Non, pas tout de suite.

— Je dois avoir une allergie. Ce n'est rien, ça va passer très vite.

— Allez, dis-leur, intervint Gerald d'un ton enjôleur. Bon, si tu ne te décides pas, c'est moi qui vais le faire. Hyacinthe est enceinte, et elle ne se sent pas très bien.

Elle lui jeta un regard stupéfait. Quel tour voulait-il lui jouer ? Des exclamations de joie fusaient déjà.

— Ma chérie ! s'exclama Francine, pourquoi ne disais-tu rien ? C'est merveilleux !

— Il paraît que vous, les femmes, dit Gerald, vous aimez garder le secret jusqu'à ce que vous soyez certaines que tout se passe bien.

Hyacinthe s'empourpra ; elle avait horreur de ces rougeurs subites qu'elle ne maîtrisait pas. Que voulait-il dire par là ? Elle attendit qu'il continue, qu'il avoue sa réaction, leur dispute, leur rupture. Mais il n'en fit rien.

Jim, qui se levait pour l'embrasser sur le front, semblait en proie à une vive émotion.

— Je ne sais pas pourquoi, mais l'idée que ma fille va avoir un bébé me touche plus que pour les autres. Je sais, ça ne devrait pas être différent... Ta grand-mère va être tellement contente d'être arrière-grand-mère une nouvelle fois.

Francine, après avoir embrassé Hyacinthe, n'oublia pas d'embrasser aussi Gerald.

— Quelle chance il a, ce bébé, lui dit-elle. Les enfants de nos jours n'ont pas tous d'aussi bons parents. Hyacinthe, tu voudras bien me laisser choisir la layette ? J'adore acheter des vêtements de bébés.

Elle aime acheter des vêtements, tout court, pour les bébés ou n'importe qui. Et maintenant, je fais quoi ?

Ne sachant quelle attitude adopter, elle garda le silence.

— Il va vraiment falloir que tu arrêtes de fumer, reprit Francine.

Elle la contemplait avec un sourire aimant. Voilà bien longtemps qu'elle ne s'était plus permis de critiquer sa fille, que ce fût pour sa coiffure, son maquillage ou ses cigarettes. Hyacinthe avait pensé que ce changement venait de son soulagement et de son bonheur de constater que le mariage, finalement, se passait très bien.

Le cœur gros, elle répondit :

— Mais bien sûr. J'ai jeté toutes les cigarettes que j'avais dès que j'ai su. J'ai l'intention de prendre grand soin de mon bébé, ajouta-t-elle en regardant Gerald droit dans les yeux.

Puis on lui demanda s'ils comptaient prendre un plus grand appartement, remplacer la petite voiture rouge, et s'il valait mieux l'acheter comptant ou en location-vente... Une heure entière de tendres et chaleureuses questions.

— Nous avons encore du temps devant nous, finit par déclarer Gerald, mais Hyacinthe a déjà commencé les préparatifs. Où est le panda ? Tu ne veux pas le leur montrer ?

Il lui fallut donc sortir la grosse peluche encombrante du haut de la penderie de l'entrée où elle s'en était débarrassée le matin même. En chantonnant la valse du *Beau Danube bleu*, Jim tournoya dans la pièce avec le panda, et tous se mirent à rire, sauf Hyacinthe, et tous sauf elle reprirent du champagne, et s'extasièrent sur cette belle journée, jusqu'à ce qu'arrive l'heure de reconduire ses parents à leur hôtel pour la nuit.

— Viens nous raccompagner avec Gerald, Hya, supplia Jim. Nous reprenons l'avion tôt demain matin, et nous n'allons pas te revoir d'ici un moment.

Mais Francine protesta.

— Laisse-la, je crois qu'elle est fatiguée.

— Oui, c'est vrai, un peu.

Ce n'était pas de la fatigue pourtant, pensa-t-elle, elle avait le cœur en mille morceaux.

Elle rangeait le reste du moka au réfrigérateur quand Francine la rejoignit pour l'interroger.

— Tout va bien, Hyacinthe ?

— Mais oui…

Comme toujours quand Francine était préoccupée, les deux rides verticales apparaissaient entre ses sourcils. *Non, pas maintenant. Il vaut mieux le leur dire par écrit.*

— Entre toi et Gerald, tout se passe bien, j'espère ?

C'était sa prérogative de mère de poser la question, et il fallait bien répondre…

— Ça nous arrive de nous chamailler, admit-elle.

Francine la considéra. Elle sembla hésiter une seconde, puis, d'un ton léger, approuva.

— Oui, des petites disputes… Ce serait même étonnant que vous n'en ayez pas, comme tout le monde.

Hyacinthe était couchée quand Gerald rentra et parut à la porte de la chambre.

— Pourquoi as-tu raconté tout ça, à table ? demanda-t-elle en se redressant dans le lit.

— Parce que j'ai réfléchi, et que j'ai compris que j'avais terriblement tort. J'ai honte de moi, et je veux te présenter mes excuses.

— Ah oui ? Et pour quelle raison as-tu changé d'avis si vite ?

— Ma première réaction, hier, a été trop rapide. Je ne me suis pas donné le temps de réfléchir, je ne sais pas ce qui m'est arrivé. Je venais de passer une journée éprouvante, comme tu me l'as entendu raconter. J'étais fatigué, ce qui n'est pas une excuse, je le sais. Je ne vois pas comment j'ai pu dire une chose pareille. Je ne comprends pas, je n'en pense pas un mot. Tu comprends ? Excuse-moi, s'il te plaît.

Il avait l'air de souffrir. Hyacinthe ne savait plus que penser. Ses yeux se remplirent de larmes, mais elle ne voulait plus se rendre malade, c'était fini. Excédée, elle les essuya d'un revers de la main.

— Je t'ai fait souffrir, dit-il.

— Oui.

Quand il voulut s'approcher d'elle, elle l'arrêta de la main.

— Non, attends. Es-tu sûr que tu veux de ce bébé ? Parce que, si tu n'en veux pas, je vais l'avoir toute seule.

— J'ai honte, répéta-t-il. Hya, je t'en prie. Essaie de comprendre. Je t'en supplie. J'ai eu un coup de panique. Je n'ai pensé qu'à des considérations pratiques : le temps, l'argent. Mais maintenant, je le veux vraiment. Pendant tout le trajet du retour, en revenant de l'hôtel, j'ai essayé de voir comment nous allions nous débrouiller. Il y a assez de place dans la chambre pour un berceau. Il… ou elle… n'aura pas beaucoup plus d'un an quand nous partirons d'ici, et après, nous aurons amplement la place. On pourra caser le landau dans l'entrée. Ce sera un peu juste, mais quelle importance ? Hyacinthe, oublie ce qui s'est passé, ne m'en veux pas ! Je t'en prie, ma chérie, je sais que tu peux me pardonner.

Avec le temps, se disait Hyacinthe, les blessures se guérissaient. La coupure, d'un rouge de sang, blanchissait en cicatrisant, et finissait par ne plus laisser qu'un léger sillon dans la chair.

Son fils vint au monde sans peine avant l'aube, par un beau matin de juin. Après un sommeil réparateur, elle s'éveilla, sentant que midi était venu ; le soleil brillait, et le terrain de golf public, dans le parc qui faisait face à sa chambre, était plein de monde. Les joueurs, dont les vêtements aux couleurs vives ressortaient sur le fond d'herbe verte, ressemblaient aux petits personnages d'un paysage de Bruegel, songea-t-elle avec plaisir. Près de sa fenêtre poussait un caroubier qui semait une pluie de fleurs nacrées. Dans la pouponnière, au bout du couloir, un gros bébé doté d'une houppe de cheveux noirs dormait.

— Un beau garçon, commenta l'infirmière en l'apportant à Hyacinthe. Il ressemble déjà à son père.

— Gerald Junior, dit ce dernier. Nous n'aurons qu'à l'appeler Jerry, avec un « J », pour qu'il n'y ait pas de confusion possible.

Hyacinthe n'aurait pas choisi ce nom, mais n'était-elle pas bien placée pour savoir qu'un prénom n'avait pas grande importance ? Elle se réjouissait surtout de voir que Gerald admirait déjà son fils. Il débordait de joie.

— Regardez-le ! Vous avez vu ses jambes, comme elles sont longues ? Et ses épaules carrées. Il a de beaux traits, aussi, pour un nouveau-né. On voit déjà qu'il aura un visage bien modelé.

Pendant que Hyacinthe nourrissait son bébé, Gerald les regardait, secouant la tête comme s'il n'y croyait pas.

— La mère et l'enfant, quel beau tableau ! Le spectacle le plus ordinaire au monde, et pourtant toujours renouvelé, toujours miraculeux. La vie lui apportera beaucoup de bonheur, j'espère. Tes parents doivent être aux anges.

— Oui. Francine avait envie d'un petit-fils, après toutes les filles de mes frères.

— J'ai une très bonne nouvelle à t'annoncer, Hya. Grump... pardon, je devrais dire le Dr Grumboldt, sait que nous comptons rentrer nous installer dans l'Est. Il m'a donné un contact qui m'a l'air d'être ce qu'il nous faut. Un type qui a un très gros cabinet et qui a fait son internat ici, il y a dix ou douze ans. Il a un drôle de nom, tu vas rire : Jack Arnold Ritter-Sloan. En tout cas, d'après Grump, il est très sympathique, il a bon caractère, et s'entend bien avec tout le monde. En plus d'être excellent chirurgien, il a de très bons rapports avec les patients. Il jette un peu l'argent par les fenêtres, mais le train de vie, ça fait partie du métier. Un type brillant. Grump voulait le garder ici, seulement il a décidé de partir un beau jour et il a fait ses valises. Maintenant, il a tellement de travail sur la côte Est qu'il a besoin d'un associé. Il lui faut quelqu'un de vraiment bien, selon Grump, c'est-à-dire moi, peut-être. Et tu sais, reprit-il après une petite pause, Grump ne fait pas souvent de compliments.

Elle revit le jour où elle s'était arrêtée pour prendre un jeune homme solitaire sur le bord de la route sous une pluie battante. C'était normal pour une jeune mère d'avoir la sensibilité à fleur de peau, et de toute façon, songea-t-elle avec un sourire involontaire, elle était toujours très émotive.

Les pages d'éphéméride tournèrent, et la vie suivit son cours pendant que les bouleversements futurs attendaient à l'horizon comme de grands nuages dans un ciel estival. Jerry apprit à sourire, à se retourner, à s'asseoir, à ramper, et commença à marcher comme un château branlant. Robuste, vigoureux et adorable, il rayonnait de santé. Quand ses yeux lançaient des éclairs de malice, il ressemblait plus que jamais à son père. Souvent, en le surveillant, Hyacinthe pensait aux changements que son arrivée avait apportés dans sa vie de couple. À part quelques petits malentendus et quelques heures de crise grave par le passé, elle n'aurait jamais cru qu'elle et Gerald pourraient s'entendre encore mieux. Mais ce petit garçon, cette nouvelle vie issue d'eux avait encore accru leur harmonie.

Gerald en était comique. Il avait acheté tous les jouets qu'il avait pu trouver, de ceux pour le premier âge à un tricycle bleu vif que Jerry ne pourrait pas utiliser avant encore deux ans. Il avait déniché un chapeau de cow-boy et des jeans de western de la taille d'une serviette de table. Pour l'anniversaire de Hyacinthe, il lui offrit une photo de leur fils dans un beau cadre ancien. Et à l'occasion du premier anniversaire de Jerry, il réquisitionna tous ses collègues qui avaient des enfants en bas âge pour organiser un goûter avec glaces et gâteaux sur la grande pelouse du parc.

— Je veux qu'il ait tout ce dont j'ai été privé, déclarait-il.

L'appartement était plein à craquer. Tous les beaux objets qu'on leur avait offerts, du tapis fait main de Granny aux bibelots de Francine, avaient été mis en lieu sûr. On pouvait à peine faire un pas sans se cogner. Mais c'était le paradis.

Hyacinthe se débrouillait pour peindre encore un peu pendant la sieste de Jerry, ou le soir une fois qu'il était couché. Loin d'être épuisée, elle rayonnait de bonheur. Elle peignit les peupliers de Virginie, avec, dressé au loin, un gratte-ciel, solitaire sur la vaste étendue plate, et elle fit un dessin à l'encre de leur immeuble pour que Jerry ait un souvenir de sa première maison.

Elle vendit même quelques œuvres. Sa meilleure toile était une copie d'une des photos offertes par ses amis du musée : le navire échoué d'Ernest Shackleton dans l'Antarctique.

C'était Gerald qui l'avait poussée à l'apporter à la galerie, avec laquelle elle gardait de très bons rapports depuis son départ.

— Celui-là, il va se vendre, avait-il prédit. Tu as vraiment bien rendu la photo : le bateau noir penché sur le côté, prêt à tomber dans la glace brisée et les vagues blanches. C'est superbe, Hya.

Le tableau resta moins d'une semaine accroché dans la galerie avant qu'un petit garçon l'achète pour la fête des Pères. Il s'était vendu pour une bouchée de pain, mais, comme le disait Gerald, le prix ne comptait pas.

Au début de sa dernière année d'internat, il prit la décision de faire un saut en avion pour rencontrer le Dr Ritter-Sloan. Cela n'aurait eu aucun sens d'attendre qu'ils soient rentrés dans l'Est pour le voir : s'ils ne s'entendaient pas, un temps précieux aurait été perdu.

À son retour, il était enthousiaste. L'entrevue s'était bien passée. Ils étaient restés à discuter jusque tard dans la soirée.

— Nous nous sommes plu immédiatement. Arnie a voulu tout de suite qu'on se tutoie. Il est très sympathique, et, vu sa réussite, d'une modestie exceptionnelle. Il va te plaire, Hya. Sa clinique est même plus grande que ce que Grump m'avait dit : un très joli bâtiment conçu par Arnie lui-même. La ville n'est pas si petite que ça, et n'est qu'à deux heures de route de chez tes parents.

Gerald avait les yeux brillants en lui annonçant ces bonnes nouvelles.

— J'ai hâte que tu voies les lieux, continua-t-il. Il a dû investir des sommes colossales en matériel. Tout ça m'économisera l'argent qu'il aurait fallu que je dépense – enfin que j'emprunte – si j'avais dû m'installer seul.

Hyacinthe avait beaucoup de questions. Arnie était-il marié ?

— Non, il ne l'a jamais été, rapporta Gerald avec un sourire entendu. Sans doute aime-t-il trop sa liberté pour ça. Il a douze ans de plus que moi, mais il se conduit comme un jeune homme. Oui, on voit bien qu'il aime la belle vie, le luxe... les chevaux de course, par exemple. Il fait de l'équitation, il voyage, et il a un appartement en Floride.

— Je crois que je n'ai jamais connu personne de ce genre.

— Je m'en doute, mais je pense quand même que ça va nous aider beaucoup. Il a envie de moins travailler, me semble-t-il. C'est pour ça qu'il veut de l'aide. Il m'a promis de me prendre comme associé au bout d'un an si tout se passait bien. Et je sais qu'il n'y aura aucun problème. Je connais mon métier. Je suis tellement sûr que ça va marcher que j'ai signé un bail d'un an pour une maison. C'est superbe, à vingt minutes seulement de la clinique, avec possibilité d'achat.

— Quoi ? Mais tu ne m'as même pas téléphoné !

— Je n'avais pas le temps. C'était à prendre ou à laisser, mais tu vas adorer, je te le garantis. Dès que je l'ai vue, elle m'a fait penser à la maison de tes parents, juste un tout petit peu plus petit.

Elle n'en revenait pas.

— Mais comment allons-nous pouvoir payer ça ?

— Tu oublies que je vais devenir associé. Ne te fais aucun souci pour la maison. Je connais tes goûts, et je te jure qu'elle va te plaire. Si tu ne l'aimes pas, nous ne l'achèterons pas, promis.

On voyait qu'il était ravi de la façon dont l'avenir se dessinait, et Hyacinthe se réjouit avec lui.

Cette fois, la voiture rouge tirait une remorque de bonne taille. Au moment où ils allaient démarrer, Hyacinthe se souvint qu'elle voulait prendre une photo, et un voisin se chargea gentiment de les photographier devant l'immeuble qui avait abrité leur premier appartement. Ils formaient une belle famille, les deux parents derrière le petit garçon qui atteignait à peine le genou de son père. Ils sourirent pour la postérité, et pour eux-mêmes dans leurs vieux jours.

Hyacinthe était émue par ce départ. Progressivement, sans s'en apercevoir, ils s'étaient adaptés à leur nouvelle vie. Au moment de prendre la route, elle s'aperçut que les jeunes kakis, du côté sud de l'immeuble – une espèce rare qui ne se trouvait que dans le Texas, avait expliqué le jardinier –, avaient grandi d'au moins trente centimètres. Du côté ouest, là où, deux ans auparavant, la route traversait encore des pâturages avec des vaches, un nouveau complexe d'immeubles de bureaux s'élevait. Même sous la chaleur torride, à son comble à l'approche de midi, on se sentait pris par l'énergie qui se dégageait de la région.

Un groupe d'amis s'était réuni autour de la voiture pour leur souhaiter bon voyage. Quelqu'un avait donné à Jerry un chapeau texan miniature qu'il refusait de quitter. Les internes de l'hôpital avaient offert à Gerald et à Hyacinthe deux splendides paires de bottes de cow-boy, avec ce mot écrit sur la carte : « Avec ça, vous aurez un succès fou dans le Massachusetts. »

Ainsi donc, le moment du départ avait sonné. Le moteur démarra, et la voiture descendit la rue et rejoignit l'autoroute.

— Nous avons été si heureux ici, dit Hyacinthe alors qu'ils tournaient pour prendre la route vers l'est.

Jerry dormit et gazouilla dans son siège bébé tandis que ses parents se relayaient au volant au son de musiques entraînantes, traversant l'Arkansas, franchissant le Mississippi à Memphis, et passant par le Tennessee vers les Great Smokies. Le troisième jour, ils gravirent les montagnes de Shenandoah et redescendirent en Pennsylvanie, s'approchant de leur Nouvelle-Angleterre natale. Le retour, tout comme le trajet d'aller vers le Texas, prenait la forme d'une grande aventure.

Arrivés à destination, ils descendirent une large avenue bordée d'érables et de boutiques prospères, dépassèrent un beau collège de style gothique, un lac dans un parc vert et ombragé, et un hôpital imposant. Derrière, on apercevait de grands arbres et les habituelles maisons blanches confortables, avec leurs impostes cintrées au-dessus des portes, héritées de l'architecture coloniale.

— Voilà, dit Gerald, nous y sommes. Qu'en penses-tu ?

« C'est très familier », se dit immédiatement Hyacinthe. Elle trouva la maison accueillante et sans prétention tout en restant élégante, ce qui n'était pas contradictoire. Et là, assis devant la porte, elle vit son père, Francine et Granny, qui, avec une synchronisation parfaite, venaient d'arriver de l'autre bout de l'État pour les accueillir.

— Et Arnie aussi ! s'écria Gerald. Quel beau comité d'accueil ! Je ne m'y attendais pas du tout. Je ne t'avais pas dit que tu le trouverais sympathique, Hya ?

Arnie se tint discrètement à l'écart des retrouvailles familiales et assista de loin aux embrassades, aux questions, et aux exclamations d'admiration devant Jerry. Quand ils en eurent terminé, il s'avança pour se présenter :

— Gerald, tu ne m'avais pas dit que tu avais une si jolie femme !

Un play-boy, jugea Hyacinthe. Ses cheveux, épais et grisonnants, ondulaient sur les tempes. La couleur de sa veste tirait sur le mauve. Avec sa vivacité d'esprit habituelle, elle remarqua aussi que ses yeux, d'une étrange couleur cuivrée, étaient pleins de gentillesse. Un play-boy, mais pas méchant.

— J'ai demandé à deux déménageurs de venir vous aider à décharger la remorque ce soir, annonça Arnie. Ils monteront les lits et tout ce dont vous aurez besoin. Il y a un très bon traiteur en ville. En général ils ne livrent pas, mais ils feront une exception pour moi parce que je suis un bon client. Donc, vous aurez aussi quelque chose à vous mettre sous la dent.

— Arnie, dit Gerald, c'est trop gentil. Tout le monde rêverait d'avoir un patron comme toi.

Arnie écarta le compliment d'un geste.

— Et je t'ai ouvert un compte en banque. J'y ai versé tes deux premières semaines de salaire. Je me suis dit que cette jeune dame aurait besoin de liquide pour s'installer dans sa belle maison après avoir quitté un trois pièces dans le Texas. Venez, faisons le tour du propriétaire. Vous devez avoir envie de vous dégourdir les jambes après une journée en voiture. Comment se porte le vieux Dr Grump ?

Ils entrèrent, descendirent dans la cave, traversèrent le rez-de-chaussée, et montèrent le large escalier pour visiter les chambres.

Jim ne tarissait pas d'éloges.

— De belles pièces carrées. J'ai toujours aimé ça. Tu sais, ajouta-t-il à voix basse en prenant Gerald à part, si tu as besoin d'argent, je serai ravi de vous dépanner.

— Non, merci beaucoup, ça ira.

Francine et Granny s'accordèrent pour trouver que la maison était vraiment charmante. Elles aimaient toutes deux les pièces ensoleillées.

— C'est plus joyeux. Tu pourras mettre des plantes à fleurir devant les fenêtres même en hiver.

— Et de grands murs pour accrocher des tableaux, remarqua Gerald. Un jour, ils en seront couverts. Je t'ai dit que ma femme était artiste peintre, Arnie ? Elle a déjà vendu pas mal de toiles, elle va se faire un nom.

La réaction enthousiaste d'Arnie mit Hyacinthe mal à l'aise. Elle aurait préféré que Gerald ait moins tendance à se vanter d'elle.

— Dès que vous serez bien installés, il faudra que vous veniez me rendre visite. Je vis dans une des résidences neuves, près du golf.

— Ah, vous jouez au golf, vous aussi ? intervint Francine. C'est mon sport préféré.

— Enfin, ce n'est pas le seul, remarqua Jim.

— Non, répondit Arnie, c'est ça le plus drôle. Je vis en face du golf, mais je n'y vais jamais. J'ai un cheval. Je le fais sortir de l'écurie dès que je peux. C'est un sport magnifique. Ce petit bonhomme, là... dès qu'il aura cinq ou six ans, vous devriez lui acheter un poney. Il faut commencer tôt. Ensuite, c'est un plaisir qui dure toute la vie.

— Alors, que pensez-vous d'Arnie ? s'enquit Gerald plus tard.

Jim n'était pas convaincu.

— Pour être franc, disons simplement que je ne sais pas trop. Il est... je ne sais pas bien comment exprimer ça, mais...

— Tu veux peut-être dire, coupa Granny, qu'il ne s'exprime pas comme un médecin. Les temps changent, je sais. Les mœurs et les goûts aussi. Mais quand même, je pense que...

Gerald l'interrompit pour demander à Francine ce qu'elle avait pensé d'Arnie.

— Il m'a bien plu. Il est un peu superficiel, bien sûr, et ça compte, mais j'ai l'impression qu'il ne ferait pas de mal à une mouche, et c'est ça le principal.

Gerald approuva.

— Votre opinion est toujours excellente, Francine. Vous savez très bien juger les gens.

— Tu sais, déclara Gerald à Hyacinthe quelques semaines plus tard, Arnie n'est pas tout à fait comme je l'imaginais. Il m'étonne. La médecine a beaucoup évolué depuis qu'il a terminé son internat il y a quatorze ans, mais il ne s'est pas tenu au courant. Par exemple, ça n'est pas le plus important, et de loin, bien sûr, mais ses nez se ressemblent tous. Je ne dis pas qu'il fait mal son travail, ce n'est pas ça, mais ses opérations ne sont pas d'une qualité exceptionnelle, et il le sait, même s'il arrive à donner le change.

— Et pourquoi ne se remet-il pas à niveau ?

— Je crois qu'il s'en fiche. Il ne veut consacrer que la moitié de son temps à son métier. L'autre moitié passe en loisirs, en Mercedes de sport, et Dieu sait quoi d'autre. Il commence déjà à me laisser les cas les plus difficiles. Je ne me plains pas, remarque, au contraire. J'aime bien cette ville. Je voudrais acheter la maison et m'installer ici. D'accord ?

Hyacinthe s'était décidée sur ce point dès la première semaine. Elle travailla vite et, avant la fin du mois, eut fini de planifier l'ameublement qui pourrait se réaliser au fur et à mesure, selon l'état de leurs finances. Arnie avait très généreusement offert de leur prêter, avec insistance même, une somme importante. Mais elle avait refusé.

Elle se faisait des amis dans le quartier, et s'était inscrite dans un groupe d'amateurs de musique qui se réunissaient deux fois par mois.

Maintenant, elle avait de nouveau chez elle un grand atelier où elle travaillait, le cœur plein d'espoir. Même s'il n'y avait pas d'endroit où prendre des cours à proximité, elle se disait que beaucoup de grands artistes n'avaient jamais eu de professeur.

La coûteuse clinique d'Arnie était bâtie dans l'une des rues les plus chic de la ville. Elle comprenait un rez-de-chaussée et un étage, était pourvue de tout l'équipement de pointe, et les espaces de réception offraient un confort luxueux. La première fois qu'elle avait vu Gerald dans ce cadre, vêtu de sa blouse de chirurgien, Hyacinthe avait senti rejaillir sur elle un peu de son prestige. Il occupait enfin la place qu'il méritait.

Il aurait fallu une bonne dose d'inconscience pour imaginer que la vie serait toujours rose. Pourtant, à certains moments, Hyacinthe aurait presque eu tendance à le croire.

La naissance d'Emma Louise, une semaine après le troisième anniversaire de Jerry, sembla le confirmer. Emma aussi ressemblait comme deux gouttes d'eau à son père, et, bien qu'il eût espéré avoir un deuxième garçon, il devint aussitôt fou d'elle.

— Elle est belle comme tout, et il n'est pas question qu'elle traverse l'existence affublée d'un nom aussi ridicule que le mien, déclara Hyacinthe à Francine qui, égale à elle-même, venait gentiment de suggérer quelques idées de son cru.

La petite famille connaissait une rare félicité. Souvent, le dimanche après-midi, Hyacinthe lisait sur la terrasse du jardin pendant que les enfants jouaient avec Gerald, car elle jugeait important de leur laisser des moments privilégiés ensemble. De temps en temps, elle levait les yeux de son livre pour le seul plaisir de les écouter et de contempler une nouvelle fois la scène.

On entendait des rires enfantins, des hurlements, des ordres et des suppliques.

— Papa, c'est à moi ! Prends-moi d'abord. Tu avais promis... C'est pas juste. Oui, super ! Fais-moi encore voler, papa ! Encore !

Elle se disait qu'on ne pouvait pas être plus heureux que dans ce paisible jardin bordé de feuillage, avec les pimpants jouets rouge et bleu sur lesquels les petits pouvaient grimper et se balancer. Elle aimait à regarder le père jeune et énergique et ses enfants resplendissants, dans cet univers protégé, un monde de « permanence », pour reprendre un mot qu'ils avaient utilisé plus d'une fois entre eux.

Mais soudain survient un moment où il devient évident que le jardin n'est plus aussi florissant que par le passé. Des changements subtils ont terni sa beauté. Un coup de froid ? de chaud ? Trop d'eau, ou peut-être pas assez ?

Il leur arrivait d'avoir de petites brouilles sans raison. Gerald se forgeait une nouvelle personnalité plus sardonique, et était souvent irritable. Réfléchissant à la question, Hyacinthe avait conclu qu'ils vivaient trop vite. Gerald était maintenant un associé de la clinique, prenant en charge plus de la moitié du travail, ce qui ne semblait pas l'ennuyer. Il bénéficiait du prestige lié à ses responsabilités et en acceptait les contraintes : un service de chirurgie très plein, un siège au comité de financement. De plus, du fait de sa position, et parce qu'il était très apprécié, leurs obligations mondaines avaient commencé à remplir toutes leurs soirées. Quand ils n'allaient pas à des réceptions, ils devaient rendre des invitations et organisaient de grands dîners chez eux.

Naturellement, Hyacinthe connaissait depuis longtemps l'amour de Gerald pour le luxe, depuis le tout début, en fait, quand il avait clamé son dégoût pour le motel qui abritait leur premières amours. Il était même devenu plus difficile qu'avant, portant une attention obsessionnelle au moindre détail quand ils avaient des invités. Il surveillait tout : le menu, le service de table, et jusqu'à la robe de Hyacinthe. Elle aussi avait toujours pris plaisir à bien recevoir, mais, même si elle avait du mal à le reconnaître, elle commençait à avoir envie d'en faire un peu moins, de retrouver la vie plus paisible qu'ils avaient menée à la naissance de Jerry.

— Il en fait trop. Tu n'as pas idée de ses journées, confiait-elle à sa grande amie Moira.

— Hya, crois-moi, il ne travaille pas plus dur que toi. Je voudrais voir les hommes courir après deux enfants, faire la cuisine, s'occuper d'une grande maison comme la tienne, et Dieu sait quoi encore, en plus de tous les dîners que tu organises. On verrait s'il se repose ! Et par-dessus le marché, tu trouves le temps de travailler à ta peinture. Tu peux me dire quand tu dors ?

Moira avait son franc-parler, et Gerald ne l'aimait pas.

— Je ne vois pas ce que tu lui trouves, à celle-là, protestait-il.

— Elle a un cœur d'or, elle est directe, et nous aimons les mêmes choses.

— Ah oui ? C'est-à-dire ?

— Oh, nous discutons de musique, de livres… Elle a des idées intéressantes.

— Eh bien, à mon avis, une femme aussi laide devrait se taire un peu plus.

— Elle n'est pas laide, Gerald. C'est très méchant de dire ça. Je voudrais que tu sois un peu plus gentil avec elle. Je les ai invités à dîner chez nous pour leur anniversaire de mariage.

— Mon Dieu ! Pourquoi ?

— Parce qu'ils nous ont invités chez eux, simplement.

— Tu ne pourrais pas leur donner un cadeau à la place ? Ils m'énervent. Elle, c'est une imbécile, et lui n'est pas beaucoup plus malin qu'elle.

Le dîner eut lieu, et Gerald se montra poli mais distant, très distant même, ce qui déclencha une dispute après leur départ. Ils ne s'étaient pas querellés aussi fort depuis longtemps. Ils se réconcilièrent le lendemain, bien sûr, pourtant Hyacinthe en garda un profond malaise.

Peu à peu, elle se rendit compte qu'elle avait des moments d'angoisse irraisonnée, par exemple quand elle était au supermarché, ou travaillait tranquillement à son chevalet. Soudain elle se sentait mal sans savoir pourquoi.

Un après-midi, elle était occupée à peindre quand Arnie sonna à la porte.

— Gerald essaie de te joindre, dit-il, mais l'opérateur dit que ton téléphone est décroché.

— Oui, je sais. Je viens de m'en apercevoir. Emma joue parfois avec… Rien de grave, j'espère ?

— Non, il voulait seulement te prévenir qu'il ne rentrerait que très tard. Comme je passais devant chez vous, j'ai dit que je te communiquerais le message. Je vois que tu es en train de peindre. Tu as une tache de peinture verte sur le nez.

Planté sur le seuil, Arnie semblait attendre qu'elle l'invite à entrer, ce qu'elle fit. Elle était très bien disposée à son égard, reconnaissante de ses heureuses initiatives, comme certaines sorties entre hommes avec Gerald et Jerry pour aller à un match ou pêcher dans les lacs. Il la regarda pendant qu'elle complétait la couleur d'un groupe d'arbres dans le fond de la vue de port qu'elle peignait.

— C'est très joli, Hya. Est-ce que tu le vendrais ?

— Je vends toujours mes tableaux quand on me le propose, répondit-elle avec un petit sourire, mais le problème, c'est que ça n'arrive pas souvent.

— Je ne m'y connais guère en art, mais ton travail, tout ce que je vois dans cette pièce, m'a l'air vraiment très bon. Je devrais peut-être acheter un ou deux tableaux. Tu es venue chez moi… qu'en penses-tu ? Un pour accrocher au-dessus de la cheminée, près du miroir, non ?

— Oui, tu pourrais en mettre un là, certainement. C'est un très bon endroit.

— Tu ne voudrais pas passer avec Gerald pour jeter un coup d'œil ? Pour voir quelles couleurs iraient le mieux avec les meubles. Il y a vraiment de quoi choisir, ici.

— J'en serais ravie, Arnie, dit-elle, touchée et amusée.

— Tiens, qu'est-ce que c'est que cette cigarette allumée, dans le cendrier ?

— Flûte, je l'ai oubliée. Je l'ai posée quand tu as sonné.

— Je ne savais pas que tu fumais, je ne t'ai jamais vue avec une cigarette.

— J'ai arrêté de fumer pendant des années, depuis Jerry. Et puis, je viens de recommencer, il y a une ou deux semaines. Je ne sais pas pourquoi.

— Excuse-moi, mais c'est vraiment bête. Moi, j'ai arrêté il y a quinze ans, et Gerald n'a jamais fumé, lui, m'a-t-il dit. Nous n'avons aucune envie d'avoir un cancer du poumon.

— Je sais, ça me culpabilise.

— Alors pourquoi avoir recommencé ?

Elle hésita.

— Je ne sais pas très bien... Ne dis rien à Gerald, tu veux bien ?

— D'accord... mais il va s'en apercevoir, tu sais.

Il la regardait avec un tel sérieux, une préoccupation si sincère, si peu conforme à sa personnalité, qu'elle fut surprise et détourna les yeux.

— Tu dois bien savoir pourquoi tu as recommencé alors que presque tout le monde, toi y compris, a arrêté ou essaie de le faire.

Arnie ne lâchait pas prise, et elle le connaissait suffisamment pour savoir qu'il n'abandonnerait pas à moins qu'elle ne trouve une réponse à peu près satisfaisante.

— Je me sens tendue, parfois, et ça me calme de fumer.

— Pourquoi es-tu tendue ?

— Ça arrive à tout le monde, non ?

— Hya ! Tu réponds à ma question par une question ! C'est une astuce d'avocat.

— Désolée, mais je ne sais pas quoi te dire d'autre.

— Tu es charmante. Je ne sais pas ce qui te distingue... J'ai connu beaucoup de femmes fascinantes, mais aucune ne l'était autant que toi. Tu n'es pas comme les autres.

« C'est drôle, pensa-t-elle, exactement ce que Gerald me disait autrefois. »

— Je n'aime pas te voir malheureuse, Hya. Quand on est tendu, c'est qu'on est malheureux. Et tu ne mérites pas d'être malheureuse. Il n'y a pas de raison. Tu es mariée à un type remarquable. La semaine dernière, il s'est occupé d'un grand brûlé d'une façon extraordinaire ! Je n'en croyais pas mes yeux.

Arnie se leva, lui posa une main sur l'épaule et continua d'une façon presque paternelle. Pourtant, on devinait aussi une intense admiration dans son attitude, qui, si elle restait pleine de respect, n'avait rien de paternelle.

— Je t'observe depuis presque six ans, et je vais te dire quelque chose : tu te sous-estimes. Laisse-moi te donner un conseil, et un bon : toi et Gerald, il faut que vous partiez un peu vous reposer, tous les deux. Entre le travail et les enfants, vous ne prenez jamais de vraies vacances. Partez deux semaines en France, en Italie, où vous voudrez, et tout de suite. Dieu sait que vous pouvez vous le permettre financièrement. Prenez la semaine pour organiser ça, achetez des vêtements, faites votre valise et partez. Non, ne dis pas non. J'en parlerai à Gerald demain. Et ne me remercie pas non plus. Il faut que je m'en aille, je suis en retard.

De l'allée, à mi-chemin entre la porte et la rue, il se retourna vers Hyacinthe, encore clouée de surprise, et cria :

— Et jette-moi ce paquet de cigarettes à la poubelle !

— Quel dommage que tu veuilles partir si vite, se plaignit Francine. Si vous pouviez retarder votre départ de quelques semaines, tu sais que nous serions ravis de venir habiter chez toi pour garder Jerry et Emma. Mais Diana se fait opérer, et j'ai promis à Tom d'y aller.

— Voilà l'inconvénient d'avoir autant de petits-enfants, remarqua Jim en resserrant le nœud qui retenait la queue de cheval d'Emma.

C'était une vision charmante que ce grand-père, sa petite-fille sur les genoux, assis dans le grand fauteuil en osier de la véranda. En fait, pensa Hyacinthe, elle aurait presque préféré rester chez elle. En même temps, elle ressentait le besoin de partir. Arnie avait probablement raison : voilà trop longtemps qu'ils n'avaient pas bougé.

Jim s'inquiétait.

— J'espère que vous ne leur manquerez pas trop.

— Tout se passera bien. Jerry est un vrai petit homme, et Emma aime tout le monde. Nous ne serons absents que deux semaines et nous les laissons en de bonnes mains.

— Tu es sûre que cette femme est vraiment sérieuse ? demanda Francine.

— C'est une personne de toute confiance. Sandy est secrétaire à la clinique depuis trois ans. Gerald en pense le plus grand bien.

— Elle est jeune ? Je te pose la question parce qu'on ne sait jamais quel genre de petit copain les filles peuvent amener pendant qu'on n'est pas là.

— Elle est plutôt tranquille, elle n'est pas du genre à avoir beaucoup d'aventures. Ça se voit. Elle est dodue, avec un joli visage, mais dans quelques années elle sera grosse, la pauvre.

Francine se mit à rire.

— Les hommes aiment souvent les filles rondes.

— Pas moi ! protesta Jim. Moi, je préfère les minces avec de jolies formes.

Le portrait de sa femme. Dans sa robe écarlate à fines bretelles, Francine était appuyée à la balustrade et surveillait Jerry et ses copains dans le jardin.

— Quelles jolies boucles il a, ce petit garçon ! Bien des femmes se damneraient pour avoir des cheveux comme les siens. Qu'est-ce que tu fabriques avec cette cigarette, Hyacinthe ?

— Je la fume.

— Tu ne devrais pas.

Voilà qu'elle se remet à me critiquer. Elle recommence, après toutes ces années, comme si j'avais encore dix-neuf ans.

— Oh ! tu sais…, commença Jim, qui fut aussitôt interrompu.

— Regarde-la, Jim. Tu ne vas pas me dire que tu n'as pas remarqué, parce que je ne te croirais pas. Elle est tendue comme un ressort depuis des heures. Décontracte tes épaules, Hyacinthe. Elles sont dures comme de l'acier. Tu as les mâchoires complètement crispées. Je me fais du souci pour toi. J'essaie de me taire depuis hier, mais il faut bien que ça sorte : je n'aime pas ce que je vois.

Hya fut sur le point de répliquer : « Dans ce cas, ne regarde pas », mais elle se ravisa et se tut. Ses critiques partaient d'un bon sentiment, après tout.

— Laisse-la tranquille, dit Jim posément. Elle est assez grande pour savoir ce qu'elle fait. N'assombrissons pas un si bel après-midi.

— Très bien, très bien. Pardon, Hyacinthe. Je ne voulais pas gâcher ta journée. Ce n'est pas la voiture de Gerald ?

— Si, il a dit qu'il rentrerait tôt pour passer un peu de temps avec vous et peut-être pour commencer à faire sa valise. Son premier voyage en Europe. Il s'en fait une vraie joie.

8

À bord de leur voiture de location, toit ouvert, ils sortirent de Paris bardés de cartes sous une brise délicieuse, guidés par Hyacinthe qui parlait assez couramment le français. Ils partaient visiter les lieux touristiques : les châteaux de Versailles et de Fontainebleau, la maison de Monet dont les jardins formaient de magnifiques tapisseries de végétation.

— J'ai l'impression d'être dans un rêve, dit Hyacinthe en riant. Je sais, ce n'est pas très original, mais c'est tellement beau que j'ai vraiment cette sensation. J'adore ce pays.

— Tu y es déjà venue une fois.

— Je n'avais que douze ans. J'étais trop jeune pour me rendre compte. Maintenant, je reviendrais bien tous les ans, si c'était possible. Oui, c'est vraiment un rêve...

— Bon, du moment que tu es heureuse, je suis content.

— Qui ne le serait pas ici ? Regarde ces coquelicots partout, il y en a autant que de pâquerettes chez nous. Et au milieu de l'été, on voit des hectares de tournesols, grands comme toi. Je m'en souviens encore.

Ils roulaient sur une petite route à travers champs. Une chanson connue passa à la radio, et Hyacinthe entonna le refrain en français. Gerald se tourna vers elle avec un sourire.

— Tu as vraiment un caractère joyeux, Hya. Tu es une bonne compagne de voyage.

— Toi aussi, répondit-elle très sincèrement.

« C'est fou, je suis de nouveau moi-même, je me retrouve ! » pensa-t-elle avec surprise. Le brouillard, l'espèce de malaise qui l'avait étouffée s'était levé. Soudain, elle se rendit compte qu'elle n'avait pas eu envie de fumer depuis au moins deux ou trois jours. Arnie lui avait donné un excellent conseil. Si grands que fussent leur plaisir à travailler, leur amour pour leur maison, leurs enfants, ils avaient eu besoin de partir seuls. Il leur faudrait recommencer pour se changer les idées, même si ce n'était que pour un simple week-end en ville ou dans une auberge de campagne.

— Nous allons dormir dans un très bel endroit, dit-elle. Je t'ai montré la photo, non ? La route est agréable depuis Chartres, et ce n'est pas trop loin. Je me réjouis que tu voies Chartres. Il s'agit d'une des plus belles cathédrales européennes. On dit même parfois que c'est la plus belle. Et le guide est un homme très intéressant, c'est un chercheur qui écrit des articles sur la cathédrale et donne des conférences dans le monde entier. Il parle de son histoire, des vitraux…

— On doit pouvoir comprendre sans des heures d'explications.

Elle lui jeta un coup d'œil. Comme c'était lui qui conduisait, elle dut se contenter de son profil, ce qui ne suffit pas à l'éclairer sur son état d'esprit. Après toutes ces années, il lui arrivait encore de ne pas savoir s'il plaisantait ou non.

— Il est encore tôt, fit-elle remarquer. Nous allons pouvoir nous promener en ville et même avoir le temps de bien déjeuner avant la visite guidée.

— Elle dure combien de temps, cette visite ? Ça ne sera pas trop long, j'espère.

— On peut quitter le groupe quand on veut, répondit-elle sans comprendre. Mais je suis sûre que presque tout le monde reste jusqu'à la fin. J'ai lu son livre, il est passionnant.

— En fait, tu sais, je préférerais rentrer à Paris. Nous n'avons plus que deux jours, et on devrait en profiter pour sortir le soir, retrouver les gens que nous avons rencontrés à l'hôtel, aller dans les magasins. Nous n'avons encore acheté aucun souvenir.

Comment pouvait-on avoir envie de quitter ce charmant coin de campagne pour sortir avec des touristes rencontrés à l'hôtel ? C'était difficile à comprendre. Bien sûr, elle s'était rendu compte, surtout au cours des dernières années, qu'il était beaucoup plus sociable qu'elle, mais tout de même…

Elle se montra malgré tout conciliante.

— Notre chambre à Paris est réservée. Nous pouvons y être très vite. Nous n'aurons qu'à partir tôt demain matin.

— Je me disais même que j'aimerais y retourner dès aujourd'hui. Nous pourrions dîner tôt à l'auberge et renoncer à notre nuit. Je prendrais bien la route dès maintenant, si tu ne tenais pas à visiter la cathédrale.

— J'en ai très envie. Nous y sommes presque. On voit déjà les deux flèches, là-bas.

La proposition de Gerald avait un peu fait retomber son enthousiasme, mais c'était sans doute égoïste de s'attendre à ce qu'il partage tous ses centres d'intérêt ; elle non plus n'appréciait pas tout ce qu'il aimait.

Le guide était excellent conférencier. La saison touristique venant de commencer, le groupe n'était pas trop important, et Hyacinthe se joignit aux autres. Ils prirent l'allée centrale, passèrent au transept et à l'abside, puis, redescendant la nef, ils arrivèrent de nouveau sous la splendide rosace. Là, à sa grande surprise, elle trouva Gerald qui attendait avec impatience en tapant du pied, l'air de s'ennuyer ferme.

— Tu n'as pas suivi la visite ? s'étonna-t-elle plaisamment.

— J'ai bien cru qu'il allait parler toute la nuit.

— Désolée, je pensais que tu apprécierais.

— J'ai l'impression que je ne m'émerveille pas de tout ce qui m'entoure aussi facilement que toi.

— Ce n'est pas grave. Allons à l'auberge, nous allons faire un excellent dîner, et puis nous rentrerons à Paris.

Le soleil s'était couché. Il se mit à pleuvoir, et ils durent remettre la capote. Sur les routes sinueuses, Gerald conduisit lentement pour ne pas se perdre tandis que Hyacinthe regardait la carte et guettait les panneaux.

Quand ils arrivèrent au relais, sous une pluie battante, le dîner avait déjà commencé. Dans la salle à manger, à peine plus grande que celle qui avait dû exister à l'origine dans ce manoir du XVIIIe siècle, Hyacinthe engagea la conversation.

— Gerald, regarde le portrait au-dessus de la porte, l'homme en perruque avec des manchettes en dentelle. Ça pourrait être l'un des premiers propriétaires du manoir.

— C'est vrai.

Le potage aux champignons était épais et crémeux, le pain chaud, et le vin, bien qu'elle ne fût pas connaisseuse, était certainement, pensa-t-elle, très bon. Gerald avait l'air de se régaler.

— C'est délicieux, dit-elle.

— Effectivement.

— Gerald, tu es en colère ?

— Moi ? Pourquoi ?

— Je ne sais pas, je ne vois pas quelle raison tu aurais, mais tu n'as pas l'air content.

— C'est un peu vrai. Je suis fatigué d'avoir conduit toute la journée, et maintenant, c'est vraiment dommage qu'il pleuve. Nous n'allons pas pouvoir retourner ce soir à Paris sur ces petites routes que je ne connais pas.

Dehors, les lampadaires de l'allée éclairaient faiblement les rafales de pluie qui striaient la nuit. Cela rappela un souvenir à Hyacinthe.

— Il pleuvait autant, le jour de notre rencontre. Tu te souviens de la violence du vent ? J'arrivais à peine à garder la voiture sur la route.

— Bon sang ! Il faut que ça arrive juste maintenant, alors que nous sommes coincés au fin fond de la cambrousse. Il n'y a rien d'autre à faire que de se coucher.

Oui, rien d'autre à part aller au lit ensemble dans une chambre charmante, bien douillette, sans un souci en tête, alors que la tempête faisait rage au-dehors.

« Je ne comprends pas », se dit Hyacinthe. Sans raison, sauf peut-être pour se donner une contenance, elle regarda autour d'elle.

Une petite famille, un couple avec trois enfants, était assise juste devant elle. Les enfants étaient français, mignons et bien élevés. La femme n'avait rien d'extraordinaire, mais le visage du mari était intéressant. Un visage fort et carré, qui, contrairement à celui de Gerald, n'avait pas une beauté classique qui attirait tous les regards. C'était autre chose qui le rendait remarquable, une expression qui donna envie à Hyacinthe de l'observer un peu. Le plus frappant était sa façon de regarder sa femme. Il y avait une telle tendresse dans son sourire ! Sa femme y répondit par un coup d'œil silencieux, un message complice, comme s'ils partageaient un secret très intime. Alors il tendit la main et couvrit un instant la sienne.

— Qu'est-ce qui te fascine ? demanda Gerald.

— Ça se voyait que je les regardais ? J'ai honte, je ne me rendais pas compte. C'est juste qu'ils ont l'air sympathiques.

— Sauf qu'elle n'a pas de menton, tu as vu ? Un peu de chirurgie esthétique l'arrangerait beaucoup.

— Ça n'empêche pas son mari de l'aimer.

— Tu remarques toujours de drôles de choses, toi ! Moi, je n'ai rien vu. Je ne sais pas à quoi tu peux deviner ça.

— À plein de signes… Dis, et moi, est-ce que j'aurais besoin de chirurgie esthétique ?

Gerald l'examina attentivement.

— Tu me regardes comme si tu ne m'avais jamais vue.

— Non, en fait, tu n'en as pas besoin. Tu as une bonne structure de visage… un peu anguleuse, mais correcte. Non, ça peut aller.

— Je n'ai rien d'extraordinaire, c'est tout…

Il se mit à rire.

— Hya, tu essaies de me soutirer des compliments !

— Il arrive qu'on m'en fasse sans que je demande rien. Arnie me trouve belle, lui. Il me dit des choses très gentilles sans que je l'y pousse.

— Arnie et les femmes ! Il a des maîtresses partout. Dans le Kentucky, en Floride… Partout où il y a des chevaux, il a une maîtresse. Plusieurs, même.

Elle sentait ses mains trembler. En clignant les yeux pour masquer ses larmes, elle chercha une cigarette dans son sac. Au moment où elle allait l'allumer, Gerald poussa une exclamation.

— Encore ! C'est vrai, après tout, quelle importance, un petit cancer des poumons ? Mais tu pourrais penser à tes deux enfants…

Elle laissa tomber sa cigarette et le regarda fixement.

— D'accord, mais alors, dis-moi pourquoi tu ne veux pas m'expliquer ce qui ne va pas. Même un aveugle verrait qu'il y a quelque chose. J'ai le droit de savoir. Est-ce que je suis ennuyeuse ? laide ? méchante ? Que se passe-t-il ?

— Mais il ne se passe rien de tout ! Rien ! Mange. Tiens, reprends du vin.

Je n'y comprends rien.

Sous un beau soleil, le lendemain, ils sillonnèrent Paris au pas de charge. Hyacinthe arrivait à peine à suivre Gerald ; de la place de l'Étoile au palais de l'Élysée, traversant la Seine dans un sens, puis dans l'autre, pour revenir à la place de la Concorde. Ils coururent tout l'après-midi.

— Il faut être jeune dans cette ville, dit-il à la grande surprise de Hyacinthe. Je suis déjà trop vieux.

— Quoi ? Tu dis n'importe quoi ! On n'est pas vieux à trente-quatre ans.

— Si. C'est une ville pour les jeunes, les jeunes qui ont des loisirs et de l'argent.

« Il s'apitoie sur son propre sort. Il regrette toutes les années perdues où il n'avait pas les moyens de se payer des voyages », songea-t-elle en sentant monter une certaine irritation.

— Je vais à l'hôpital, dit-il. On m'a donné le nom d'un médecin qui pourra me le faire visiter.

— Parfait. Moi, je vais au musée Rodin. À tout à l'heure.

Elle se forçait à éprouver une allégresse qu'elle ne ressentait pas, même en arrivant dans ce musée rempli de trésors. Les voyant à peine, elle erra dans les salles, le cœur gros, frigorifiée.

Soudain, elle eut une vision qui la transperça comme un coup de poignard : c'était une petite sculpture d'un homme soulevant à bout de bras une jeune femme joyeuse, comme on tient un enfant pour le faire rire. « Je suis belle », lut-elle. Oui, bien sûr. *Je suis belle quand on m'aime*. Elle resta un long moment à regarder ces deux visages et ces deux corps jeunes qui rayonnaient de bonheur.

Ensuite, elle redescendit et sortit en traversant le charmant jardin. Être à Paris, cette ville merveilleuse, et se sentir si mal ! Si seule ! Elle repartit dans la rue. Une vitrine de vêtements d'enfants l'arrêta. Elle venait de voir une petite robe ravissante : lin blanc, sans ornements hormis une garniture de roses appliquée du col à l'ourlet. Une paire de chaussures roses était présentée pour compléter la tenue. Emma adorerait ces chaussures. Il n'y avait pas sa taille, mais on pouvait en faire venir pour le lendemain.

— Vous êtes sûre ? Parce que demain, c'est notre dernier jour. Nous reprenons l'avion après-demain matin.

Oui, ils auraient la robe et les chaussures en fin d'après-midi.

Durant le chemin du retour pour rentrer à l'hôtel, elle pensa à ses enfants. Pour la première fois depuis son départ, elle avait une envie folle de voir leurs visages ; la gaieté de Jerry lui manquait, ainsi que la curiosité d'Emma. De tout son cœur, il lui tardait de les retrouver.

Ils dînèrent. Gerald avait manqué le médecin à l'hôpital, et en avait profité pour acheter des cadeaux. Attentif, comme d'habitude, il n'avait oublié personne, ni les parents de Hyacinthe, ni Arnie, ni Emma et Jerry, ni les employés de la clinique, ni Sandy, pour la remercier de son aide.

Ensuite, ils allèrent dans un cabaret avec les Américains que Gerald avait rencontrés dans le hall de l'hôtel. Assise à côté de son mari, elle continuait à souffrir de la solitude qui l'avait rongée tout l'après-midi. Gerald et l'autre couple s'amusaient de tout, de la foule, du mouvement, des danseuses nues. Pour ne pas gâcher l'atmosphère, elle fit semblant de s'amuser aussi. Sincèrement, elle ne trouvait rien à redire à la soirée : on ne discute pas des goûts et des couleurs. Si seulement elle avait pu savoir ce que Gerald attendait d'elle, elle aurait tout fait pour le satisfaire.

Que se passait-il donc ? Une femme ? Était-ce si absurde ? Oui, cela n'aurait eu aucun sens : il avait tout, l'amour inconditionnel de son épouse, son travail, ses enfants, leur maison… tout. Elle passa la soirée à se torturer ainsi, en tournant ses bagues autour de son doigt ; son anneau de mariage, et le petit diamant qu'elle aimait tant, offert par Gerald avec son premier mois de salaire.

— Dommage, plus qu'un seul jour, dit-il ce soir-là dans leur chambre. Je reviendrais volontiers dès le mois prochain.

— Je ne pensais pas que tu avais tellement apprécié.

— Qui ? Moi ? Qu'est-ce qui te fait dire ça ?

— Tu n'as pas l'air de t'amuser beaucoup depuis quelques jours. Je t'ai même demandé pourquoi tu faisais la tête.

— Moi, j'ai fait la tête ? Simplement parce que je n'ai pas aimé la visite guidée à Chartres ?

— Mais non. Je t'en prie, n'élude pas la question. Réponds-moi : j'ai fait quelque chose qui ne t'a pas plu ? Sois honnête avec moi.

— Pas du tout, je te le répète, c'est complètement idiot.

— Tu me le jures ?

— Oui, je te le jure.

La lumière de la lampe tombait sur les cheveux noirs brillants et sur le creux du menton qui adoucissait ce visage si intensément viril. Elle repensa à la sculpture qu'elle avait vue dans l'après-midi, et laissa échapper un son, moitié cri, moitié soupir. Elle essaya de chasser ses larmes, mais il les avait vues.

— Qu'est-ce qui te prend, Hya ? Qu'y a-t-il ? J'ai horreur de te voir si triste. Si c'est ma faute, excuse-moi. Mais il n'y a aucune raison d'imaginer…

Elle courut à lui.

— Prends-moi dans tes bras et porte-moi jusqu'au lit, comme tu le faisais avant. Si tu savais combien je t'aime…

Plus tard, quand Gerald se fut calmement endormi comme à son habitude, elle resta allongée dans le noir à regarder la silhouette de la cheminée de marbre, le vase de fleurs sur la table, leurs bagages, valises élégantes qui attendaient dans un coin. Elle avait voulu une preuve d'amour, et il la lui avait donnée, ou du moins avait prétendu le faire. Pouvait-on accomplir de façon impersonnelle un acte aussi intime ? Mais oui, bien sûr, si on se moquait de savoir avec qui on était au lit…

En silence, elle se glissa hors du lit et alla à la fenêtre. Il était très tard, et la circulation s'était clairsemée sur la grande place. Des lanternes jalonnaient le pont qui enjambait le fleuve. De l'autre côté se dressaient des bâtiments officiels, dignes façades qui, comme les gens, présentaient au monde des dehors policés.

Mais plus loin, dans cette grande ville vibrante de vie, dans les petits espaces où les hommes et les femmes vivent ensemble, des myriades d'autres personnes semblables à elle, dans une autre langue, poussaient le même cri, désarmées devant leur solitude, leur peur de tomber dans le vide.

Elle reçut le coup de téléphone de Francine avant le petit déjeuner le lendemain.

— Jim est mort. Il est parti dans son sommeil subitement après le dîner hier soir.

9

Tant de changements survinrent au cours des semaines suivantes que Hyacinthe n'eut guère le temps de penser à ses autres soucis. Les vacances à Paris devinrent vite un souvenir lointain. Le présent, si dramatique, prenait toute la place. La pauvre Granny, l'invincible, avait été vaincue par la perte brutale et inattendue de son second fils et avait dû partir dans une maison de retraite. Francine, poussée par ses fils, avait entrepris un long voyage avec eux dans le Nord-Ouest et en Alaska.

— Ne t'en fais pas pour elle, dit Gerald. Francine s'en sortira. Elle est forte et intelligente. En fait, c'est le cerveau de ta famille.

Blessée, Hyacinthe protesta.

— Et mon père ? Tu ne le trouvais pas intelligent ?

— Ça n'a rien à voir. Lui, c'était un intellectuel, une âme simple. Francine est plus fine. Elle s'arrange même pour ne pas trop le montrer. Je ne voudrais pas faire partie de ses ennemis.

Un matin, vers la fin de l'été, alors qu'elle pensait à cette remarque ainsi qu'à d'autres petits événements survenus dans le sillage du tragique bouleversement que cause une mort, Hyacinthe reçut un coup de téléphone anonyme.

— Vous ne me connaissez pas..., commença une voix de femme, et j'ai un peu honte de vous appeler comme ça sans vous donner mon nom. Je sais que c'est mal, que c'est lâche. J'hésite depuis des semaines. Mais aujourd'hui, je me suis décidée, il le fallait vraiment. C'est à propos de votre mari... il a une maîtresse.

Le combiné se mit à trembler si fort dans la main de Hyacinthe qu'elle dut le stabiliser avec l'autre main.

— Je vous demande pardon ? Qui êtes-vous ?

— Non, non, je ne peux pas vous le dire. Comprenez-moi, je vous en prie, bégaya la voix douce. Nous ne nous sommes jamais rencontrées, jamais parlé. Je ne vous connais que de réputation, dans le quartier. Je sais que vous êtes quelqu'un de bien, avec de beaux enfants. Moi aussi, j'ai eu des soucis, et je ne supporte plus de voir les femmes se faire continuellement piétiner par les hommes. C'est tout. J'ai pensé que, si je vous apprenais ce qui se passait, vous pourriez peut-être intervenir avant qu'il ne soit trop tard. Elle travaille pour votre mari.

La communication fut coupée. Hyacinthe posa la tête sur le bureau. On prétend que les coups de téléphone anonymes sont l'œuvre de lâches, de mauvais plaisants, et pourtant le ton de cette femme avait sonné juste.

— Je ne sais pas, murmura-t-elle.

Lorsqu'elle releva la tête, la pièce se mit à tourner. Il lui fallut plusieurs minutes pour retrouver l'équilibre et appeler Moira. On pouvait compter sur elle : elle laisserait tout tomber pour voler à son secours.

Elles s'assirent sur les marches de la véranda. Un long silence suivit les quelques mots d'explication de Hyacinthe. Moite d'angoisse, transie, brûlante, elle attendit.

Lorsque Moira prit la parole, elle s'exprima lentement, sans la regarder, les yeux tournés vers l'herbe jaunie par le soleil.

— Je le sais depuis un bon moment, Hya. C'est la fille qui a gardé tes enfants pendant que tu étais en France… C'est elle. Je n'arrêtais pas de me demander s'il fallait que je te le dise. Gerald se doutait que j'étais au courant, à mon avis, c'est pour cette raison qu'il ne m'aime pas.

— Comment l'as-tu appris ?

— Tu es sûre de vouloir connaître tous les détails ? Qu'est-ce que ça t'apportera ?

— J'ai besoin de savoir. Vas-y, dis-moi.

Moira poussa un soupir.

— Ce genre de rumeur circule vite. Les gens bavardent. Le mari d'une connaissance est médecin, et sa secrétaire médicale est une amie de cette fille, de… Sandy. Quelqu'un a vu Gerald avec elle en voiture, en quittant la plage un dimanche. Quelqu'un a vu… Oh, et puis non, à quoi bon ? On les a vus ensemble, ça suffit.

— Donc tout le monde est au courant, sauf moi.

Ce furent les arbres, cette fois, qui se mirent à tourner lentement, s'inclinant dans le ciel. Hyacinthe se leva et s'appuya au chambranle.

— Ça va aller, Hya ?

Le gentil visage de Moira était si plein de détresse qu'on aurait cru que c'était elle qui allait se mettre à pleurer.

— Oui, ça va, mais je me sens très faible. Je n'ai plus de force.

— Viens t'asseoir à l'intérieur. Je suis désolée, vraiment désolée. Tu ne le mérites pas. Tu vas tenir le coup, tu es sûre ?

— Oui, je t'assure.

— Tu vas lui en parler ?

— Il va bien falloir, non ? dit Hyacinthe avec un pauvre sourire.

— Tu veux que je reste avec toi ?

— Non, merci. J'ai trop de choses à faire, il faut que je m'occupe des enfants.

— Je peux les ramener chez moi, si tu veux. Je leur donnerai à dîner. Ne t'inquiète pas pour ça.

— Merci. Merci pour tout, Moira.

— Un coup de téléphone anonyme, sordide ! tempêta Gerald, et toi, tu prends ça au sérieux ! Sans doute quelqu'un qui te veut du mal, une envieuse, une cinglée qui n'a rien d'autre à faire que de cracher son venin.

— Non, elle ne m'a pas donné cette impression.

— Qu'est-ce que tu en sais ? Tu ne la connais pas. C'est ridicule, indigne de toi.

Comme elle ne voulait pas impliquer Moira dans l'affaire, elle dit simplement :

— Ce n'est pas la seule qui soit au courant. Elle m'a dit que je n'avais qu'à demander autour de moi, qu'on t'avait vu en voiture avec Sandy.

Gerald se mit à rire.

— Tu m'en diras tant ! Sandy est une employée à laquelle nous tenons, et je n'aurais pas le droit de la conduire quelque part de temps en temps ? Ça n'a rien d'immoral.

— C'était sur la route de la plage.

— Sa sœur habite par là, justement. Et où exactement ? La route fait soixante-dix kilomètres de long, bon sang ! J'espère que tu te rends compte de l'injustice de ces accusations ? C'est insultant pour moi !

Elle avait une telle envie de le croire qu'elle résistait de toutes ses forces à la quasi-certitude qu'il lui mentait. Et elle était tellement épuisée... La journée lui avait semblé interminable... sans doute la plus longue de sa vie.

— Allez, viens, tu n'a pas envie de manger quelque chose ? demanda-t-il gentiment, cette fois.

— Je voulais préparer un repas, mais je n'ai rien fait. Il n'y a que des restes. Des restes de hamburger.

Gerald était habitué à des dîners plus soignés, mais il répondit gaiement :

— Pas de problème. Reste assise ici si tu ne te sens pas bien, je vais réchauffer tout ça.

Quand ils eurent terminé leur repas, elle alla chercher les enfants chez Moira. Gerald l'aida à leur donner le bain et ils leur lurent des histoires ensemble avant de les coucher. Ensuite ils redescendirent, et Gerald regarda un match de base-ball à la télévision tandis que Hyacinthe restait un livre dans les mains, en proie à un tourbillon de pensées.

Il n'envisageait certainement pas le divorce. Il ne pourrait jamais partir, ne serait-ce que pour les deux petits qui dormaient au-dessus de leur tête et qu'il adorait. D'ailleurs, s'il y avait songé, comment un homme tel que lui, si critique, si difficile, aurait-il pu vouloir la remplacer par une femme comme Sandy ?

Elle le fixa, à l'autre bout de la pièce. Non, cela ne tenait pas debout.

Bon, peut-être n'avait-il fait que flirter un peu. Il fallait regarder les choses en face, elle l'avait déjà vu à l'œuvre, cela ne remontait pas à hier. Déjà, au Texas, avec le Dr Bettina…

« Ça ne te plaît peut-être pas, bien sûr que tu n'aimes pas ça, mais tu as assez d'expérience pour savoir que cela ne va pas forcément très loin. Les rumeurs enflent vite à partir des bavardages, et trompent même des gens intelligents comme Moira. Ça arrive souvent. »

Le lendemain, comme chaque dimanche, ils passèrent une matinée agréable, avec pour commencer des pancakes, du bacon et le journal, puis une partie de croquet avec les enfants sur la pelouse. L'après-midi, Gerald dut aller à la clinique, ce qui arrivait de temps en temps le week-end.

Mais soudain, après avoir étouffé ses doutes, ou du moins avoir cru y parvenir, Hyacinthe fut de nouveau envahie par les soupçons ; elle entendait encore très clairement les quelques phrases timides de l'inconnue ainsi que les terribles révélations de Moira. Alors, en fin d'après-midi, elle appela la clinique pour apprendre que Gerald n'y était pas allé de la journée.

Quand il rentra, ils dînèrent et couchèrent les enfants comme d'habitude. Jamais ils ne se seraient disputés devant Jerry et Emma. Mais, quand elle put parler, elle était furieuse.

— Tu n'étais pas à la clinique, aujourd'hui.

— Que veux-tu dire ?

— C'est pourtant clair. Ne me mens pas. J'ai appelé là-bas…

Elle le laissa chercher une réponse pendant quelques secondes, et comme il tardait trop, elle repartit à la charge.

— Où étais-tu ? Avec cette femme… Sandy ?

La bouche de Gerald se pinça, prenant le pli dur, méprisant, que, malgré sa rareté, Hyacinthe redoutait énormément.

— Eh bien, si tu tiens à le savoir, oui, je l'ai vue cet après-midi. Je me suis dit que la rumeur dont tu m'avais parlé pourrait être dangereuse et qu'il ne fallait pas la sous-estimer, comme j'avais commencé par le faire. Donc, dorénavant, je ne la déposerai plus chez sa sœur, même si sa maison se trouve sur ma route. Je ne l'emmènerai plus en ville faire ses courses, même si je passe par là pour rentrer. C'est ridicule, mais si les gens ont l'esprit assez mal placé pour y voir le mal, eh bien, nous changerons nos habitudes, voilà tout.

Hyacinthe le regardait fixement. Pensait-il vraiment qu'elle allait gober de pareilles inepties ?

— Tu dois me prendre pour une attardée, Gerald. Dis-moi, dans ce cas, pourquoi tu t'es cru obligé de me mentir en prétendant que tu allais à ton travail ? Tu aurais pu me dire la vérité tout de suite au lieu de te justifier maintenant.

Tremblant de tous ses membres, comme la veille avec Moira, elle s'agrippa au dossier d'un fauteuil.

— Si tu crois que je n'ai pas remarqué à quel point tu te délectes quand les femmes t'admirent. J'ai…

— Me « délecter »…, ironisa-t-il. Quel vocabulaire recherché !

— Oui, tu te délectes, comme un chat qui se chauffe au soleil. Je n'y vois d'ailleurs pas grand mal. C'est sans doute une vanité masculine bien naturelle.

J'ai eu de quoi me plaindre plus d'une fois, mais j'ai pris le parti de laisser passer. Je n'aurais jamais cru…

Piqué au vif, il l'interrompit.

— Vas-y, joue-nous le numéro de l'épouse offensée ! Ne te gênes pas. « Plus d'une fois ». Et pourquoi n'as-tu rien dit, au lieu de souffrir si noblement en silence ?

— Je ne voulais pas en faire toute une histoire. Je voulais préserver notre mariage, Gerald, un beau mariage. Nous avons des enfants.

— Merci de me le rappeler. Comme si je les avais oubliés.

— Eh oui, je suppose que tu les oublies quand tu t'amuses au lit… ou Dieu sait où… avec cette femme.

— Allez, continue, il y a des gens qui aiment se torturer. Tu dois vraiment ne pas être sûre de toi pour trembler comme une feuille simplement parce que ton mari se montre aimable avec une jeune femme. En l'occurrence, une jeune femme qui travaille dur et qui s'est bien occupée de tes enfants. De toute façon, tu n'as jamais été sûre de toi. Dommage que tu aies eu une mère aussi jolie.

Elle en perdit la parole, et lui non plus ne sut plus que dire. Ce coup cruel, cette pensée inavouable si brutalement exprimée les avait horrifiés tous les deux. Il eut l'air désolé.

— Pardon, Hya. Je ne voulais pas dire ça. Ce n'est pas vrai. Que nous arrive-t-il ? Excuse-moi, pardon.

Se mordant les lèvres, Hyacinthe parvint à se maîtriser.

— Sors de la maison. Va la voir, va voir qui tu veux, va où tu voudras, ça m'est égal.

— Oui, oui, sortir d'ici, gémit-il en se prenant la tête dans les mains. À pied, en voiture, mais sortir…

Une heure plus tard, après avoir laissé les enfants à la baby-sitter appelée d'urgence, Hyacinthe alla au garage. La voiture de Gerald ne s'y trouvait plus. Il s'était très probablement réfugié à la clinique. Le bâtiment familier était sans doute l'endroit qu'il jugeait le plus sûr pour ses rendez-vous nocturnes.

Elle avait pris le double du trousseau de clés de Gerald, qui permettait de désactiver l'alarme. Dans son sac se trouvait une lampe de poche miniature, utile pour monter l'escalier jusqu'au bureau où elle pensait avoir le plus de chances de les trouver. Chaussée de chaussures de sport, elle pourrait les surprendre.

Elle se gara hors de vue de la clinique, à une centaine de mètres, sous le couvert des arbres. La petite rue, si encombrée de jour, était à présent déserte, et le silence tel que Hyacinthe sursautait au moindre craquement de brindille sous ses pas. Les nuages, épais comme de la bourre de coton, étouffaient le ciel sombre. L'atmosphère était inquiétante, comme dans un Sherlock Holmes.

La faible lumière d'un lampadaire éclairait la façade harmonieuse du « petit bijou architectural » d'Arnie. L'espace de quelques secondes, clé serrée dans sa main moite de sueur, Hyacinthe contempla le bâtiment, comme pour se donner le temps de réfléchir, puis, s'étant décidée, elle gravit les marches basses qui menaient à la porte et ouvrit la serrure.

Le hall d'entrée était dégagé, sans obstacles contre lesquels elle aurait pu trébucher ou se heurter en faisant du bruit. Elle atteignit rapidement et en silence l'endroit où elle pensait les trouver. Le bureau était vide. Le cœur battant à tout rompre et la lampe de poche discrètement dirigée vers le plancher, elle passa de pièce en pièce sans oublier le moindre recoin, inspectant les cabinets de consultation, le bloc opératoire, la pièce d'archivage, la salle de radiologie… Où pouvaient-ils bien être ?

Chez la fille, sûrement. « J'ai été gentille avec elle, et pourtant, elle n'hésite pas à me prendre mon mari. Elle détruit tout. Mon foyer. Mes enfants. Ma vie. »

Une fureur noire montait en elle, comme elle n'en avait encore jamais connu. La colère l'envahissait tel un flot de sang brûlant qui lui laissait un goût de sel dans la bouche. « Réfléchis. Réfléchis ! » Elle arpenta la pièce, tâchant de se concentrer pour trouver une solution. Elle alluma une cigarette, puis une autre, et continua ainsi à marcher de long en large.

Elle s'arrêta devant le bureau de Sandy et regarda ses affaires bien rangées, téléphone, lampe, ordinateur, et un presse-papiers en Plexiglas avec une inclusion de la tour Eiffel… souvenir de Paris rapporté par Gerald. Dès que la porte du cabinet de consultation s'ouvrait pour laisser entrer ou sortir les patients, Gerald la voyait. Se regardaient-ils, ou faisaient-ils semblant de rien ? Il était plus que probable qu'ils jouaient l'indifférence, car Gerald était très à cheval sur les convenances.

Le tiroir central du bureau était entrouvert. C'était là que les secrétaires rangeaient leurs affaires personnelles : rouge à lèvres de rechange, miroir et peigne, Kleenex, et même parfois des lettres personnelles qu'elles voulaient garder près d'elles. Elle fouilla dans le tiroir, et découvrit en effet dans le fond une grosse enveloppe entourée d'un élastique. À l'intérieur se trouvait un paquet de lettres écrites par Gerald, qu'il lui avait envoyées chez elle.

Dans le mince faisceau de la petite lampe de poche, elle reconnut bien l'écriture énergique : « Sandy, tu me rends fou. Je parcours ces rues jour après jour en pensant à toi. Pourquoi n'es-tu pas là avec moi ? Encore une cathédrale ennuyeuse, une soirée ennuyeuse et pluvieuse dans une auberge de campagne mortellement ennuyeuse, et un grand lit sans toi. »

Hyacinthe perdit la tête. Et, bizarrement, sa rage se dirigea contre Sandy et non contre Gerald. « Tu as vécu chez moi pendant deux semaines. Tu as vu mes beaux enfants, tu as dû fouiller dans toutes mes affaires ! Mes vêtements, mes livres, mon courrier. Tous mes secrets, ma vie privée. Tu t'es moquée de moi avec lui, et je sais que tu ne rêves que de prendre ma place, de vivre ma belle vie ! Tu feras tout pour y arriver, tu y travailleras comme un termite en sapant les fondations jour après jour. »

Le bras de Hyacinthe se leva et retomba comme une faux sur la lampe de bureau, qui s'écrasa sur le sol. Elle balaya le plateau de la main, envoyant par terre les documents, le presse-papiers, le téléphone et l'ordinateur.

Dans le cabinet de consultation de Gerald, elle continua sa destruction, piètre revanche pour l'affront qu'elle avait subi, pour l'injure faite à son être même, à son identité de femme. Avec un sourire épanoui, elle contempla le résultat de son travail, imaginant la tête qu'il ferait – qu'ils feraient tous les deux – quand, le matin venu, ils verraient le désastre.

Puis la peur l'envahit. S'ils revenaient maintenant et qu'ils la trouvent ici… Non, elle ne voulait pas leur faire face. Alors elle s'enfuit. Elle traversa le hall en courant, dévala les marches du perron si vite qu'elle se tordit le pied et tomba dans l'herbe. Son sac à main s'étant ouvert dans sa chute, elle y remit en hâte son contenu, puis, le genou en sang, elle alla en boitillant se réfugier dans sa voiture.

À part la lampe du salon près de laquelle lisait la baby-sitter, la maison était plongée dans l'obscurité. Elle paya la jeune fille, répondit à la question qu'elle lui posa en voyant son genou égratigné, et apprit que les enfants dormaient depuis longtemps. Non, Gerald n'était pas rentré.

Une fois au lit, elle fut saisie par une sensation étrange. Il lui semblait qu'après un terrible effort elle avait triomphé de ses difficultés, comme si, après avoir atteint le sommet d'une montagne, elle regardait en bas et voyait la distance franchie, l'abîme profond et noir qui s'ouvrait à ses pieds. Maintenant, qu'allait-il se passer ? L'angoisse enserrait ses tempes, battait dans son genou blessé et dans tout son corps épuisé tandis qu'elle restait allongée là, à attendre qu'il arrive quelque chose.

Des bruits nocturnes l'éveillèrent ; elle entendit d'abord les criquets, puis la sonnerie du téléphone. L'appareil était du côté de Gerald, à l'autre bout du lit, mais, comme il n'était pas là, elle tâtonna dans le noir, décrocha et prit un message. S'il était rentré, il devait se trouver dans la chambre d'amis. Elle y courut aussitôt.

— Lève-toi. Il y a le feu. Arnie vient d'être averti.

— Quoi ? Quoi ? marmonna Gerald.

— Il y a le feu. La clinique est en train de brûler.

Après le petit déjeuner, Hyacinthe emmena les enfants chez Moira et prit la voiture pour aller à la clinique. Une foule de curieux se pressait sur les lieux. L'étroite rue était entièrement bouchée par des voitures de pompiers, la voiture du chef de brigade, un véhicule de police, et une ambulance. L'élégant bâtiment n'était plus qu'un vestige désolant aux murs de pierre encore dressés mais noircis, aux boiseries consumées, aux fenêtres éclatées, son beau toit de bardeaux effondré.

« Au moins, de cette façon, personne ne se rendra compte des dégâts que j'avais causés », pensa-t-elle, se repentant aussitôt en voyant le pauvre Arnie, debout au milieu du trottoir, le visage levé vers la ruine de son « petit bijou ».

— Arnie, c'est affreux ! Comment est-ce arrivé ?

L'air était encore rempli de fumée, avec son odeur âcre. Les yeux rougies, il lui lança un regard si découragé qu'elle sut que, s'il avait été une femme, il aurait sangloté.

— Est-ce qu'on sait... Enfin, est-ce qu'il reste quelque chose ? demanda-t-elle, ne sachant trop que dire devant tant de douleur.

— Non, il ne reste rien. Que des décombres. Tout est à jeter. Ce n'est plus qu'une carcasse. Et personne ne sait rien, sauf que l'alarme ne s'est pas déclenchée. On fait encore des recherches à l'intérieur pour essayer de comprendre. Peut-être un court-circuit. Probablement. Gerald est dedans, il discute avec les pompiers. Je suis ressorti respirer un peu. L'odeur de fumée est suffocante. Enfin, inutile de pleurer sur les pots cassés. Ce qui est fait est fait.

— Tu en étais tellement fier, dit-elle gentiment. C'était vraiment un bâtiment superbe.

— Normal, vu tout l'argent que m'a pris l'architecte. J'avais choisi un des meilleurs du pays. Je voulais que ça ait de la gueule, pas trop tape-à-l'œil, parce que c'est une ville distinguée, et je ne pouvais pas me fier à mes propres goûts. C'est vrai, je ne suis pas comme Gerald, moi. Je n'ai aucun goût et je le sais. Pas vrai, Hya ?

— De quoi parles-tu ?

— Je n'ai pas de goût. Allez, sois franche. Tu me connais, et je sais que tu le sais.

Elle lui posa une main sur le bras et l'embrassa sur la joue. Cela lui donnait envie de pleurer, par pitié pour lui, et pour tellement d'autres raisons.

— Tu vas pouvoir la faire reconstruire, dit-elle. C'est possible, non ? Tu étais assuré.

— Je ne sais pas. De toute façon, Gerald et moi nous pensions depuis un moment à notre projet en Floride, alors peut-être l'incendie va-t-il nous pousser à agir, à vendre notre clientèle et à déménager. Heureusement, tous les dossiers de nos clients étaient archivés dans des meubles ignifuges.

— En Floride ? Quel projet en Floride ?

— Il ne t'en a pas parlé ? J'imagine qu'il voulait te faire la surprise. Nous avons la grande chance de pouvoir acheter une clientèle. Une grosse, vraiment grosse. À côté, ici, nous avons l'air d'amateurs. Un type très vieux qui prend sa retraite. Nous pensons pouvoir y arriver.

Elle venait d'éprouver un choc et ne s'en cacha pas.

— Oh ! mais ne crains rien, ça te plaira, Hya. Pas d'hivers froids, de bonnes écoles privées pour Emma et Jerry, si tu préfères l'enseignement privé, et une maison qui t'attend, une superbe maison qui donne sur la mer. Moi, je n'en ai aucun besoin, donc elle sera pour vous.

Il attendit un commentaire, mais, comme elle était trop stupéfaite pour prononcer un mot, il continua :

— En Floride, on fait de la chirurgie esthétique à tour de bras. Tu pourras mettre tout l'argent que tu voudras de côté pour assurer l'avenir des enfants en cas de pépin. Ce n'est pas une mauvaise idée, qu'est-ce que tu en dis ?

— C'est vrai, répondit-elle sans conviction.

Arnie reprit par un coq-à-l'âne :

— Nous avions un système à trois alarmes. C'est incroyable. Quand je suis arrivé un peu après deux heures du matin, il y avait une colonne de fumée comme si toute la ville brûlait, grise et rouge, on aurait dit les suites d'un bombardement. Les pompiers se sont battus contre les flammes jusqu'à environ sept heures ce matin. Je leur tire mon chapeau. Il y en a un qui s'est cassé le bras, et deux autres sont à l'hôpital. Intoxication à la fumée. C'est dangereux.

Hyacinthe leva les yeux vers les murs calcinés. Les catastrophes s'additionnaient. En plus de sa fureur, de son chagrin, il fallait faire face à présent à ce coup du sort. Elle regardait encore les ruines quand Gerald sortit dans l'allée.

— C'est l'apocalypse, là-dedans, fit-il en s'adressant à Arnie. Je crois qu'un des deux pompiers ne va pas s'en tirer. Le plancher s'est effondré sous lui, et il est tombé dans le brasier.

Arnie secoua la tête, incrédule.

— Qu'est-ce qui a bien pu causer ça ? Il paraît que les rongeurs, les souris ou les écureuils, provoquent des incendies en grignotant les fils électriques.

— L'origine n'est pas nécessairement due à l'électricité.

— Non ? Comment est-ce arrivé, alors ?

— Les pompiers ne savent pas au juste, mais il est possible, même probable, que le feu ait démarré dans mon cabinet de consultation. En arrivant, ils ont trouvé des signes de vandalisme. Il y avait du matériel jeté par terre. Du moins, c'est ce qu'a pensé quelqu'un, mais c'est difficile d'avoir des certitudes.

— Mais qui aurait pu entrer ? L'alarme n'a même pas sonné.

— Ne t'en fais pas, une enquête va être menée.

Gerald n'avait toujours pas salué Hyacinthe. L'air sombre, il finit par s'adresser à elle.

— Tu pourrais essayer de voir si on ne peut rien faire pour ce pauvre type et sa famille, Hyacinthe. Il a un petit garçon, et sa femme est enceinte. Tiens, j'ai écrit son nom là.

— Tu es sûr qu'il ne va pas s'en sortir ? ne put-elle s'empêcher de demander.

— Il est tombé de tout un étage dans la cave. Sa tête a cogné sur le ciment. Non, il ne s'en tirera pas, et s'il survit ce sera pire.

Gerald se détourna.

— Tu peux y retourner, Arnie ? L'expert de l'assurance veut te parler.

Dans sa voiture, sur le chemin du retour, Hyacinthe lança une prière à voix haute.

— Au secours, mon Dieu.

Ses mains s'agrippaient au volant et elle analysait la situation, dialoguant avec elle-même.

« Oui, j'ai fumé, c'est vrai. Mais j'ai écrasé les mégots. Je suis sûre que je les ai bien éteints. Je suis toujours consciencieuse. »

Pourtant, les accidents arrivaient à tout le monde. C'étaient des événements qui échappaient à la volonté, des choses qu'on oubliait, comme de garder les yeux sur la route, ou d'éteindre le four. On ne pouvait pas condamner quelqu'un qui était de bonne foi simplement parce qu'il lui était arrivé un accident. Ce n'était pas sa faute…

« Non, je suis sûre que je n'ai pas laissé de cigarette allumée. Je dois me reprendre… Je n'ai rien à voir avec cet indendie.

« Mais, est-ce certain ? Les ai-je vraiment toutes écrasées ? Ai-je utilisé un cendrier ? »

De retour chez elle, elle s'assit dans la cuisine et avala trois tasses de café. De l'autre côté de la fenêtre, elle voyait le jardin que son père avait planté pour eux. S'il avait encore été en vie, son cher papa aurait su démêler tout cet imbroglio à sa façon raisonnable et sage… Elle l'entendait presque parler à Emma, assise sur ses genoux, la veille du départ en France. Elle se leva, ouvrit la porte de la véranda côté jardin et regarda le fauteuil. La poupée de chiffon d'Emma traînait par terre et la bicyclette neuve de Jerry était appuyée au mur.

C'était sa famille, sa maison, elle ne pouvait pas laisser une fille comme Sandy tout détruire ! Gerald ne le voulait sûrement pas non plus. Il ne s'agissait que d'une sordide aventure sans lendemain. Ce genre de chose arrivait aux hommes, et il fallait que les femmes apprennent à ne pas se laisser atteindre. Ce n'était pas la fin du monde. Qui sait si Jim, lui aussi, n'avait pas eu des aventures, de temps à autre, à l'insu ou non de Francine ? Même dans un couple aussi équilibré et tranquille, c'était possible.

« C'est bizarre que je me sois laissé emporter par une jalousie tellement furieuse hier soir, et que maintenant je me sente si calme. Je suis blessée, atrocement peinée, ce qui est très différent.

« Mais je suis têtue. Je l'ai toujours été. Quand il y a une tempête en mer, que font les marins ? Ils ferment les écoutilles et ramènent les voiles, je crois que c'est ce qu'on dit… Je dois être forte pour bien manœuvrer. Donc, maintenant, que faut-il faire ?

« Demain, c'est la rentrée des classes, le cours élémentaire première année pour Jerry et la maternelle pour Emma. Un grand jour pour tous les deux. Ils auront besoin d'être entourés d'amour, et comme Gerald n'est pas d'humeur à leur donner l'attention nécessaire, je vais devoir compenser. Cet après-midi, il faut que j'achète des chaussettes à Jerry, et que je les emmène tous les deux se faire détartrer les dents chez le dentiste. Et puis, le dîner de ce soir, un repas spécial pour montrer à un homme en colère que la tempête commence à s'apaiser un peu. »

Forte de ces résolutions, Hyacinthe mit son programme à exécution. Mais Gerald ne rentra pas dîner. Il était tard et elle était déjà couchée lorsqu'elle l'entendit monter l'escalier et entrer dans la chambre d'amis. Au moins, c'était clair.

Le lendemain matin, elle l'arrêta à la porte alors qu'il allait sortir et s'adressa à lui calmement.

— Nous ne pouvons pas continuer à nous éviter comme ça, Gerald. Il faut qu'on discute.

— Pas maintenant.

— Dis-moi au moins comment va le pauvre pompier qui…

— Il est mort, coupa-t-il d'une voix neutre. Les obsèques ont lieu après-demain à onze heures à l'église de Maple Street. Ensuite, nous pourrons discuter de tout ça.

— Gerald, enfin ! Il faut que nous parlions avant. Je n'y comprends plus rien. Dis-moi où tu en es avec Sandy. Et le projet de Floride ? Je voudrais savoir ce que tu comptes faire.

— Pas maintenant, je t'ai dit. Laisse-moi partir, je suis pressé.

— Tu vas rentrer dîner, ce soir ?

— Probablement pas.

— Gerald, je t'en prie, arrête. À quoi ça rime ? Si tu refuses de me parler, comment veux-tu que nous…

Mais il était déjà trop loin pour l'entendre.

La moitié de la ville, ou même peut-être plus, participa d'une façon ou d'une autre à l'enterrement. Les deux journaux, le national et le local, mirent à la une la photo du jeune pompier courageux qui avait risqué sa vie dans l'effondrement du bâtiment en flammes et avait été tué. Les drapeaux de tous les bâtiments publics furent mis en berne ; une tenture noire fut accrochée sur la porte de la caserne. L'église était pleine et une foule se pressait dans la rue devant le portail.

Hyacinthe, décidée à se conduire comme si tout allait bien, arriva assez tôt pour garder deux places, une pour Gerald et une pour Arnie. Elle fut étonnée de voir Arnie arriver seul et lui demanda où était Gerald.

— Il va venir. Il avait une course à faire.

Le cercueil était fermé. Elle essaya de garder les yeux levés vers la voûte, mais elle ne pouvait empêcher qu'ils reviennent se poser sur la longue caisse noire. Trente ans… « Deux ans de moins que moi », songea-t-elle.

— Ah ! le voilà, dit Arnie. Il arrive avec les secrétaires. Il ne m'a pas vu… Bon, tant pis, ils se sont assis. Qu'est-ce qui lui prend ?

— Rien, c'est l'incendie, tout ce qui s'est passé. C'est normal, non ?

— Oui, bien sûr, l'incendie... mais je me demandais s'il n'y avait pas autre chose.

Dominant les bruissements de l'assemblée, l'orgue fit entendre sa douce plainte quand la veuve apparut. Dans sa robe noire elle avança, tête baissée, tenant par la main un petit garçon terrorisé. Il avait l'âge de Jerry ; la mère semblait sur le point d'accoucher. Toutes les stoïques résolutions de Hyacinthe s'effondrèrent comme un château de cartes.

Dehors, en harmonie avec l'atmosphère funèbre, la journée s'était couverte. Un ciel gris, terne comme du fer-blanc, enveloppait la terre, et le vent violent et chaud retournait les feuilles. « Je suis comme un cheval dans un pré, je sens venir la tempête », pensa Hyacinthe.

Peu de temps après qu'elle eut mis les enfants au lit, l'orage éclata. Le premier coup de tonnerre gronda au moment où Gerald entra dans le petit bureau où Hyacinthe était allée s'asseoir.

— Comme tu as pu le constater, commença-t-il, la clinique est en ruine...

Il s'interrompit. Cette attitude froide et distante la déconcerta. Il aurait mieux valu qu'il commence par parler d'eux et de l'échec possible de leur mariage. Comme la pause se prolongeait, elle eut tout le temps d'exprimer ses préoccupations.

— Et nous ? Notre vie à tous les deux ?

— Nous y viendrons plus tard. D'abord, je suis curieux de savoir comment tu te sens, après ce que tu as fait.

— Moi ? Mais qu'est-ce que j'ai fait ? Ce n'est pas moi qui ai menti et qui t'ai trompé..., dit-elle d'un ton mesuré. Je n'ai pas arrêté de penser à tout cela depuis lundi dernier, Gerald. Je n'ai pas besoin de te dire ce que j'ai ressenti, parce que tu dois bien t'en douter. Mais, sache-le, je suis prête à passer l'éponge. Oui, tu as ma parole : je ne reparlerai plus jamais de cette histoire de toute ma vie à condition que tu te débarrasses de cette fille dès demain pour que nous puissions reconstruire notre vie. Je veux bien essayer. Pour notre bien à tous, pour Jerry, pour Emma, pour nous deux.

— Je ne te parle pas de ça, Hyacinthe. Je te demande pourquoi tu es allée à la clinique.

Curieusement, au lieu de bondir dans sa poitrine, son cœur ralentit.

— Moi, je suis allée à la clinique ? Quand ça ?

— La nuit de l'incendie, quand tu as mis le feu.

— Tu crois que j'ai mis le feu ? Tu plaisantes, j'espère.

— Pas du tout. Je suis tout ce qu'il y a de plus sérieux. Il n'y a pas eu de court-circuit. Quelqu'un est entré dans le bâtiment. Quelqu'un a vandalisé mon bureau.

— Et naturellement, ce quelqu'un, ce serait moi parce que j'ai découvert ta liaison. Quel bon détective tu fais ! Bravo !

— Ce genre de sarcasme ne te mènera nulle part, Hyacinthe.

— Écoute. Si tu penses que quelqu'un est entré, interroge plutôt tes employés. Tu en as cinq, et ils ont tous des clés. C'est une honte de m'accuser, moi.

— Ils ont tous été interrogés par la police et par les enquêteurs de l'assurance, qui connaissent leur métier, Hyacinthe. Chacun a pu prouver où il était cette nuit-là. Leurs alibis sont en béton.

Chaque fois qu'il répétait son nom, elle avait l'impression de recevoir une gifle. Néanmoins, son cœur battait de moins en moins vite. Peut-être ralentirait-il jusqu'à s'arrêter tout à fait.

— Eh bien, dans ce cas, qu'ils viennent m'interroger aussi. Ça m'est égal. C'est ridicule. Non, pas ridicule, cruel. Tu es immonde, Gerald.

— Ah, tu crois ça !

— Oh oui. Je ne suis pas allée à la clinique depuis notre départ pour Paris !

« Que Dieu me pardonne pour ce mensonge, mais comment me défendre autrement ? Ce n'est pas moi qui ai mis le feu ! »

De sa poche, Gerald tira un petit paquet enveloppé dans du papier. Il le défit et, après avoir poussé quelques livres qui encombraient la table, étala les objets qu'il contenait sur le plateau.

— Et ça, qu'est-ce que c'est ? demanda-t-il.

À sa grande stupeur, Hyacinthe vit son poudrier, son rouge à lèvres et un peigne de poche qu'ils avaient achetés ensemble sur la rive gauche, près d'un musée. Ils étaient émaillés de bleu, avec chacun une bande noire portant la marque en lettres dorées. Elle ne put prononcer un mot.

— Je les ai trouvés dans l'herbe entre les azalées et le trottoir, à l'aube, la nuit de l'incendie, expliqua Gerald dont la voix se fit étonnamment rassurante. Nous sommes les seuls au courant. Je peux très bien ne le dire à personne.

Malgré sa décision de tenir quoi qu'il arrive, les larmes lui montèrent aux yeux ; à son habitude, elle les essuya brusquement d'un revers de la main. Elle ne parvenait toujours pas à articuler un mot.

— Pourquoi as-tu fait ça, Hya ?

Mon Dieu ! Ils sont tombés quand j'ai trébuché et que mon sac s'est ouvert.

Elle n'arrivait plus à retenir ses larmes et se mit à sangloter.

— Je ne l'ai pas fait exprès ! Ce doit être une cigarette mal éteinte. J'ai lu les lettres que tu lui as envoyées, et je suis devenue comme folle. Je voulais seulement abîmer ses affaires à elle, et puis après je m'en suis aussi prise à ton bureau... Je te dis, je suis devenue folle. Tu ne me crois pas ? Je n'ai pas mis le feu exprès !

— Même si moi je voulais te croire, répondit Gerald, toujours d'une voix calme, penses-tu que n'importe qui d'autre te croirait ? Quelle raison plausible peux-tu donner à ta visite à la clinique en pleine nuit ? Ça ressemble à un incendie criminel, et c'est très grave, ça. C'est un crime, tu irais en prison.

— Même si je ne l'ai pas fait exprès ?

— Mais oui, Hya. N'oublie pas qu'un homme est mort dans l'incendie.

Elle le laissa continuer, muette, accablée.

— C'est un homicide, volontaire ou involontaire, je ne sais pas. Probablement involontaire, dans ce cas.

— Et c'est passible de quelle peine ? murmura-t-elle.

— Vingt ans, environ, pour l'incendie criminel, et la même durée pour l'homicide, à purger simultanément.

— Comment sais-tu tout ça ?

— Par l'avocat et les gens de l'assurance.

— Tu es sûr ?

— Tu n'as qu'à vérifier. Mais ne t'en fais pas, aucun soupçon ne pèse sur toi. Aucun. En tout cas, pas pour l'instant.

Elle revoyait le ventre énorme de la veuve sous sa robe noire, le regard effrayé du petit garçon, et elle s'imagina derrière les barreaux.

— Je voudrais mourir.

— Non, Hyacinthe.

— Je ne mérite pas de vivre. Je ne veux plus vivre.

— Bien sûr que si. Tu es quelqu'un de bien, une grande naïve, comme dit ta mère.

— Mais qu'est-ce que je vais devenir ? s'écria-t-elle en se tordant les mains. Qu'est-ce que tu vas faire ?

— Rien du tout. Je ne dirai rien. Aie confiance. Si je ne le faisais pas pour toi, je le ferais au moins pour Jerry et Emma, pour que cela ne leur nuise pas plus tard… Arnie et moi, Arnie surtout, nous avons mis une grosse somme à la banque pour la veuve, et nous avons l'intention d'effectuer des versements réguliers.

Ils gardèrent le silence. Gerald prit le journal et se mit à lire comme s'il s'agissait d'une agréable soirée ordinaire. Pendant une heure, hébétée par le choc, elle le regarda. Puis, submergée par l'angoisse et le besoin de bouger, elle se leva.

— Il faut que je marche, dit-elle. Tu veux venir avec moi ?

— Non, je t'attends ici.

Il faisait presque nuit. Les rues familières lui semblaient étranges, hostiles. Une façade lui apparut comme un visage : la porte formait une bouche revêche, les fenêtres du premier des yeux méchants. Sur une pelouse, un chat se jeta sur un oiseau qui poussa un cri strident. Cette cruauté la rendit malade. Elle fit vite demi-tour, rentra chez elle et s'assit dans la véranda, choisissant le fauteuil qu'avait aimé Jim.

« Cela fait des mois que ça ne va pas, pensa-t-elle, je me sens mal depuis bien avant le voyage en Europe. C'est même pour ça que nous sommes partis... moi, tout du moins. Arnie était au courant. Il est gentil et il n'est pas bête ; peut-être savait-il même que Gerald ne m'aimait plus. »

La nuit était d'un noir d'encre. La grande horloge, dans l'entrée, sonna onze heures, mais Hyacinthe ne bougeait toujours pas, plongée dans ses pensées.

« Voilà où tout cela m'a menée. Voilà ce que j'ai fait, par colère, par négligence... » L'image de la veuve surgit une nouvelle fois devant ses yeux ; la pauvre femme avançait vers elle dans l'église, avec son bébé à naître et son petit garçon. Hyacinthe pensa aussitôt à Emma et à Jerry... Que leur avait-elle fait ?

« Oui, j'allais de plus en plus mal, et je suis tombée très bas. Mais je dois remonter la pente. Je dois apprendre à vivre avec ces horribles souvenirs. Il faut que je regagne l'amour de Gerald, qu'il m'aime de nouveau, comme au début. Oui, mon Dieu, ayez pitié de moi. »

La terre, l'herbe, la barrière, et même la maison, avaient déjà été avalées par la nuit, mais là-haut le ciel scintillait d'étoiles. Par la grâce de l'histoire, de la mythologie ou de la mémoire de l'humanité, ces anciens soleils se mirent à lui insuffler le courage de sortir de l'abîme où elle était tombée.

— Viens, lui dit Gerald en surgissant près d'elle. Monte te coucher. Je vais te donner quelque chose pour t'aider à dormir.

— Tu sais bien que je ne prends jamais de somnifères. Je n'en ai pas besoin.

— Ce soir, ça t'aidera un peu, affirma-t-il en lui prenant la main pour l'aider à se lever. Viens te coucher.

— Il faut que tu te reprennes, que tu demandes de l'aide à quelqu'un, lui déclara-t-il le lendemain.

— C'est vrai. C'est très triste, très décevant que nous ayons besoin d'une tierce personne pour nous aider, mais c'est comme ça.

— Pas moi, Hyacinthe. Moi, je n'ai aucun besoin de l'aide d'un psychothérapeute, si c'est ce que tu veux dire.

Ils étaient dans la cuisine, après le départ des enfants pour l'école. Elle était en train de ranger la vaisselle, mais elle s'interrompit, prit une chaise et s'assit à la table.

— Ça ne servirait à rien, dit-elle.

— Je pense que si, Hyacinthe.

Cette façon solennelle d'employer son prénom entier n'augurait rien de bon, toutefois elle garda son calme.

— Non, je ne crois pas. Je ferai de mon mieux pour que nous arrivions à surmonter cette crise terrible, ce drame que j'ai causé. Avec ton aide, j'y arriverai, j'en suis sûre.

— Mais bien sûr. Je t'aiderai. Je paierai tout ce qu'il faudra, comme je l'ai toujours fait.

Il avait très bien compris mais il se dérobait, refusant le dialogue. Elle avait l'impression de voir un étranger, figé comme il l'était dans l'ouverture de la porte, impeccablement vêtu, grand, et trop imposant pour le modeste décor de la cuisine. Il était distant, le mot le décrivait bien, et critique aussi. Froid… sur la réserve, et si sûr de lui qu'on avait du mal à reconnaître en lui l'étudiant passionné qui était venu au musée un certain matin, pas tant d'années que cela auparavant. Quand et comment le changement s'était-il produit ?

— Ce que je voudrais ne s'achète pas… Ce que je te demande, Gerald – ce que je t'ai déjà demandé –, c'est de te débarrasser de cette fille.

— Ça m'est complètement égal, ça n'a rien à voir avec ce qui arrive. Là n'est pas la question.

— Comment ? Tu n'es pas amoureux d'elle ?

— Non, et je ne l'ai jamais été, d'ailleurs. Désolé que tu aies trouvé ces lettres idiotes, et surtout que ça t'ait fait tant de mal. Je ne voulais pas te rendre malheureuse. C'était une petite aventure sans importance, qui a duré six semaines et qui est terminée. Elle partira d'ici au début du mois.

D'une certaine façon, cette nouvelle aurait dû la combler, cependant l'attitude désinvolte de Gerald la choquait. Un souvenir fusa dans sa tête, une sensation : dans le silence d'une belle soirée, elle avait entendu la voix de Francine de la fenêtre de sa chambre.

Dès qu'il aura réussi, il va courir les femmes… Hyacinthe n'arrivera jamais à supporter ça…

— Combien de ces petites aventures sans importance, comme tu dis, as-tu eu ?

— Pas beaucoup. C'est normal, pour un homme, tu sais, et après, on se dit que le jeu n'en valait pas la chandelle. C'est juste que… eh bien, tu sais ce que c'est, il suffit d'écouter les gens, de lire des livres, de regarder autour de soi. Ce n'est pas très joli, mais ça arrive. J'admets que j'ai un peu honte. Comme la plupart des hommes.

On était loin d'un repentir sincère, il ne se jetait pas à ses pieds pour lui demander pardon… Peut-être n'était-il pas capable d'en faire plus. Si tel était le cas, il fallait l'accepter. Après tout, lui, il avait bien accepté ce qu'elle venait de faire !

Silencieuse, toujours assise à la table de la cuisine, Hyacinthe se mit à tourner son alliance autour de son doigt, puis, surprenant son geste machinal, elle s'arrêta et regarda autour d'elle les objets familiers qu'elle aimait tant : les tasses des enfants avec leur nom inscrit en lettres rouges, le tapis de Granny dans l'entrée, les clubs de golf de Gerald appuyés contre le mur. Les ingrédients de sa vie, une vie en construction qui s'était développée peu à peu au cours des ans.

— Nous avons tous les deux fait quelque chose de mal, dit-elle doucement. Mais nous pouvons essayer de réparer. Nous pouvons nous retrouver, tu sais.

Pas de réponse.

— Tu ne dis rien, Gerald ?

Il s'assit de l'autre côté de la table en évitant son regard, les yeux tournés vers la fenêtre.

— Ça ne marche plus très bien entre nous depuis un an ou deux, remarqua-t-il.

— C'est vrai. Ça m'a rendue malade, malade de chagrin. J'ai essayé de comprendre ce qui n'allait pas, mais tu ne voulais rien voir, dit-elle avec tristesse, mais sans essayer de le culpabiliser. Même maintenant, tu restes là, silencieux.

— Je t'écoute.

— Bon, d'accord. Nous avons un peu changé. Nous avons vieilli. C'est normal, non, de changer ? Par exemple, tu es devenu plus sociable que moi. Tu veux sortir tout le temps, tu invites du monde pratiquement chaque soir… Mais ça ne me dérange pas, ajouta-t-elle très vite. Nous n'avons pas besoin d'être identiques. Il faut simplement que nous trouvions des compromis.

— Peut-être que cela nous ferait du bien d'envisager une petite pause.

— Une pause ? Que veux-tu dire ?

— Eh bien… vu les circonstances… une séparation à l'essai, pour voir comment ça se passe.

— C'était donc ça, toutes ces cachotteries ! s'écria-t-elle en se prenant la tête dans les mains. Tout ce qui se tramait derrière mon dos. Arnie m'a parlé de la Floride, mais toi, tu ne me dis rien, sauf que tu veux qu'on se sépare, justement quand j'ai le plus besoin de toi !

— Non, écoute, Hyacinthe. Je veux juste qu'on prenne du recul. Nous venons de traverser une crise. Nous avons besoin de temps pour réfléchir.

Il lui posa la main sur l'épaule, mais elle se dégagea brutalement.

— Du temps pour réfléchir ? Mais réfléchir à quoi ? Quand les gens font une pause pour réfléchir, comme tu dis, ça finit toujours par un divorce. Est-ce que c'est ça que tu veux ? Dis-le ! Tu veux divorcer ?

— Hyacinthe, dit-il d'une voix apaisante, levant la main pour la rassurer. Discutons calmement. Conduisons-nous en gens civilisés. C'est toi qui viens d'employer le mot « divorce », et quand on y réfléchit, le divorce n'est pas la fin du monde, tu sais. Dans certains cas, cela permet de prendre un nouveau départ.

— Civilisé ! hurla-t-elle. « Un divorce civilisé », c'est un cliché moderne, hein ? Est-ce que tu as oublié… est-ce que tu as oublié combien nous nous sommes aimés ? Nous n'étions plus qu'un, une seule pensée, un seul corps… tu as oublié ?

Se tassant sur elle-même, elle éclata en sanglots et oscilla d'avant en arrière tout en pleurant.

— Tu te fais du mal. Tu vas te rendre malade. Et ce n'est pas bon pour les enfants de te voir dans cet état. Jerry est un grand garçon, maintenant, il est assez âgé pour se demander ce qui se passe.

Lorsqu'il étendit le bras pour lui caresser la tête, elle se leva d'un bond et le gifla.

— Monstre ! Tu voulais que j'avorte de lui !

— Contrôle-toi, Hyacinthe. Nous n'arriverons à rien de cette façon. Parlons calmement. Je veux te traiter généreusement. La dernière chose au monde que je souhaite, c'est te rendre malheureuse. Mais il faut que tu m'écoutes.

Elle était hors d'elle. Le ciel lui était tombé sur la tête, le monde avait explosé.

— C'est donc ça que tu veux ? s'écria-t-elle. Dis-le-moi franchement : « Tu ne comptes plus pour moi, Hya, et je veux divorcer. » Vas-y, dis-le, haut et clair, que je sois sûre d'avoir bien entendu.

— Je ne le dirai jamais, parce que ce n'est pas vrai.

Elle le regarda arranger sa cuillère sur sa soucoupe, manche parallèle au bord de la table. Puis il replaça méticuleusement sa serviette à gauche de l'assiette. Ces gestes si soigneux la remplirent de rage. Qu'il puisse se conduire avec autant d'ordre et de méthode alors qu'au même instant il détruisait sa vie ! D'une poussée violente, elle renversa la table, précipitant cafetière, tasses et assiettes par terre.

— Parfait, dit Gerald. Parfait. Je vois que ça ne sert à rien d'essayer de te parler ce matin, il vaut mieux que nous remettions ça à plus tard. Je vais travailler. J'ai encore des patients à soigner, si ça t'intéresse.

— Non, ça ne m'intéresse pas. Pas du tout. Par contre, ce qui m'intéresse, c'est ce qui arrive à mes enfants, et à moi.

— Les enfants auront tout ce dont ils ont besoin. Quant à toi, tu es instable, Hyacinthe. Regarde ce que tu viens de faire. Là, tu ne peux pas prétendre qu'il s'agit d'un accident. Cette fois, impossible de te défiler.

— Tu veux dire que tu ne crois pas que l'incendie était accidentel ?

— Non, Hyacinthe.

— Tu crois que j'ai mis le feu exprès ? C'est ça ?

— Oui. Tu étais folle de jalousie, et tu t'es vengée, en toute conscience.

— J'ai perdu la tête un instant, je le reconnais. J'ai jeté par terre ce qu'il y avait sur le bureau, j'ai cassé des objets, mais c'est tout ! Je n'ai rien fait d'autre !

— Si. Tu oublies qu'un homme est mort.

— Non, je ne l'oublie pas. Je me le reprocherai jusqu'à la fin de mes jours, mais je ne suis pas folle.

— Ne jouons pas sur les mots. Disons simplement que tu ne sais pas te maîtriser. Tu es hystérique. Pour moi, c'est intenable. Je ne peux pas m'occuper comme il faut de mes enfants, soigner mes patients, et en même temps vivre avec une femme qui se conduit comme toi.

— Que veux-tu dire par « t'occuper de tes enfants » ? C'est moi qui me charge de Jerry et d'Emma, c'est moi qui reste à la maison toute la journée.

— Nous parlerons plus tard, je t'ai dit.

À la porte de la cuisine, il s'arrêta et déclara d'un ton solennel :

— Hyacinthe, je t'ai donné ma parole, et je te le répète : personne n'apprendra jamais, je dis bien jamais, la vérité sur ce que tu as fait. Personne. Je garderai le silence pour toi et pour les enfants. Ne l'oublie pas. Tu peux demander le divorce, invoquer l'incompatibilité totale, une mésentente irréconciliable, tout ce que tu voudras. Je ne me battrai pas. Nous n'irons même pas devant le juge : nous réglerons ça à l'amiable, et cette affaire n'entrera pas en ligne de compte. Maintenant, je dois y aller. Je suis en retard.

Le silence retomba. La maison était trop grande, comme un lac sans rivage. Hyacinthe avait l'impression de nager, mais elle avait perdu ses forces ; ses bras et ses jambes n'en pouvaient plus. Les murs étaient trop proches, étouffants comme dans une cellule ou dans un ascenseur bloqué entre deux étages dont l'oxygène s'épuise lentement. Elle se lamentait : « Que vais-je faire ? » Elle n'avait personne d'assez proche à qui demander conseil. Jim était mort, Granny était trop vieille et malade, le deuil de Francine encore trop récent, et même si Moira était une bonne amie, la fierté l'empêcherait de lui parler.

Ah, bonjour, Moira, il faut que je te dise quelque chose. Gerald demande le divorce.

« Sors de la maison, va prendre l'air. Assieds-toi dans le jardin. Allonge-toi dans un transat. Tu viens de faire un cauchemar. Ça n'est pas vraiment arrivé. Ouvre la porte de la cuisine et jette un coup d'œil à l'intérieur. La table ressemble à un cheval tombé que j'ai vu un jour, le pauvre, les quatre fers en l'air. Donc, tu n'as pas rêvé. Recouche-toi dans la chaise longue, regarde le ciel, si calme, si bleu. Une bande d'oies sauvages arrive tout là-haut et vire vers le sud. Que faire ? Prendre mes enfants et m'enfuir, fuir n'importe où ? »

Au bout d'un moment, commençant à avoir trop chaud, elle rentra. Il fallait nettoyer la cuisine. Elle avait beaucoup à faire, ce matin, comme chaque jour, mais, soudain, ces tâches lui semblaient sans importance, inutiles. Une fois la table redressée, elle y avait posé son poudrier bleu avec son paquet de cigarettes. De toutes ses forces, elle les jeta violemment dans la poubelle, jurant avec une conviction totale que jamais plus, de toute sa vie, elle ne mettrait une cigarette entre ses lèvres.

— Jamais, jamais plus, je le jure, répéta-t-elle.

Puis elle s'allongea sur le divan du salon. La station de radio classique émettait un concerto pour piano, un morceau familier dont elle ne retrouvait plus le titre ; c'était simplement un air que Jim avait aimé. Un soir, il avait repassé deux fois le CD, et Gerald avait fait semblant de l'aimer aussi. Gerald avait fait semblant…

Vers la fin de l'après-midi, le téléphone sonna.

— Allô ? chérie, dit Francine. Comment ça va ?

— Ça va. Et toi ?

— Mon voyage m'a fait beaucoup de bien. Tu sais que je n'avais pas envie de partir, mais tes frères ont insisté en affirmant que Jim aurait voulu que je recommence à vivre après toutes les larmes que j'ai versées. Alors j'y suis allée, et nous avons pu parler de Jim, nous nous sommes rappelé des souvenirs drôles, et j'ai pu rire. Je croyais que je ne rirais plus jamais. Je voudrais que tu voies la nouvelle maison de Paul. Toi et Gerald, il faut que vous ameniez les enfants l'été prochain pour leur rendre visite. Ils ont une vue magnifique…

— Francine, tu me l'as déjà raconté quand tu m'as appelée la semaine dernière.

— D'accord, alors je vais droit au but. Jerry vient de m'appeler.

— Jerry ? Tu veux dire qu'il a fait le numéro tout seul ?

— Bien sûr. Il sait lire les chiffres. Gerald lui a même montré comment se servir du téléphone. Il a appelé pour me dire que ça n'allait pas. « Maman pleure », il m'a dit. Il t'a entendue.

— J'étais dans ma chambre, la porte fermée.

— Ça ne l'a pas empêché de t'entendre.

C'était trop horrible de penser que son petit garçon avait eu suffisamment peur pour appeler sa grand-mère, et qu'il était maintenant assez grand pour éprouver ce genre d'angoisse. Sa voix se brisa en répondant :

— Gerald veut divorcer.

L'exclamation de surprise de Francine fusa, franchissant les cent cinquante kilomètres qui les séparaient.

— Comment cela ?

— Il veut divorcer.

— Mais pourquoi ? Depuis quand ?

— Plus tard, s'il te plaît. C'est arrivé ce matin. Je ne peux pas te parler maintenant. Il faut que je me passe de l'eau sur le visage et que je prépare le dîner. Je t'en prie.

— Hyacinthe, je viens te voir tout de suite ! C'est insensé ! J'arrive.

Surtout pas ! Elle ne voulait à aucun prix voir Francine maintenant.

— Non, maman. Je t'en prie, ne viens pas.

C'était sans doute la première fois depuis son enfance qu'elle appelait sa mère « maman ».

— Ça va aller, je t'assure. Tu n'a pas besoin de venir. S'il te plaît, ne viens pas.

Francine avait déjà raccroché.

Après avoir roulé à vive allure dans le crépuscule, pleine d'appréhension, consternée, Francine se sentait très abattue à son arrivée. Mais ce n'était pas le moment de se laisser aller ; au contraire, elle devait plus que jamais observer pour comprendre. Elle balaya de son regard vif la bibliothèque, une pièce confortable, remplie des livres que Hyacinthe avait achetés depuis l'enfance, passa sur la belle échelle de bibliothèque, les hautes lampes danoises de porcelaine bleue, et les meubles élégants payés grâce à l'argent que Gerald avait gagné.

Il n'avait plus besoin de Hyacinthe. Il s'était fait une situation et réussirait sans elle, à présent. C'était tout simple. Aussi charmeur que d'habitude, il était assis dans son grand fauteuil de cuir. Pour ressembler tout à fait à une photo de magazine, il ne lui manquait plus qu'un grand chien de race à ses pieds, un setter irlandais, ou un chien de berger anglais, et à son coude un plateau en argent où auraient été posés des verres et une bouteille de whisky d'une marque rare.

— Ne m'en veux pas, Hyacinthe, dit Francine. Je ne suis pas venue pour m'immiscer dans tes affaires. Je ne me suis jamais mêlée de ta vie depuis que tu t'es mariée. Quand Jerry a appelé, je n'ai pas pu rester à ne rien faire, comme si tu n'étais qu'une voisine et non ma fille.

Hyacinthe, avec ses grands yeux désespérés, sa pâleur mortelle et ses traits tirés, restait figée sur son siège, semblable à une victime de guerre dans un camp de réfugiés, trop épuisée pour prononcer un mot.

— Je sais que tu es parfaitement capable de prendre soin de toi. Je n'ai aucune intention de te traiter comme une enfant, et, si tu veux que je rentre chez moi tout de suite, je partirai.

Ni Gerald ni Hyacinthe ne répondirent. Peut-être s'étaient-ils déjà dit tout ce qu'ils avaient sur le cœur. Il se pouvait aussi que la présence d'une tierce personne leur permette d'y voir plus clair. Nourrissant cet espoir, elle se contint au prix d'un gros effort et s'adressa à Gerald :

— Bien, tu dis que dans un mouvement de colère elle a renversé la table de la cuisine. Et c'est ton seul grief ? Alors que, pendant ce temps, tout le voisinage parle de ta liaison avec la baby-sitter ? À ton avis, comment penses-tu qu'une femme peut réagir à un événement pareil ?

— Ce n'est pas tout. Cela remonte à beaucoup plus loin, comme j'ai essayé de te l'expliquer. Hyacinthe est nerveuse et déprimée depuis un certain temps. Elle le reconnaît elle-même.

— Oui, elle est incapable de se maîtriser, comme tu le dis si aimablement. Si c'était le cas – et, franchement, j'en doute : Hyacinthe, malgré quelques sautes d'humeur assez rares, est une personne calme et facile à vivre –, si c'était le cas, donc, tu trouves que ce serait une raison pour vouloir divorcer ? Pour l'abandonner ?

— Je ne l'abandonne pas. Pas le moins du monde. Tu ne m'as pas laissé finir.

— Ne jouons pas sur les mots, Gerald, c'est trop grave.

— Je ne fais rien de tel.

Il restait calme, maître de lui, ce qui obligeait Francine à se modérer, mais elle commençait à bouillir de rage.

— Je veux bien croire, poursuivit-elle, qu'il y a une raison qui remonte à plus loin, comme tu dis. J'ai la nette impression que cette liaison n'est pas ta première. Donc, c'est toi qui, en fait, as modifié ton comportement et provoqué ce désastre.

— Ça n'a rien à voir avec cette aventure idiote pour laquelle je me suis sincèrement, très sincèrement excusé.

— Et j'ai accepté ses excuses, intervint Hyacinthe d'une voix à peine audible. Gerald n'aimait pas cette fille. Le lien qui nous unit est toujours là.

« Ma pauvre petite, songea Francine, aucun lien n'est indissoluble, il ne faut compter que sur soi-même. »

— Cela n'a aucun rapport avec ce qui se passe, insista Gerald.

Francine ne s'en laissa pas conter.

— Moi, je crois que si. Je pense que tu as envie de changement. Tu te sens prisonnier de ta famille, ce qui te rend irritable ; Hyacinthe en a souffert, et le malaise a fait boule de neige.

— C'est un peu simpliste comme explication.

— Si tu ne veux pas que je sois simpliste, à toi de te montrer plus précis. À propos, que pense ton associé de tout ça ?

— Notre relation est purement professionnelle, cela ne le regarde pas.

Francine fit machine arrière, cherchant un autre angle d'attaque.

— Tu as été accueilli à bras ouverts dans notre famille, Gerald, nous t'avons traité comme un fils. Je voudrais que tu t'en souviennes avant de prendre une décision aussi définitive.

— Tu veux parler de l'argent ? J'ai toujours été reconnaissant. Vous m'avez apporté une aide inestimable, et je voulais vous rembourser, mais Jim n'a pas voulu. J'ai la ferme intention de tout rendre à Hyacinthe désormais.

— Ce n'est pas moi qui t'ai donné cet argent ! s'écria Hyacinthe, explosant soudain. C'est mon père ! Et je ne veux pas un centime. Pas comme ça, pas pour t'acheter une conscience et te permettre de partir avec l'impression de ne rien me devoir. Sûrement pas ! Tu avais raison, Francine ! Bien raison !

Elle se leva d'un bond et s'enfuit de la pièce.

— Regarde ce que tu as fait, Gerald.

— C'est impossible de discuter avec elle. Elle se laisse emporter par ses émotions. Pourtant, de nos jours, n'importe qui divorce sans faire autant d'histoires. Les gens acceptent leurs désaccords et se séparent simplement.

— Eh bien, Hyacinthe est différente. En t'épousant, elle t'a donné son âme, un amour passionné, définitif, qui n'avait rien d'une petite passade.

— Ce n'est pas si simple, tu n'as pas toutes les données du problème.

Il était imperturbable, inébranlable, dur. Elle lui parlait depuis une heure, et elle n'était toujours pas parvenue à l'atteindre. En dépit de ses résolutions, la fureur l'emporta.

— Les « données du problème », je les ai prédites depuis longtemps, si tu te souviens, après t'avoir vu cinq ou six fois, même pas. Tu es un don Juan, tu changes de femme aussi souvent qu'un honnête homme change de chemise. Non, je ne m'y suis pas trompée. C'était le parti parfait, ma pauvre Hyacinthe, une fille gentille, raffinée, présentable, docile, folle de toi… idéale jusqu'à ce que tu te fatigues d'elle. Elle t'ennuie. Un monde nouveau s'ouvre à toi.

— Tu es très intelligente, Francine, je l'ai dit plus d'une fois, mais là, tu n'y es pas du tout. Oui, ce que tu viens de dire est un peu vrai, mais il y a autre chose. Beaucoup d'autres facteurs, dont je n'ai aucune intention de parler avec toi.

Gerald se leva pour la congédier.

— Il n'y aura pas de vagues, pas de scandale, je t'assure. Ça se fera sans douleur, nous réglerons le divorce entre nous, sans procès. Je paierai les frais, et je lui verserai une pension jusqu'à la fin de ses jours. C'est honnête, non ?

— Honnête ? Espère d'ordure ! Dire que Jim te faisait confiance ! Il se retourne dans sa tombe, ajouta-t-elle en montrant le poing. De la douleur, je t'assure que tu vas en éprouver avant la fin de cette histoire, mon ami. Je vais monter m'occuper de ma fille, et la prochaine fois que nous nous reverrons, sois bien sûr que ce sera devant le juge.

— Ta mère a conduit les enfants à l'école, annonça Gerald à Hyacinthe quand elle descendit, bien après neuf heures du matin.

— Je ne me suis pas réveillée.

— C'est à cause du somnifère. Tu en avais besoin. Tu te sens mieux ?

— Comment peux-tu me poser une question pareille ?

— Assieds-toi et prends ton petit déjeuner.

— Je n'ai pas faim.

— Mais il faut que tu manges. Quand je t'ai entendue te lever, je t'ai préparé du pain perdu.

Il se leva pour poser une assiette devant elle.

— C'est chaud et le café aussi, et le jus d'orange est bien frais. Je t'ai pressé des oranges, comme tu aimes.

Elle n'avait aucune envie de manger, et pourtant, une fois qu'elle se fut assise à table, elle prit automatiquement sa fourchette. « Ah, les habitudes, songea-t-elle. Nous sommes sur des rails. Nous voilà dans la cuisine, ensemble, sans aucune envie de nous retrouver, et nous agissons comme nous l'avons fait des milliers de fois le matin. »

— Ta mère et moi, reprit Gerald, nous nous sommes disputés hier soir, et je me sens coupable. C'est difficile de lui parler de notre séparation sans lui dire toute la vérité.

— Tu ne peux pas lui en parler, Gerald. Elle vient de traverser assez d'épreuves. Mon père est mort dans leur lit, à côté d'elle. Je t'interdis de la tourmenter avec cette histoire d'incendie.

— Tout à fait d'accord. Je t'ai donné ma parole. Combien de fois faudra-t-il que je te le répète ? Écoute, si je ne tenais pas à toi…

— Tu tiens à moi ? Oh non ! Je vois clair, maintenant. Francine avait raison : je n'étais pas ton type de femme, pour autant qu'une seule femme puisse te satisfaire, continua-t-elle avec un cynisme qui lui brûlait la bouche. Tu ne m'aurais jamais épousée si mon père ne t'avait pas proposé son aide financière.

M'en suis-je douté ce jour-là, par cette soirée d'hiver tranquille, pendant qu'ils jouaient aux échecs ? Est-ce que je le devinais sans vouloir l'admettre ?

— J'ai honte de m'être abaissée à me laisser dominer par la jalousie, comme une idiote.

Il ne répondit pas tout de suite et elle vit qu'il était touché. Puis il murmura :

— Je n'avais pas l'intention de divorcer, Hyacinthe, crois-moi. S'il n'y avait pas eu l'incendie, je t'aurais demandé, comme je l'ai déjà fait, de me pardonner. Et je te demanderais aussi de continuer notre vie commune. Mais maintenant, c'est impossible, et je vais te dire pourquoi. On recherche la personne qui a mis le feu. L'enquête a commencé. Une femme de ménage qui travaillait cette nuit-là dans l'immeuble en brique situé au coin de la rue dit qu'elle a vu une voiture. La seule voiture garée dans la rue si tard. Elle avait trouvé ça bizarre, parce que personne ne vit par là, et qu'il n'y avait aucune lumière nulle part. Espérons qu'elle ne se souviendra pas d'un détail qui permettrait d'identifier la voiture.

Hyacinthe ne pouvait plus respirer. Elle se voyait emmenée contre son gré, hurlant, sanglotant, vers un hôpital ou une prison. Elle serra les poings sur ses genoux à s'en faire mal.

— Heureusement, il n'y avait pas d'empreintes digitales, du moins, on n'en a pas encore trouvé. La suie et l'eau les ont sans doute fait disparaître. Mais j'espère que tu comprends, il faut absolument que tu comprennes, que, si on te liait à l'affaire, je serais évidemment impliqué à mon tour. Ma réputation en prendrait un coup. Tu te rends compte des retombées pour Jerry et Emma ?

La respiration encore laborieuse, Hyacinthe se taisait, le regardant fixement. Il avait les mains sur la table, des mains longues et fines. Elle se souvenait d'avoir aimé les prendre l'une après l'autre pour les embrasser. Une fois, elle lui avait dit qu'elle aurait choisi de mourir avec lui sur le *Titanic*, et c'était vrai. Absolument vrai. Et tout cet amour avait été à sens unique, n'était venu que d'elle. Elle le comprenait maintenant. Elle était si jeune qu'elle avait vécu un conte de fées. Oui, trop jeune.

— Tu ne m'as jamais aimée, remarqua-t-elle. Je ne peux pas te le reprocher, je le sais. L'amour, ça ne se commande pas. Je t'en veux seulement d'avoir fait semblant.

— J'ai aussi été sincère, protesta Gerald. Sans l'incendie, sans ce que tu as fait, nous aurions fini nos jours ensemble.

— Non, sûrement pas. Je n'aurais pas voulu d'un mariage aussi inégal, j'en serais morte de honte.

Il ne s'était pas attendu à cette réaction. Il se redressa comme si elle lui avait fait un affront.

— Bien, alors il n'y aura pas de problème. Tu te souviens de ce que je t'ai expliqué ? Nous ne ferons pas de procès, il n'y aura pas de contestation, l'accord sur les conséquences du divorce sera signé chez l'avocat, la garde des enfants ne fera l'objet d'aucune discussion, tout se passera simplement. Nous avons pratiquement conclu l'affaire en Floride, et puisque j'achète la maison tout installée et meublée, sans travaux à effectuer, les enfants et moi, nous pourrons partir là-bas d'ici à la fin de la semaine prochaine. Notre divorce ne devrait pas prendre plus de quelques mois. Je peux toujours faire un saut ici s'il faut signer des papiers.

Hyacinthe, accablée, mit quelques secondes à assimiler ce qu'elle venait d'entendre.

— Quoi ? s'écria-t-elle. Tu veux emmener les enfants en Floride ?

— Oui, bien sûr, répondit Gerald calmement. Tu ne crois quand même pas que je vais les laisser ici, vu les circonstances ? Tu dois comprendre que la garde me revient logiquement.

La digue qui retenait les émotions de Hyacinthe se brisa. Elle se mit à hurler sans pouvoir s'arrêter. Des cris horribles, étranglés, comme ceux d'un animal qu'on torture. Gerald courut d'abord fermer la fenêtre. Puis il revint la secouer ; il lui attrapa les bras pour l'empêcher de se débattre et lui donna des gifles.

— Arrête, Hya, ce n'est pas si terrible ! s'exclama-t-il, effrayé. C'est pour leur bien. Je te jure que tu pourras les voir quand tu voudras. Mais il faut qu'on les éloigne d'ici. Tu ne peux pas comprendre ça ?

Elle claquait des dents ; c'était la première fois que cela lui arrivait, de même que cette douleur violente dans la poitrine. Elle suffoquait.

— Tu ne peux pas faire ça, tu n'as pas le droit !

— Allonge-toi ! Viens t'allonger dans le salon, et écoute-moi. D'abord, je veux que tu boives un peu de cognac. Fais ce que je te dis. Prends ce verre, ça te fera du bien.

Il la poussa dans le séjour, la fit allonger sur le divan et lui mit le verre dans les mains. Elle le jeta de toutes ses forces dans la cheminée où il se fracassa. Gerald lui versa un second verre, et cette fois l'obligea à l'avaler.

— Reste couchée, Hyacinthe, dit-il sans animosité, tel un médecin donnant un ordre à une patiente récalcitrante.

Aplatie comme une poupée de chiffon, elle ne bougea plus, laissant échapper de grosses larmes qui glissaient vers ses tempes. Des voix sardoniques répétaient sans cesse : « On va me prendre mes enfants. On va me prendre mes enfants. » Ils viendraient lui rendre visite en prison. Elle porterait un uniforme à rayures. Ils repartiraient terrorisés. « Mes enfants. Ma vie. Qu'est-ce que j'ai fait de ma vie ? Jim ! Granny ! Mon Dieu. »

Les minutes passèrent et ses larmes se tarirent. Ouvrant les yeux, elle s'écria :

— Tu te rends compte de ce que tu me fais, Gerald ? Pourquoi me détestes-tu à ce point ?

— Je ne te déteste pas. Au contraire, je veux ton bien. Mais tu dois comprendre que c'est mieux pour les enfants.

La voix profonde et douce déversait une mélopée destinée à la calmer. Elle écoutait malgré elle ces paroles, hypnotiques dans leur répétition. « Ou peut-être, se dit-elle dans un coin de sa tête, est-ce le cognac qui me cloue sur place pendant qu'il me soûle de mots. »

— Nous devons faire ça en douceur, ne pas attirer l'attention. C'est pour notre bien à tous, mais surtout pour toi, Hya. Tu ne peux pas te permettre de te faire remarquer. Si on apprend que nous nous disputons, on aura vite fait de te soupçonner. C'est logique. Tu ne te doutes pas comme une enquête bien menée peut être efficace. Jamais on ne referme ce genre de dossiers. Parfois, on les rouvre après des années. Si je devais demander la garde à un juge, il faudrait que je révèle la vérité, tu dois bien le comprendre. Dis-toi qu'il vaut mieux que ta mère ne découvre jamais ce qui s'est passé. Elle voudrait se battre. Une qualité que j'admire chez elle, d'ailleurs… mais elle a l'impression qu'elle peut venir à bout de n'importe quel problème. Si tu as le malheur de lui parler, elle prendra des avocats, l'histoire s'ébruitera dans les journaux, et tu seras perdue. Dieu sait que je ne veux pas que ça t'arrive ! Mais un homme est mort, Hyacinthe, il ne faut pas l'oublier. Un homme est mort. Ne t'en fais pas pour les enfants. Il y a une très bonne école privée et une nourrice parfaite, une femme d'âge mûr. Non, ne t'en fais pas pour eux. Maintenant, ferme les yeux. Il faut que je sorte. Ta mère va bientôt rentrer.

Hyacinthe était encore allongée sur le divan quand Francine arriva et s'approcha d'elle. Les salves de questions allaient reprendre, avec exigence de réponses.

— Tu as pris ton petit déjeuner ?

— Non.

— J'ai vu que Gerald préparait du pain perdu. Il a dit que c'était pour toi. Il imaginait m'impressionner avec sa sollicitude, j'imagine.

— Je n'en ai pas mangé.

— Tu lui as parlé ?

— Oui, on a discuté.

— Je ne l'ai même pas regardé. Je le regarderai au tribunal.

Au risque d'être taxée d'ingratitude, elle aurait préféré que Francine rentre chez elle. Des heures de discussion s'annonçaient, qui ne serviraient à rien puisqu'elle ne pourrait que dissimuler une vérité qu'il fallait taire à tout prix.

— Il ne faut pas se lever le ventre vide. Quand as-tu mangé pour la dernière fois ?

— Au déjeuner, hier.

— Reste ici. Je vais t'apporter quelque chose.

Francine s'activa à grand bruit. Ses talons claquaient ; dans la cuisine, elle entrechoquait la vaisselle. À ces bruits familiers, Hyacinthe sentit un pâle sourire se former sur ses lèvres. Il lui sembla étrange de pouvoir sourire dans ces circonstances, mais, finalement, peut-être n'était-ce pas si surprenant : il s'agissait d'un sourire nostalgique suscité par le rappel d'un quotidien terre à terre, comme le ronronnement du réfrigérateur ou le bourdonnement de la chaudière.

— Je t'ai fait du thé, dit Francine en posant le plateau sur la table basse. Je n'ai pas trouvé le café. Mange cet œuf. Tu as besoin de protéines. Il y a des muffins que j'ai achetés en emmenant les enfants à l'école.

— Toi, tu ne manges pas ?

— J'ai pris quelque chose quand j'ai acheté les muffins. Je suis restée dehors le plus longtemps possible pour vous laisser le temps de parler.

Francine tapotait un pied chaussé de cuir noir sur le tapis. Elle était impatiente, mais attendit pour parler que Hyacinthe eût terminé son petit déjeuner, prenant le temps d'enlever le plateau et de revenir avec une brosse à cheveux.

— Tu as besoin d'un coup de brosse. Tourne-toi. Ça va te faire du bien, assura-t-elle quand Hyacinthe lui eut obéi. Tu as le cuir chevelu tendu... Tu sais que tu as des cheveux magnifiques ? Et ne répète pas comme d'habitude qu'ils sont trop raides.

L'agréable picotement et le mouvement régulier de la brosse firent de nouveau somnoler Hyacinthe. Un jour, Gerald lui avait expliqué que, si la plupart des gens n'arrivaient plus à dormir quand ils étaient stressés, certaines personnes, au contraire, échappaient à la tension nerveuse en s'endormant.

« Peut-être que je fais la même chose, pensa-t-elle. Oui, sans doute. Dormir. Rêver, peut-être. Ou ne jamais se réveiller. »

— Gerald t'a-t-il déjà dit que tu avais de beaux cheveux ? Est-ce qu'il te faisait des compliments ?

— Oui, il y a très longtemps.

Sans faire de commentaire, Francine continua à lui brosser les cheveux. Cela aurait été tellement bon de pouvoir tout lui dire, de se décharger de ses soucis sur elle, du passé, de l'avenir, comme un enfant qui, en revenant de l'école, sait qu'il va trouver quelqu'un pour l'écouter ! Mais elle n'était plus une petite fille et n'avait jamais voulu en être une ; jusqu'à ce jour, elle s'était parfaitement bien débrouillée dans la vie. Seulement, maintenant, elle était devenue une victime... Sans pouvoir s'en empêcher, elle poussa un long, profond soupir.

Francine posa la brosse et, poussant sa chaise face au divan, elle commença à la mitrailler de questions, ainsi que Hyacinthe l'avait redouté.

— Quand et comment tout cela a-t-il commencé ? Si je peux me permettre ? Au Texas, ou ici ?

Cela n'aurait pas eu de sens de refuser de répondre. « Réponds à autant de questions que tu pourras, se dit-elle. Tu n'auras qu'à l'arrêter quand elle deviendra trop indiscrète. »

— En réfléchissant bien, je crois que je trouve des événements qui remontent jusqu'au Texas. Bien sûr, plus on avance dans le temps, plus les indices s'accumulent. Il était séducteur avec les femmes. Parfois, il se mettait en colère contre moi, mais jamais contre les enfants. Il n'était pas très... très affectueux. Je le croyais surmené.

— Je vois.

La double ligne verticale était apparue sur le front de Francine. Prise d'un soudain élan d'amour pour sa mère, elle s'écria :

— Merci de ne pas dire que tu m'avais prévenue, que c'était prévisible !

— Je t'en prie, chérie. J'aurais tout aussi bien pu avoir tort. En fait, jusqu'à hier, je pensais, la plupart du temps, que je m'étais trompée.

Sur la cheminée se trouvait une photo de Gerald datant du jour de la remise de diplôme à la faculté de médecine. Il avait le petit sourire caractéristique qui lui creusait une fossette dans la joue. « Je n'arrive pas à y croire. Ce n'est pas vrai », songea-t-elle.

— Nous allons le lui faire payer ! s'exclama Francine. Tu vas prendre le meilleur avocat de la région. Gerald va payer dans tous les sens possibles du terme : financièrement, et aussi moralement. Nous lui ferons honte de ses actes.

— Je ne veux pas de procès, maman. Je ne veux pas de son argent.

— Comment ça ? C'est ridicule, Hyacinthe. De l'argent, il t'en doit. Tu sais qu'il n'a jamais remboursé ton père alors qu'il avait insisté, je m'en souviens très bien, pour qu'on considère que ce n'était qu'un prêt.

— Papa ne voulait pas qu'il le rembourse. Tu le sais, sois juste.

— D'accord, passons. De toute façon, ça n'a rien à voir. Là où je ne comprends plus, c'est que tu ne veuilles pas l'attaquer en justice. Ça se fait toujours.

— Je ne veux pas, c'est tout. Je ne le ferai pas. Nous allons signer un accord amiable.

— Mais quelle idiote ! Ce que tu peux être têtue ! Tu as toujours été cabocharde, mais là, tu dépasses les limites. Ça n'a aucun sens, on ne peut rien dire d'autre.

Elle avait l'impression de lire les pensées de sa mère. Oui, si on raisonnait uniquement sur ce qu'elle savait, cela n'avait pas de sens.

— Allez, Hyacinthe, pas de cachotteries. De quoi d'autre avez-vous parlé, ce matin ? Y a-t-il quelque chose que tu n'as pas envie de m'avouer ?

Hyacinthe se trouvait face à un grand mur. Elle le parcourait de bout en bout, tâtant avec les paumes les pierres cimentées, cherchant un passage invisible par où s'échapper.

« Ta mère pense qu'elle peut tout contrôler. Elle va prendre des avocats. Pour toi, ce serait catastrophique d'attirer l'attention sur notre divorce. Ce genre de dossier n'est jamais clos. On en prend pour vingt ans pour les incendies criminels. Et un homme est mort, homicide involontaire. Un homme a été tué. »

— Hyacinthe, réponds, est-ce qu'il y a autre chose ?

Elle avait laissé son esprit divaguer, si bien qu'il lui fallut quelques secondes avant de pouvoir rencontrer le regard grave de Francine et de lui répondre.

— Il a juste dit qu'il voulait emmener les enfants en Floride pendant quelque temps.

— Pendant quelque temps ? Qu'est-ce que ça veut dire ?

L'indignation de Francine éclata dans la pièce ; on aurait pu l'entendre en haut s'il y avait eu quelqu'un dans les chambres.

— Tu ne vas pas le laisser te prendre tes enfants ! Je n'arrive pas à le croire !

Hyacinthe n'en pouvait plus. Attaquée d'un côté, prise d'assaut de l'autre, c'en était trop.

— Je t'en prie, arrête, implora-t-elle. Je t'ai dit que ce n'était que pour un certain temps. Je n'ai plus envie d'en parler. Il n'y a strictement rien d'autre à faire pour le moment. Rien du tout. Crois-moi.

— Mais tu as perdu la tête ! Qu'est-ce que tu me caches ?

— Rien du tout. Je te dis tout. S'il te plaît, laisse-moi. J'ai besoin d'être seule.

— Je voudrais bien savoir par quel chantage il te tient ! Il fait pression ! J'ai le droit d'être mise au courant, je suis ta mère. Pourquoi ne rien me dire ? Je suis ta plus sûre alliée, et tu ne me fais pas confiance.

Francine se pencha vers Hyacinthe et lui releva le menton.

— Regarde-moi. Tu peux tout me raconter, absolument tout. Est-ce que tu as eu une liaison ? C'est l'impression que ça donne. Je ne vois rien d'autre. Oui, c'est ça, tu as eu un amant, et Gerald a trouvé ce moyen pour se venger.

Hyacinthe se leva pour faire face à sa mère.

— Arrête de me torturer ! s'écria-t-elle. Non, je n'ai pas eu d'amant, non, non, mille fois non. S'il te plaît, rentre chez toi, laisse-moi. Je n'en peux plus, je ne peux…

— Il faut que tu voies un psychiatre, Hyacinthe. Je veux comprendre ce qui se passe.

— Il n'en est pas question ! Laisse-moi, je te dis.

— Si tu ne veux pas y aller, j'en ferai venir un ici. Je vais trouver quelqu'un, et tout de suite.

— Si tu fais venir un psychiatre, Francine, je me sauverai. Par pitié, va-t'en ! Va-t'en !

Quand Francine lui eut obéi et que la porte se referma, Hyacinthe s'approcha de la fenêtre. Elle vit sa mère monter dans sa voiture, garée le long du trottoir, en redescendre, puis remonter l'allée jusqu'à la porte et sonner. Le carillon résonna dans toute la maison.

Hyacinthe resta le front appuyé au mur. « Je n'en peux plus, pensa-t-elle. Mais il faut que je reste en vie. Que je survive, pour les enfants. Laissez-moi tranquille. Partez, tout le monde, toi et tous les autres. Je n'en peux plus. »

Le carillon retentit encore et encore, vibrant dans le silence. Au bout d'un moment, il se tut.

Tout était une question d'habitude, pensa-t-elle plus tard. Ce matin, elle s'était assise à table avec Gerald simplement par habitude. Pour la même raison, elle accomplit les tâches quotidiennes, fit le ménage, alla chercher les enfants à l'école et prépara le repas du soir. Elle se dédoublait ; pendant qu'une partie d'elle-même épluchait les pommes de terre, l'autre l'observait, une grande et mince femme en jupe de coton écossaise, debout dans un rayon de soleil qui tapait sur le lino vert.

L'heure du dîner était passée quand Gerald rentra. Il avait déjà mangé en ville. Il demanda où était Francine et, apprenant qu'elle était rentrée chez elle, il exprima l'espoir qu'elle était rassurée.

— Elle vient de passer une année très dure, estima-t-il. Elle ne mérite pas d'avoir des soucis supplémentaires.

Venant de Gerald, cette compassion de commande était intolérable. Pourtant, ses mots réveillèrent le souvenir du carillon, celui de la voiture de Francine qui s'éloignait dans la rue, et soudain une immense pitié pour sa mère s'empara d'elle.

Elle alla prendre le téléphone. La sonnerie retentit longtemps sans réponse. Lui était-il arrivé quelque chose sur le chemin du retour, dans l'état d'agitation où elle avait repris la route ? Quand, enfin, la voix de Francine répondit, Hyacinthe s'écria :

— Je suis désolée pour ce matin ! Ça va ?

— La vraie question, c'est de savoir comment toi, tu vas.

— Eh bien, j'ai réussi à passer la journée, et voilà.

— C'est parfait pour aujourd'hui, mais qu'arrivera-t-il demain, et tous les jours qui suivront ? J'espère que tu y penses un peu et que tu vas changer d'avis.

— Francine, je ne peux pas.

— Je dois t'avouer que tu m'as fait beaucoup de peine. Oui, et je suis très fâchée, aussi, parce que tu ne veux rien me dire. Ce que tu as fait dans ta vie ne me regarde pas. Mais rien ne peut justifier ce que Gerald veut te faire endurer.

« Si seulement j'avais pu avoir un amant, comme elle le croit, au lieu de ce qui m'arrive, songea Hyacinthe. Mon nom en gros titre dans les journaux, le nom de mes enfants sali, même si les plus justes veulent bien reconnaître que les enfants n'y sont pour rien. »

— Il faut aussi penser à ce qu'il impose à Jerry et Emma ! Est-ce que c'est un monstre, ou est-ce qu'il est devenu fou ? Je pense que vous êtes fous tous les deux. Quand va-t-il les ramener ? Et comment vas-tu expliquer votre divorce aux enfants ?

— Je t'en prie, Francine, ne rends pas la situation plus compliquée qu'elle ne l'est déjà.

— Quand je suis partie ce matin, je suis allée demander conseil à quelqu'un. Alors, écoute-moi. Si tu as l'intention de continuer dans cette voie, il faut que tu expliques tout aux enfants. Autrement, ils vont s'imaginer des choses terribles, par exemple qu'un de vous deux va mourir, ou que c'est de leur faute. Ils vont avoir des cauchemars, ou devenir coléreux. Il faut que quelqu'un t'aide à trouver comment leur annoncer ça, quels mots choisir… C'est une honte ! Vas-tu accepter de faire cet effort ?

La pauvre veuve dans sa robe noire. Incendie criminel. La prison.

— Oui, bien sûr.

— Bats-toi, Hyacinthe. Toi qui sais être si tenace.

— Je ferai de mon mieux.

— Le médecin que j'ai vu a dit que si tu refusais de m'en parler, il fallait que j'arrête de te poser des questions. Donc, je ne te demanderai plus rien. Je veux simplement que tu te rappelles que, pour toi, je suis toujours là. Je suis en colère, tu m'as peinée, mais je ferai tout pour toi.

En raccrochant, Hyacinthe alla à la porte du jardin pour regarder les enfants qui jouaient dehors avec Gerald. Jerry et lui faisaient un combat de boxe dans les règles, avec des esquives, des directs, des crochets, pendant qu'Emma, fascinée, les regardait depuis le côté du ring, assise sur la balançoire.

Il fallait se battre, avait dit Francine. C'était bien joli, mais comment s'y prendre, sans arme ? Enfin, peut-être pouvaient-ils encore éviter d'utiliser le mot « divorce », quoi que puisse conseiller Francine. Il suffirait de prétendre que le séjour en Floride était des « vacances ». Ils y passeraient un moment et iraient dans une nouvelle école pendant que maman resterait à la maison parce que… eh bien, parce qu'il fallait qu'elle aide un peu la pauvre Granny qui était très malade.

Mais combien de temps allaient-ils rester là-bas ? Il ne fallait pas y penser.

Du seuil d'où elle les dévorait des yeux, ils ne pouvaient la voir. Jerry sautillait en montrant ses petits poings, crâneur, combatif ; au-dessus de son short, le bronzage de l'été commençait à pâlir. Emma avait dit la veille, avec un air docte, que Mme Darty – son institutrice de maternelle de l'année précédente, proche de l'âge de la retraite – allait avoir un bébé.

— Mais si, c'est vrai ! Si ! Si !

Quand Emma insistait sur un point, ses nattes tressautaient.

Hyacinthe ne bougeait toujours pas. Elle avait des pensées tellement bizarres, ou plutôt des bribes de pensées, des questions sans réponses. Gerald aurait-il autant aimé ses enfants si, par exemple, son fils avait été comme le petit bonhomme obèse de Moira, qui pesait déjà une fois et demie le poids normal ? Était-ce la beauté des enfants, que tout le monde admirait, qui comptait le plus pour lui ? Gerald aurait-il eu envie d'avoir des maîtresses si…

Mais à cela non plus, il ne fallait pas penser.

Un jour, en début d'après-midi, Arnie lui rendit visite. Des caisses de vêtements dans l'entrée et des cartons de livres, toutes les affaires de Gerald, attendaient le transporteur pour la Floride.

— Le sort en est jeté, dit Hyacinthe en le voyant regarder autour de lui. La maison commence déjà à avoir l'air abandonnée.

— Est-ce vraiment inévitable ?

Voyant la réaction de Hyacinthe, dont elle-même eut conscience, il ajouta :

— Je t'étonne. Je ferais peut-être mieux de ne pas m'en mêler et de fermer ma grande bouche.

Il portait les bottes et les vêtements d'équitation décontractés qu'il aimait : une chemise chaude, ouverte au col, et un grand chapeau dont il disait qu'il était « mi-cow-boy ». Comme chaque fois, elle se dit qu'il faisait vingt ans de moins que son âge.

— Entre, proposa-t-elle.

— Non, ne me fais pas aller dans le salon. Je vais y laisser une odeur de cheval.

Certes, mais à présent, quelle importance si le salon sentait l'écurie ?

— Mais si, viens, insista-t-elle. Désolée, je ne suis pas très présentable. Je suis en train de préparer les affaires des enfants. C'est plus long que je ne le pensais.

— Et plus triste, sans doute. Je suis désolé pour ce qui arrive, Hya. Je ne devrais pas m'en mêler, je sais, mais ta mère m'a téléphoné quand je suis rentré des écuries, à l'instant, et c'est pour ça que je me suis précipité. Elle est folle d'inquiétude et s'est dit que je pourrais peut-être faire quelque chose. Elle ne comprend pas, et moi non plus, pourquoi les enfants s'en vont sans toi. Ça n'a aucun sens.

Il lui jeta un regard, familier, amical, comme s'il voulait, sachant qu'il ne s'exprimait pas très bien, compenser sa maladresse par de la chaleur humaine.

— Arnie, ce que tu peux être gentil… Je sais que tu voudrais pouvoir m'aider, que tu ferais tout en ton pouvoir, mais c'est inutile.

— Vous ne voulez pas vous réconcilier ? essayer de recoller les morceaux ? On reprise bien les costumes sur mesure, on ne s'amuse pas à les jeter pour un oui pour un non.

Ne sachant que dire, elle leva les mains en signe d'impuissance.

— Tu sais, tu peux me parler, Hya. Gerald m'a avoué que c'était à cause de Sandy. D'ailleurs, j'avais déjà des soupçons depuis longtemps. J'aurais quand même cru qu'il avait meilleur goût. C'est déjà fini. C'était n'importe quoi, une fille vulgaire, et facile, c'est tout. D'ici dix ans, elle sera grosse comme un tonneau.

— C'est plus compliqué…

Épuisée par avance, elle se demandait avec appréhension combien de fois elle allait devoir éluder ce genre de questions et inventer des explications. D'abord, bien sûr, il y aurait Moira qui malgré sa loyauté et son affection devrait, comme tout le monde, être trompée par toute une série de fausses excuses. Après Moira viendrait la procession des autres. À moins, bien sûr, que l'horrible vérité ne soit révélée…

— Vraiment, Hya, c'était une petite liaison de rien du tout. Ça n'en vaut pas la peine. Je ne vous comprends pas, tous les deux. Gerald adore sa vie, son travail, ses enfants…

— Mais pas moi, coupa Hyacinthe.

— Mais si, bien sûr que si. Il est fier comme un paon de tes tableaux. Il dit tout le temps que tu vas devenir célèbre, et que tu es une mère formidable.

— C'est plus compliqué que ça, Arnie.

— Je sais. La situation est bloquée. Ta mère a dit que Gerald l'a appelée et qu'elle lui a raccroché au nez. Vous êtes tous en colère les uns contre les autres. Et vous êtes tous angoissés. Gerald s'inquiète pour toi…

Elle ne put s'empêcher de l'interrompre une nouvelle fois.

— Il ne songe pas à être inquiet pour moi.

— Je ne sais pas, dit Arnie en haussant les épaules. Moi, je préfère rester neutre. Dès que je vous ai vus, je vous ai bien aimés tous les deux, et ça n'a pas changé. Gerald est un bon associé, je le respecte. Nous allons faire une très bonne affaire en Floride. Je regrette seulement que tu ne viennes pas. Mais bon sang, tente le coup ! Viens, ça peut très bien repartir entre vous.

En guise de réponse, elle posa une question.

— Quand partez-vous, exactement ? Nous ne nous parlons plus beaucoup, Gerald et moi.

— Dans deux semaines. Hya, c'est affreux de laisser partir les enfants sans toi. Personne n'y trouve son compte. Je n'arrive pas à comprendre.

Elle couvrit son visage avec ses mains, et Arnie garda le silence pendant qu'elle essayait de se calmer. Elle se dit que, du moins pour l'instant, elle devait avoir tant pleuré que les larmes s'étaient taries.

— Je ne sais pas ce qui ne va pas entre vous, reprit Arnie, mais ça ne peut pas durer éternellement. Vous changerez d'avis, toi et lui. En attendant, je vais garder le contact. Je vais devoir revenir assez souvent pour me débarrasser du terrain de la clinique. Il vaut un bon paquet de dollars. Et j'ai des affaires à New York, j'aurai donc l'occasion de passer par ici et de te revoir assez souvent. Je te donnerai des nouvelles des enfants. J'ai l'intention de les emmener voir les chevaux, là-bas, et de leur apprendre à monter. J'en parle depuis longtemps, et je vais pouvoir tenir ma promesse. Ils sont super, ces gamins, adorables.

Soudain, ils ne trouvèrent plus rien à se dire. Ils se regardèrent un moment en silence, puis Arnie reprit la parole brusquement.

— Ne va pas à l'aéroport, Hya. Embrasse-les quand ils partiront, à la porte, et rentre vite, qu'ils ne te voient pas pleurer.

— Oui, c'était bien mon intention. Tu prends le même vol ?

Il fit oui de la tête et se leva.

— Bon, il faut que j'y aille. Je te donnerai mes numéros de téléphone… Appelle-moi aussi souvent que tu veux, tous les jours même, et je te dirai comment ils vont. Mais surtout, ne t'inquiète pas. Gerald les adore, ces gamins. Tu le sais.

— Je voudrais que ce soit déjà derrière moi. Tu comprends ?

— Oui, parfaitement. Tu as envie que ce soit fini. Ça ne va plus tarder. Plus que quelques jours qui vont passer très vite.

Dieu merci, ils passèrent vite, en effet. Le dernier jour, Hyacinthe, avec le sourire, embrassa ses enfants qui étaient si contents de prendre l'avion qu'ils ne pensaient à rien d'autre.

— À bientôt ! dit-elle alors qu'ils suivaient les bagages jusqu'à la fourgonnette et montaient à bord.

Elle alla au bout de l'allée, puis retourna vers la maison. En chemin, elle s'arrêta pour relire, et relire encore, une coupure de journal que Gerald venait de lui mettre dans la main : « Réouverture, après quatre ans, d'une mystérieuse affaire d'incendie criminel. »

10

Hyacinthe commença par fermer la porte des chambres d'Emma et de Jerry par peur de ne pouvoir s'empêcher d'y regarder, puis elle entreprit un grand ménage. Elle voulait refaire à fond le lit qu'elle partageait avec Gerald encore quelques semaines plus tôt. Même si cela devait lui casser les reins, elle retournerait le lourd matelas ; la couette parfaitement propre partirait chez le teinturier, et elle changerait les oreillers. Il fallait aussi nettoyer à fond la penderie ; même vide, elle sentait encore l'eau de toilette de Gerald. Aucun vestige de lui ne devait subsister, nulle part, ni dans le garage, où il avait laissé un vieux parapluie déchiré, ni dans le placard de l'entrée, où il avait oublié son imperméable neuf. De la cave au grenier, elle purifia tout, traînant l'aspirateur et portant un panier plein de chiffons, de cire, de nettoyant pour métaux, et du reste de l'arsenal des produits ménagers.

Ses pensées suivaient le rythme de son activité frénétique.

« Comment supporter un tel remords ? Tout près, dans cette ville, dans le cimetière de Grove Street, un homme est enterré, mort par ma faute. Ses enfants vont devoir grandir sans lui… et mes enfants grandiront sans moi. Comment les récupérer ? Comment ? »

Le téléphone sonna.

« Pourvu que ce ne soit pas encore Moira. Heureusement qu'elle a compris que je ne voulais voir personne et qu'elle a assez de tact pour ne pas venir. Je ne vais pas pouvoir prétendre indéfiniment que les enfants ne sont pas à l'école parce que Gerald les a emmenés quelques jours en vacances. Elle ne me croit pas. C'est une excuse idiote, mais je n'arrive à trouver rien d'autre. Ma tête ne fonctionne plus. »

C'était Francine. Son troisième coup de fil de la journée. Elle posa une question inquiète.

— Tu es vraiment sûre que tu ne veux pas que je vienne ?

— Oui, c'est trop loin. Trois cents kilomètres aller et retour pour rien. Mais merci quand même.

— Ne sois pas polie avec moi. Si je ne me sentais pas la force de prendre le volant, je ne te le proposerais pas. Je t'aime, si tu te souviens…

S'attendant à un nouvel assaut de questions, Hyacinthe soupira.

— Je t'ai entendue soupirer.

— Tu penses que je ne veux pas te voir, mais tu sais, je n'ai envie de voir personne, pour l'instant. J'ai besoin d'être seule, de remettre mes idées en place. Non que j'aie grand-chose d'intéressant dans la tête, remarque…

— Qu'est-ce que tu as fait, aujourd'hui ?

— Le ménage. J'ai jeté de vieilles affaires… des photos de notre mariage, par exemple.

Ce fut au tour de Francine de soupirer.

— Prends soin de toi, Hyacinthe. Appelle-moi si tu as besoin de quoi que ce soit. C'est promis ?

Typique d'une mère, songea Hyacinthe. Elle revint néanmoins sur ce jugement critique, reconnaissante : Francine ne triomphait pas d'avoir vu juste dès le départ. « Si seulement je l'avais écoutée ! Mais, dans ce cas, il n'y aurait eu ni Jerry, ni Emma. Mes bébés. Dire qu'il me les a pris… »

— Cette colère va me détruire, dit-elle tout haut. Il faut que j'arrête.

Elle resta cloîtrée chez elle plusieurs jours. Dehors, l'après-midi était resplendissant, tout de couleurs primaires. Les premiers érables jaunissaient, quelques feuilles de chêne rouges voletaient, et, au-dessus, s'étendait le bleu pur d'un ciel sans nuages. Un ciel qu'aurait pu peindre Winslow Homer. Elle, elle n'avait pas touché à un pinceau ni mis les pieds dans son atelier depuis des semaines.

Prise d'une impulsion, elle se leva d'un bond, attrapa un pull et sortit dans la rue. Elle avait encore le temps, avant la fermeture de la librairie, d'acheter et d'envoyer deux livres à Emma et Jerry. Jerry adorait faire la lecture à sa sœur, très fier de son statut de grand. Elle les imagina assis sur le sol, ou sur la dernière marche… mais quel genre de sol, quel genre de marche ? Arnie avait dit que les chambres des enfants donnaient sur la mer et que la maison était très belle.

Pour aller à la librairie, il lui fallait passer devant la carcasse de la clinique, avec ses fenêtres pareilles à des yeux aveugles. L'opulence et la puissance étaient parties en fumée, consumées comme sa passion amoureuse de jeune fille.

Une passante s'arrêta près de Hyacinthe, regarda les murs calcinés avec curiosité et murmura :

— C'est affreux. Il paraît que c'est un incendie criminel. Je me demande si on découvrira un jour le coupable.

— Oui, moi aussi.

Soucieuse de couper court à la conversation, elle repartit vers la librairie. Les ruines lui avaient donné la vision très réaliste d'un homme tombant dans les flammes. Un cri de terreur ! Une douleur insupportable !... Un frisson glacé la pénétra jusqu'aux os. « Pourtant, pensa-t-elle, même si je passais le restant de mes jours en prison, cela ne le ferait pas revenir. Cet accident n'a servi qu'à donner à Gerald une excuse pour se débarrasser de moi, comme il en avait envie depuis longtemps, même si peut-être il ne se l'avouait pas complètement. Et maintenant, le voilà libre.

« Nous formions un couple si parfait, ou du moins je le pensais, tous les deux dans notre maison, avec notre table ouverte, nos invités, ou sur la pelouse avec nos beaux enfants ; nous devions faire envie à beaucoup de gens moins privilégiés. Comme les apparences peuvent être trompeuses ! »

À la librairie, elle acheta une histoire facile pour Jerry et un livre d'images pour Emma avec des animaux, surtout des chevaux, afin de la préparer au centre équestre où Arnie voulait les emmener.

À la caisse, un vendeur aimable lui parla longuement. Lui aussi achetait des livres, à ses petits-enfants, confia-t-il, car on ne pouvait pas offrir de plus beau cadeau à un enfant. Il était cultivé et aurait pu être enseignant. Pourtant, malgré son bavardage sympathique, il semblait mal à l'aise car, comme il l'expliqua, il débutait dans le métier. Remarquant sa chemise froissée et sa vieille cravate, Hyacinthe se sentit touchée. Quel parcours avait-il pu suivre pour aboutir là, et, à son âge, être encore si peu sûr de lui ? Elle essaya d'imaginer la vie qu'il avait menée, mais, bien entendu, n'y arriva pas plus qu'il n'aurait pu imaginer ses difficultés à elle.

La librairie était loin de chez elle, mais Hyacinthe prit son temps pour rentrer. Elle n'avait aucune raison de se dépêcher. Personne ne l'attendait. On n'était qu'à quelques jours de l'équinoxe d'automne. Les après-midi étaient courts, la nuit tombait si tôt que des lumières brillaient déjà à certaines fenêtres. Là où les stores n'étaient pas tirés, on apercevait des gens dans les cuisines, ou le couvert mis dans une salle à manger sur une table entourée de chaises, prête pour le dîner.

En arrivant au bas de l'allée, elle regarda sa maison. Chez elle, aucune lumière n'était allumée. Une sensation étrange l'envahit, une impression de vide, comme si elle ne sentait plus rien, alors que, depuis de si nombreuses semaines, elle avait été torturée par tant d'émotions déchirantes. Elle s'était fait l'effet d'être une marmite prête à déborder.

Soudain, elle n'eut plus rien à faire. Après sa frénésie de nettoyage, elle vivait dans une maison aseptisée où tout était scrupuleusement rangé à sa place. Le réfrigérateur impeccable était presque vide. Les femmes, quand elles vivaient seules, avaient tendance à négliger leur alimentation ; elle avait beau en avoir conscience, elle n'arrivait pourtant pas à faire l'effort de se préparer à manger. Prenant une poire et une pomme, elle s'assit sur le canapé et venait de commencer à lire le journal quand le téléphone sonna.

La voix tonitruante de Jerry éclata à son oreille.

— Maman ! On a un petit chien ! Papa nous a emmenés dans une boutique où il y en a plein, et on a choisi le nôtre. Après, on lui a acheté deux gamelles, une pour l'eau, et une…

Un cri strident l'interrompit.

— Non, moi ! C'est moi qui veux le raconter à maman ! Tu sais ce que c'est comme chien ? Un « pagneul », c'est un « pagneul ».

— Mais non, t'es bête ! C'est un épagneul, un king-charles, c'est pour ça qu'on l'a appelé Charlie.

— Non, je suis pas bête ! Maman, il est marron et blanc. Sa queue est presque toute marron. Je l'aime très fort.

Le cœur de Hyacinthe battait à tout rompre. Le vide qui l'avait glacée un instant auparavant avait laissé place à une tendre chaleur. Elle fondait.

— Je vais t'envoyer sa photo, dit Jerry. Oncle Arnie m'a acheté un appareil…

— Il est à moi aussi !

— Tu ne sais même pas t'en servir.

La voix d'Arnie se fit entendre.

— Je vais montrer à Emma comment prendre des photos, Jerry. Je vous l'ai offert à tous les deux. Passez-moi votre mère une minute quand vous aurez fini.

Elle aurait voulu les retenir au téléphone, aurait pu les écouter toute la nuit. Elle ne tarissait pas de questions. Dès qu'ils avaient répondu à l'une, une autre fusait.

Oui, l'école était jolie. Elle avait un toit rouge. Jerry s'était fait un ami, même deux, en fait, parce que c'étaient des jumeaux, Jeff et Larry, et ils étaient « ézactement » pareils, « ézactement » ! Et Emma était allée nager hier. Est-ce que l'eau n'était pas trop froide ? Non, parce qu'elle n'était pas allée dans la mer mais à la piscine, c'était chaud.

— Tu ne savais pas qu'il y avait des piscines en Floride, maman ?

— Et des palmiers, ajouta Jerry. Il n'y en a pas, chez nous. Tu viens quand, maman ?

— Bientôt, répondit Hyacinthe avant de se reprendre : enfin, je vais essayer de venir le plus tôt possible. Tu veux bien me passer oncle Arnie ?

— Je sais ce que tu vas me demander, dit Arnie. Tout se passe très bien. Tu peux me faire confiance. Je te le dirais, si ça n'allait pas.

— Est-ce que tu peux parler librement, là ?

— Oui, Gerald est encore à la clinique. J'ai pris l'après-midi et je suis passé ici pour lui laisser des papiers. Oui, tout va très bien.

— Dis-moi seulement si je ne leur manque pas trop.

— On entend des questions sur « quand ». Tu vois ce que je veux dire ? Mais en pleine forme, très occupés.

— J'ai pensé à Thanksgiving. Je ne pourrais pas venir passer quelques jours à l'hôtel pour les voir ? Je ne veux pas aller chez lui.

— Oui, je comprends. Je vais voir s'il est possible d'organiser quelque chose. Je t'ai toujours dit que j'étais neutre parce que je n'ai pas le choix, mais je suis quand même un peu de ton côté, si ce n'est pas trop contradictoire…

— Je te remercie de tout mon cœur, Arnie.

Après cela, elle pleura un peu, parvint à sécher ses larmes et reprit le journal, qu'elle ne trouva pas passionnant, alors qu'elle le lisait toujours avec grand intérêt. Ensuite, elle alla dans l'atelier désert, comme elle le faisait souvent, et resta au milieu de la pièce à contempler son travail en silence. La toile la plus récente remontait à l'année précédente. Elle avait peint

Francine et Emma assises sur le banc du jardin devant un buddleia. Les impressionnistes savaient particulièrement bien rendre ce genre de scène, mais elle était suffisamment modeste pour ne pas se comparer à eux. Pourtant, en regardant le résultat d'un œil critique, elle se dit que c'était bon. Oui, très bon.

Vu les circonstances, comment aurait-elle pu trouver l'inspiration et rassembler assez d'énergie pour peindre ? Cela aurait été au-dessus des forces de n'importe qui. Mais elle recommencerait ! Par nécessité. Seulement, pas tout de suite, pas aujourd'hui.

Une fois redescendue, elle mit un air de piano paisible, un nocturne, et s'allongea sur le divan du bureau, sachant fort bien qu'elle n'avait déjà passé que trop de temps couchée là, à somnoler, à se réveiller, à combattre ses angoisses, et à chercher par tous les moyens une issue à cette situation inextricable.

Il faisait froid. Bientôt, il serait temps d'allumer la chaudière. À la pensée du long hiver sombre qui s'approchait, elle se sentit encore plus transie et se leva pour aller chercher dans le placard de l'entrée un vieux châle de Granny qui s'y trouvait depuis sa dernière visite, six mois avant. Il était du bordeaux terne qu'affectionnait sa grand-mère et qui n'allait pas à Hyacinthe, mais il tenait chaud, non seulement à cause de sa bonne laine, mais aussi parce qu'il avait été tricoté par Granny. Elle le drapa sur ses épaules et s'allongea de nouveau. Au bout d'un moment, ses pensées se mirent à voguer au rythme paisible de la musique. Granny en avait tricoté et crocheté, des pulls, des couvertures à carrés, et des petites robes pour Emma !

Soudain, un autre souvenir lui revint : *Je ne suis même pas allée chercher la robe d'enfant dans la boutique, à Paris*. Qu'elle l'avait trouvée jolie, cette robe, avec une guirlande de roses sur le devant, et des chaussures assorties ! Elle en voyait encore le moindre détail. Moyennant un peu de patience… non, beaucoup de patience… elle parviendrait à la copier. Elle allait reproduire la petite robe parisienne pour Emma.

Ayant, dans son enfance, confectionné nombre de vêtements de poupées, elle savait comment s'y prendre. Avec une machine à coudre, elle n'en aurait pas eu pour plus d'une journée. Mais elle n'en possédait pas et, de toute façon, la robe française avait été cousue à la main. Si on était exigeante – « tatillonne », auraient dit certaines personnes –, on appréciait la différence. Il lui faudrait de très petits ciseaux pour séparer chaque feuille et chaque pétale du tissu fleuri, puis elle devrait appliquer les fleurs avec de minuscules points invisibles sur le lin blanc de la robe. Ce serait une petite œuvre d'art.

À raison de plusieurs heures de couture par jour, et en ne s'arrêtant que lorsque ses yeux se fatiguaient, elle termina en une semaine. À sa grande surprise, elle s'aperçut que ce travail avait absorbé toute son attention, comme lorsqu'elle peignait.

Elle eut une idée : elle apporterait elle-même la robe en Floride, peut-être pour Thanksgiving. Gerald n'oserait pas lui interdire de venir à cette date. Francine aussi avait exprimé l'envie de rendre visite aux enfants. Peut-être pourraient-elles y aller ensemble. Les enfants l'adoraient. Et si sa mère voulait bien promettre de ne pas la harceler de questions et de reproches, faire le voyage en sa compagnie serait très agréable.

Réconfortée par cette lueur d'espoir, la première depuis bien longtemps, Hyacinthe emmena la robe au grand magasin local afin de trouver des chaussures assorties pour Emma.

La R.J. Miller Company se trouvait sur la grand-place. Le magasin, qui avait donné naissance à une petite chaîne, faisait partie du folklore local. On s'en souvenait avec affection comme du lieu qui avait fourni la layette, les tenues de lycéennes et les robes de mariées de la famille. Hyacinthe, depuis longtemps fidèle cliente, se rendit directement au rayon chaussures, où elle constata, comme c'était prévisible, qu'il n'y avait aucun rose approchant.

La vendeuse, qui connaissait Hyacinthe et Emma, lui conseilla de prendre des chaussures blanches plutôt que des noires.

— Cette robe est tellement adorable. Ça ne vous ennuie pas de me dire où vous l'avez achetée ?

— Je l'ai faite moi-même. Je l'ai copiée de mémoire sur une robe que j'ai vue en France.

— Vous l'avez faite vous-même ? Quel travail ! J'aimerais bien la montrer à Mme Reynolds, du rayon de l'habillement femmes. Ça vous ennuierait ?

— Pas du tout.

Après des jours d'enfermement et de silence, cela faisait du bien d'échanger quelques mots avec quelqu'un qui ne la connaissait pas assez pour lui poser des questions.

« Kevin dit que Jerry n'est pas revenu à l'école. Ah ? Il est en Floride avec son père ? Est-ce qu'ils comptent reconstruire la clinique au même emplacement ? »

Elle entendait aussi Moira lui dire très gentiment : « Je ne veux pas t'embêter, Hya, mais promets-moi de me prévenir quand tu auras envie de parler de tout ça. Surtout, dis-moi si je peux t'aider. »

— C'est magnifique, jugea Mme Reynolds. Je voudrais bien la montrer à notre responsable des achats. Elle est dans le bureau, elle attend M. Miller. Je vais l'appeler pour qu'elle y jette un coup d'œil, si vous avez le temps.

Je suis libre comme l'air.

La responsable des achats, Sally Dodd, une jeune femme élégante vêtue de noir, se montra aussi très admirative.

— C'est vrai que le style est très français… enfin, on voit venir un peu de tout de France, ces temps-ci, mais cette robe a beaucoup de charme.

Elle fit un pas en arrière pour avoir une vue d'ensemble.

— Est-ce que vous vous rendez compte qu'on pourrait la porter à n'importe quel âge ? Avez-vous songé à en faire une en taille adulte ?

— Pas vraiment.

— Vous ne voudriez pas essayer ? Si je vous en commandais une pour moi ?

Hyacinthe ne cacha pas sa surprise.

— Je ne sais pas. Je ne suis pas couturière. Enfin… Je ne sais pas. Ce n'est même pas un passe-temps habituel.

La jeune femme élégante insista.

— C'est qu'elle me plaît beaucoup. Vraiment. Je vais en croisière, et j'aimerais tellement partir avec une robe comme ça.

Hyacinthe, fort étonnée, se sentait follement flattée. Puis elle eut le sentiment que la suggestion était absurde. Sa décision fut prise sur un coup de tête. Pourquoi pas ? Les soirées étaient longues, alors pourquoi pas…

— D'accord. Mais ce sera l'exception qui confirme la règle, je ne compte pas en faire une habitude.

— Je vous paierai un bon prix de détail. Je dois faire à peu près votre taille, du trente-huit. Et je porte la même longueur que vous.

Hyacinthe baissa les yeux sur l'ourlet de sa vieille jupe, un tweed de bonne qualité, inusable.

— Moi aussi, je fais du trente-huit.

— Parfait. Je suis folle de joie. Vous voulez bien prendre les coordonnées de madame, madame Reynolds ? Son adresse, et le reste. Excusez-moi, je vois M. Miller qui arrive, et je ne veux surtout pas le faire attendre.

— M. Miller, expliqua Mme Reynolds sans que Hyacinthe lui ait rien demandé, appartient à la quatrième génération de la famille. Avant, il travaillait au magasin d'Oxfield, mais il a été promu, et maintenant il supervise les huit magasins.

De toute évidence, elle n'attendait que cette excuse pour rompre la monotonie de la journée car elle continua :

— C'est un garçon très intelligent. Et il a beaucoup de chance. Malgré tous les changements qu'il y a partout, la R.J. Miller Company arrive à se maintenir.

Lorsqu'elle se retrouva dans la rue, Hyacinthe se sentit toute bête. Elle avait accepté de se charger d'une tâche sans réfléchir, alors qu'elle aurait refusé si elle s'était donné quelques secondes de plus. Depuis quand se prenait-elle pour une couturière ?

Mais, maintenant qu'elle s'était engagée, il ne lui restait plus qu'à retourner acheter les tissus qu'elle avait choisis pour la robe d'Emma. Sa course terminée, elle fit lentement le tour de la place.

Temporairement du moins, la tranquillité de cette vieille ville eut un effet calmant sur elle. On ne pouvait pas dire exactement que le temps s'y était arrêté, mais plutôt qu'il avait ralenti. Ici, le passé n'avait pas été détruit. Le monument de la guerre de Sécession se dressait au milieu de l'espace vert qui, bien longtemps avant ce conflit, avait servi de pâturage aux vaches du village. Au cœur du quartier commerçant, la Croix-Rouge tenait ses réunions dans une ancienne maison à bardeaux, avec le vieux puits toujours intact dans la cour. L'atmosphère était agréable, accueillante ; même les feuilles mortes qui crissaient sous les pieds étaient rassurantes, et elle redoutait le moment de rentrer chez elle. L'idée de tourner la clé dans la serrure et d'entrer seule dans le silence de la maison vide l'angoissait.

Peut-être aurait-elle dû retourner à la librairie pour y choisir un livre. Ou alors aller chez le disquaire et s'acheter un disque. Ou bien les deux. En faisant demi-tour afin de retraverser la place, elle se rappela avoir souvent critiqué les gens qui perdaient leur temps à flâner dans les centres commerciaux ou à faire du lèche-vitrines en dépensant leur argent inutilement. Maintenant, elle comprenait que c'était pour eux un moyen d'échapper à leurs problèmes.

Elle sortait de la librairie, avec deux livres et ses achats de couture, quand un homme qui venait vers elle l'aborda.

— Est-ce que je ne vous ai pas vue, il y a quelques instants, au rayon robes, chez Miller ? demanda-t-il.

— Oui, oui, j'en viens.

— Je vous ai aperçue en entrant, et puis on m'a raconté l'histoire de la robe que vous a commandée Sally Dodd. En voilà une histoire originale : une de nos clientes qui fabrique une robe pour notre responsable des achats !

— Je regrette déjà un peu. J'ai peur de ne pas bien y arriver.

— Ne vous en faites pas, s'il y a un risque, c'est Sally qui l'a pris. Si j'étais vous, je ne m'inquiéterais pas.

Arrêtés au milieu de l'étroit trottoir, ils bloquaient le passage. Elle aurait continué sa route s'il n'avait semblé hésiter ; cela les conduisit à échanger leurs prénoms – il s'appelait Will – et il lui demanda dans quelle direction elle allait.

— Je traverse la place, dit-elle. Je rentre chez moi.

— Moi aussi. Cela vous ennuie si je vous accompagne ?

— Non, pas du tout, je tourne à gauche au coin.

— Moi aussi. Je loge chez des amis dans South Street pour quelques jours avant ma prochaine étape.

Elle n'eut qu'une impression globale de lui, que dominaient des lunettes à monture d'écaille et une bouche souriante. Il avait un visage agréable, plein de santé et de couleur, comme s'il s'exposait au soleil et au vent.

— Je suis toujours content de venir dans cette ville. Elle a beaucoup de charme avec ses vieilles maisons, son histoire. Avant la construction du magasin – mon grand-père Miller avait une quincaillerie ici, en 1920, juste une maison à un étage avec un grenier –, ce parc avait trois fois la taille d'aujourd'hui. Dans le temps, du moins c'est ce qu'on dit, c'était le pâturage communal… Attention !

Le sac en papier de la librairie venait de se déchirer, et les deux livres s'en étaient échappés.

Will les ramassa.

— Stephen Spender. « Je pense continuellement aux grands de ce monde. » Vous connaissez ?

— Oui. « Le nom de ceux qui dans leur vie se sont battus pour la vie… » Je ne sais plus la suite… « Qui portaient en leur cœur… »

— « … le centre du feu. Nés du soleil, ils firent un bref parcours vers le soleil et laissèrent dans l'air éclatant la signature de leur honneur. »

— Vous êtes professeur de littérature ?

— Non, pourquoi ?

— Parce que je connais peu de monde, surtout peu d'hommes, qui peuvent citer de la poésie.

— Si on m'avait dit quand j'ai passé ma maîtrise de littérature européenne que je finirais par travailler dans le magasin familial, je ne l'aurais pas cru. Le plus drôle, c'est qu'on s'attendrait à ce que je sois torturé par le regret, et même un peu honteux d'avoir abandonné une carrière universitaire, mais ce n'est pas le cas. En fait, j'aime la voie que j'ai choisie. Je pense que j'ai beaucoup de chance d'avoir eu cette opportunité. Dites-moi, est-ce que vous aimez venir chez R.J. Miller ?

— Oui, beaucoup. Je n'adore pas aller dans les magasins, mais, en général, j'y trouve toujours ce que je cherche.

— J'en suis heureux. J'espère que vous ne m'en voulez pas de vous avoir posé la question, mais je ne perds pas une occasion de m'informer auprès de la clientèle dès que j'en ai l'occasion.

Il s'exprimait avec une sincérité pleine d'humour que Hyacinthe trouva sympathique. Mais, évidemment, comme Gerald l'avait toujours fait remarquer, elle avait tendance à aimer tout le monde.

Gerald… Ce nom empoisonnait l'air qu'elle respirait. Littéralement. Il assombrissait tout. Il jetait une ombre sur son cœur, d'autant qu'ils allaient entrer dans la rue où l'on démolissait la ruine noircie.

— Et que faites-vous, à part de la vente, si je ne suis pas indiscret ?

— Je ne fais pas de vente. Je suis peintre. Avant, je travaillais dans un musée, j'étais restauratrice d'œuvres d'art.

— Quel genre de peinture faites-vous ? Parlez-moi de ce que vous peignez. Je suis amateur d'art, sans m'y connaître beaucoup. Dès que je vais à New York, je m'arrange pour passer une ou deux heures au musée ; j'essaie de m'éduquer en regardant, comme je peux, au hasard de mes découvertes.

— Je n'y connais pas grand-chose. Je me contente de peindre ce que j'aime.

Elle regardait droit devant elle pour tâcher de ne pas voir les restes de la clinique. Malgré cela, elle avait conscience que Will l'observait. À tout autre moment, elle aurait ressenti le léger frisson qu'éprouvent les femmes quand un homme leur lance un regard admiratif.

— Je ne tiendrai jamais jusqu'au dîner sans manger un morceau avant, dit Will alors qu'ils passaient devant le café du coin de la rue. Je prendrais bien un sandwich. Et vous ? Ça vous dirait ?

— Oui. Je viens de me rappeler que je n'ai pas déjeuné.

L'endroit n'était pas très propre. La mayonnaise s'échappait des sandwichs, et le café avait débordé dans les soucoupes. Will sourit, prit des serviettes en papier sur la table voisine et les essuya.

— La serveuse est toute seule, commenta-t-il. Elle court dans tous les sens et elle a l'air épuisée.

Gerald aurait sans doute pris un air excédé et fait des remarques à la serveuse. Allait-elle jamais parvenir à le chasser de ses pensées ? Question idiote. C'était le père de ses enfants, et de lui dépendait son destin. En trente secondes, il pouvait l'anéantir.

Elle se redressa sur sa chaise. Will lui parlait de son père, qui était fatigué et aurait dû se reposer davantage, mais sa vie, c'était le travail, et on ne pouvait quand même pas l'attacher.

Elle aurait dû mieux l'écouter. Voilà des semaines que tous ceux qu'elle voyait essayaient de se mêler de ses affaires, ou la prenaient en pitié, ou s'attendaient à ce qu'elle fournisse des explications. Cette conversation aurait donc dû la soulager. Elle n'avait qu'à se réjouir de cette rencontre et en profiter. Pourtant, c'était risqué. Will avait cherché des yeux une alliance à son doigt et, n'en ayant pas trouvé, il allait très probablement lui demander s'il pouvait la revoir. Bizarre ! Franchement, elle avait l'air d'un épouvantail. Qu'espérer d'autre quand on ne mangeait plus, ne dormait plus, et qu'on ne faisait plus d'exercice ?

Par égard pour elle, il abandonnait maintenant le sujet de la R.J. Miller Company pour en aborder un autre qui, devait-il penser, allait l'intéresser davantage. Avait-elle préféré les musées français ou ceux de Florence, avec toutes leurs œuvres de la Renaissance ? Et son propre travail était-il figuratif ou abstrait ?

Ils passèrent ensuite au cinéma, et découvrirent qu'ils aimaient tous deux les comédies, les tragédies et les drames, et qu'ils détestaient la violence. Ils continuèrent à bavarder après avoir terminé leurs sandwichs et pendant le reste du trajet, jusqu'au moment où ils s'arrêtèrent devant le perron de la maison de Hyacinthe. À cet instant, les lampadaires s'allumèrent. Will regarda sa montre avec une exclamation :

— Je ne me rendais pas compte qu'il était si tard ! On m'attend chez mes amis. Tenez, regardez ces deux-là : de parfaits spécimens.

Les spécimens en question étaient petits, couleur de miel, et traversaient la rue au bout de leur laisse.

— Des épagneuls king-charles, commenta-t-il. J'en ai un.

Hyacinthe pensa : « Mes enfants en ont un aussi, maintenant, en Floride. » Et l'habituel coup d'angoisse la transperça de part en part comme une flèche.

— J'ai passé un très bon moment, dit Will. Vous voulez bien me donner votre numéro de téléphone ? Voilà un stylo.

Elle le nota sur le papier, lui serra la main, puis monta les marches. Sans avoir besoin de s'en assurer, elle était presque sûre qu'il la regardait. Celle qui l'épouserait aurait bien de la chance, pensa-t-elle en ouvrant sa porte.

— Non, Arnie, je ne peux vraiment pas, dit Hyacinthe. Je veux éviter d'entendre sa voix le plus possible.

Ils étaient encore au téléphone ; d'ailleurs, la fréquence de leurs appels stupéfiait Francine.

— Il n'y en a pas deux comme lui, disait toujours celle-ci. Je n'ai jamais connu aucun homme, y compris ton père, qui aurait pris autant de temps et se serait donné tout ce mal pour aider quelqu'un dans une situation épineuse comme la tienne. Il doit être amoureux de toi, Hyacinthe, il n'y a pas d'autre explication.

Bien sûr que non. Arnie était d'une gentillesse extraordinaire, c'était tout. Elle le considérait comme un oncle, plus jeune que la plupart des oncles, mais, comme ceux qui étaient vraiment attachés à leur famille, gentil et patient.

— Je suis presque sûr que Gerald donnera son accord, Hya, reprit Arnie. Il t'a promis qu'il t'autoriserait à voir les enfants.

— Il pourrait tout aussi bien refuser, estimer que c'est trop tôt. Et ça, je ne pourrais pas le supporter.

— Moi, tu sais, comme je te le dis toujours, je ne prends pas parti, mais bon, tant pis, il faut bien admettre que tu as l'air beaucoup plus malheureuse que lui dans cette affaire, donc, impossible de ne pas te favoriser un peu. Je vais lui dire que ce serait un comble s'il ne te donnait pas Thanksgiving.

— J'ai tellement envie de venir ! Nous pourrions faire le dîner à l'hôtel. Beaucoup de gens passent les fêtes de cette façon, même si ça ne nous est jamais arrivé à nous. Enfin, c'est comme ça, et j'ai une telle envie de les voir que j'en suis malade.

— Du calme, Hya, du calme. Ne te mets pas dans cet état. Je vais parler à Gerald et je te rappellerai demain.

— Merci, Arnie. Je te suis infiniment reconnaissante. Francine aussi, elle t'apprécie énormément. Elle veut m'accompagner, et même si je n'ai pas besoin d'elle, je pense que ça peut être une bonne idée. Les enfants s'amusent toujours beaucoup avec elle.

— J'espère que ce sera réussi. Moi, j'ai de la famille à New York. Ils sont très vieux mais ils m'attendent, donc nous nous croiserons. Moi, j'irai dans le Nord pendant que tu descendras dans le Sud. Bon, à plus tard, Hya, et ne te fais pas de bile.

Fidèle à sa promesse, Arnie organisa tout : il obtint l'accord de Gerald, acheta les billets d'avion, prit des chambres d'hôtel avec une magnifique vue sur la mer, et réserva une alcôve privée dans la salle à manger, où on leur servirait un repas de Thanksgiving comportant tous les plats traditionnels, y compris des dindes en chocolat.

— Ce sera presque aussi bien que d'être chez soi, dit-il, même si tu n'adores pas la Floride.

Quand Hyacinthe raconta à Francine les attentions d'Arnie, celle-ci s'exclama que c'était un ange, à défaut d'un qualificatif plus fort.

Elles arrivèrent chargées de cadeaux. Hyacinthe avait préparé leurs cookies favoris en deux parfums. Elle apporta d'autres livres, un jeu d'échecs de débutant pour Jerry, un baigneur pour Emma, qui avait déjà des élans maternels, et des vêtements pour tous les deux, sans oublier, évidemment, le plus beau du lot : la robe parisienne.

— On se croirait à Noël, pas à Thanksgiving, fit remarquer Francine. Sauf, évidemment, quand on regarde par la fenêtre. Là, ça ne ressemble plus ni à l'un ni à l'autre.

En bas, s'étendait un monde coloré, avec l'eau turquoise, les parasols écarlates, les palmiers verts, et le sable d'un blanc éclatant. À droite, on voyait les courts de tennis, tous occupés, et, à gauche, on apercevait une partie du port de plaisance avec un bout de ce qui devait être un somptueux yacht reluisant. Une scène des plus joyeuses.

— Je suis tellement heureuse que je crois que je vais pleurer, dit Hyacinthe.

Francine ne commenta pas. Jusqu'à présent, elle s'était abstenue de toute réflexion sur les affaires privées de Hyacinthe qui, d'ailleurs, avait compté sur sa discrétion. Sa mère avait trop bon cœur pour gâcher cette journée.

— Viens, descendons les attendre dans le hall, Hyacinthe. Il est déjà la demie, et ils pourraient arriver en avance.

— J'espère que ce sera leur nourrice qui va les amener, remarqua Hyacinthe qui redoutait de devoir poser les yeux sur Gerald, même de loin.

— Ne t'inquiète pas. Dès qu'il me verra, il n'aura pas envie de rester plus d'une seconde.

Le hall était plein de monde ; les allées et venues de la foule y provoquaient un mouvement continuel. Pendant que Francine lisait un magazine, Hyacinthe regarda autour d'elle. Maintenant qu'elle voyait tous ces gens, la Floride acquérait pour elle une existence, ce qu'elle aurait voulu éviter à tout prix, mais comment faire autrement ? Le jeune couple charmant avec les bagages neufs devait passer sa lune de miel. Un homme et une femme plus âgés, assis dans un coin, riaient ensemble d'une plaisanterie quelconque. Un père portait un enfant d'un an ou deux qui semblait lourd, tandis que la mère se chargeait de leur nouveau-né. Hyacinthe s'efforçait de rester indifférente, mais la joie qu'elle avait éprouvée avant de quitter sa chambre s'effaçait peu à peu.

Francine jeta un coup d'œil à sa montre puis reprit sa lecture. Hyacinthe regarda l'heure à son tour et ne dit rien. Une heure s'écoula, puis une demi-heure encore.

— Un week-end férié, commenta Francine. Il doit y avoir des encombrements.

— Ce n'est pas très loin, d'après Arnie.

— N'empêche.

Malgré tout, Francine semblait inquiète. Le tapotement de son pied résonnait sur le sol de marbre. Ce bruit exaspérait Hyacinthe. « Je suis dans un état terrible ! » se dit-elle, honteuse de son agacement.

— Nous devrions peut-être téléphoner, suggéra Francine. Donne-moi le numéro, je m'en charge.

Hyacinthe la regarda s'éloigner. C'était la perfection faite femme : ses cheveux, son maintien, son tailleur de lin noir, son jabot blanc et le jonc d'or qui entourait son bras. Deux hommes tournèrent la tête à son passage. Elle était plus âgée qu'eux, mais cela ne les empêchait pas d'être attirés par elle.

« Dommage que tu aies eu une mère aussi belle », avait dit Gerald. Il avait proféré tant d'horreurs. Et Francine s'était doutée de ce qui allait arriver. On se demandait d'ailleurs comment une femme aussi perspicace pouvait en même temps être capable de remarques aussi ineptes. Quand Hyacinthe lui avait montré la robe d'Emma, Francine avait dit qu'elle avait beau aimer l'Amérique, elle regrettait de ne pas être française. « Bon, ça arrive à tout le monde. Moi aussi, je peux dire des bêtises. La voilà qui revient. Elle n'a pas l'air contente. »

— Il n'y a pas de réponse. Je n'y comprends rien. Tu es sûre que tu ne t'es pas trompée d'heure ?

— Francine, je ne pense qu'à cet instant depuis qu'Arnie a organisé la rencontre, il y a des semaines.

— Dans ce cas, il ne nous reste plus qu'à attendre.

Elles patientèrent donc en silence. Au bout d'un moment, les gens commencèrent à entrer dans la salle à manger, à l'autre bout du hall. C'était l'heure du dîner. Elles se questionnèrent du regard, très inquiètes.

— Tu crois qu'ils pourraient avoir eu un accident ?

— Non, on nous aurait prévenues.

Brusquement, Francine se leva et prit une décision.

— Allons voir là-bas. Je vais appeler un taxi.

Hyacinthe, silencieuse tandis que filaient devant elles les centres commerciaux et les panneaux d'autoroute, cherchait nerveusement ses deux bagues pour les tourner sur son doigt ; se souvenant qu'elle ne les portait plus, elle serra ses mains entre ses genoux, tâchant de ne pas penser aux accidents de bicyclette, aux ballons lancés à la tête, aux noyades… Il fallait qu'il se soit passé quelque chose. Gerald ne pouvait quand même pas avoir oublié.

— C'est là, dit le chauffeur en ralentissant le long d'un mur de pierre. J'ai oublié le numéro…

Francine le lui répéta. Ils s'arrêtèrent à une guérite devant l'entrée, donnèrent leur nom, et le garde leur ouvrit la barrière. L'allée circulaire passait devant des pelouses impeccables, des courts de tennis et des maisons gigantesques, blanches ou roses. Dans les jardins, une végétation luxuriante, avec d'énormes arbres et des fleurs multicolores, donnait de la fraîcheur. Des voitures étincelantes attendaient dans les allées particulières. On avait l'impression qu'un vernis recouvrait tout ce luxe, comme un reflet bleuté descendu du ciel. Ou peut-être était-ce le ciel d'émail qui absorbait la couleur venue d'en bas. C'était un décor irréel, une scène de théâtre.

— Attendez-nous, s'il vous plaît, dit Francine quand le taxi s'arrêta devant l'une des grandes maisons, de couleur rose. Descends, Hyacinthe.

Elle prenait la situation en main, ce qu'elle avait toujours évité de faire depuis le jour du mariage de Hyacinthe… non, depuis bien plus longtemps, en fait. Comme une malade se rendant aux urgences, Hyacinthe la suivit, monta les trois marches derrière elle et la regarda sonner à la massive porte à double battant.

Une femme vint ouvrir. De toute évidence, elles l'interrompaient dans son travail, car elle tenait une bouteille de nettoyant pour vitres et avait l'air très surprise.

Francine, sans perdre de temps à lui donner des explications inutiles, passa directement à l'essentiel.

— Nous sommes venues voir Jerry et Emma. Voici leur mère, et je suis leur grand-mère. Où sont-ils ?

— Mais ils sont en vacances ! Leur père est parti avec eux et la nourrice ce matin.

— Il est parti avec eux ? Mais où ? Il leur est arrivé quelque chose ?

— Non, il ne leur est rien arrivé, madame. Ils sont allés dans une île, les Bahamas, je crois, j'ai oublié. Ils m'ont laissé ici pour que je garde la maison et que je m'occupe du chien.

Hyacinthe s'accrochait à la rampe de fer forgé, vidée. *Francine va se charger de tout.*

— Mais ce n'était pas prévu ! Les enfants devaient rester une nuit à l'hôtel et passer la journée de Thanksgiving avec nous. C'est insensé ! Nous avons fait un long voyage pour venir jusqu'ici et... C'est un scandale !

— Je suis désolée, madame, ce n'est pas ma faute.

Elle était sur la défensive, et son expression de surprise avait laissé place à une étincelle de curiosité réprobatrice, comme pour dire : « Ah, la voilà la mauvaise mère qui a abandonné ses enfants. »

— Gerald aurait tout de même pu nous avertir, insista Francine.

— Il a essayé, madame. Je l'ai entendu le dire ce matin, quand il vous a téléphoné chez vous et que vous n'avez pas répondu.

— Il est évident que nous n'étions plus là, répliqua Francine. Nous devions déjà être parties à l'aéroport. Il fait une chaleur abominable. Nous avons voyagé toute la journée et ma fille ne se sent pas bien. Pouvons-nous au moins entrer pour boire un verre d'eau ?

— Je ne dois laisser entrer personne, j'ai des ordres.

— On ne vous a sûrement pas ordonné de laisser les visiteurs mourir d'une insolation devant la porte. Entre, Hyacinthe.

En passant par la porte que la domestique leur tenait ouverte, Francine la remercia, très grande dame.

— Merci beaucoup. Nous allons simplement nous asseoir un instant, si vous voulez bien nous apporter de l'eau. Ne vous inquiétez pas, nous ne volerons rien.

« Elle sait très bien que nous ne toucherons à rien, pensa Hyacinthe. Elle a déjà remarqué le diamant de Francine. »

Une brise marine entrait par la baie vitrée de la pièce où elles s'étaient installées. Les portes-fenêtres donnaient sur une terrasse. Sous un arbre gigantesque – y avait-il des banians, en Floride ? –, on voyait un grand bac à sable rond et des jouets éparpillés dans l'herbe. De l'autre côté de l'entrée, une porte s'ouvrait sur une salle à manger jaune pâle, exactement de la couleur que Hyacinthe avait choisie pour chez elle, avec un lustre en cristal au-dessus de la table. Sous l'escalier, elle aperçut un landau de poupée et un tricycle rose. Emma devait donc avoir pris au moins quatre centimètres, pensa-t-elle, se disant aussitôt qu'elle ne devait pas craquer, pas ici, surtout pas.

La domestique leur apporta de l'eau sur un plateau en argent, et resta devant elles, hésitante. Consciente de tout ce qui l'entourait au point que rien ne lui échappait, d'un pli de rideau à un mouvement de paupière, Hyacinthe croyait entendre les questions que personne n'osait poser.

— Savez-vous s'il y avait une raison pour ce départ précipité ? demanda Francine.

— C'est-à-dire que la dame qui les a invités, c'est Cherry… vous savez, la chanteuse, à la télé… celle qui a des cheveux longs et roux… elle chante avec les Rub-a-Dubs…

— Le nom me dit quelque chose, commenta Francine.

— C'est une amie du docteur. Elle vient ici de temps en temps quand elle n'est pas en Californie. Dans cette maison, je veux dire.

Elle commençait à se dégeler, fière de pouvoir leur révéler des informations aussi importantes, tout en accompagnant son explication de regards de curiosité de plus en plus appuyés.

— Je crois bien que le docteur lui a retouché le visage. Et ce n'est pas sa seule patiente célèbre. Je pourrais vous citer certains noms… qui vous étonneraient. Évidemment, je ne travaille pas à la clinique, mais quand il y a des dîners et qu'on sert à table, on ne peut pas s'empêcher d'entendre certaines choses.

« Je dois rêver, se dit Hyacinthe, je rêve. Cette maison… Gerald Junior… *"Nous l'appellerons Jerry, avec un J."* Son expression joyeuse. Emma, modèle réduit de Francine, si vive. La robe aux roses dans sa boîte, à l'hôtel. Ce fauteuil rembourré ridicule dans le coin… l'air marin sur mon visage… Je dois rêver. »

Francine demanda quand les enfants devaient rentrer.

— Tard, dimanche soir. Ils reprennent l'école lundi.

Elle demanda s'ils étaient heureux.

— Oh ! oui, madame, très. Leur père est fou d'eux. Et leur nounou les aime beaucoup aussi. Elle s'appelle Mme O'Malley, mais tout le monde l'appelle Nanny. Elle a des petits-enfants qui sont déjà mariés. Et si vous voyiez les joujoux qu'ils ont, là-haut ! On pourrait ouvrir une boutique. L'autre docteur, celui qu'ils appellent oncle Arnie, c'est mieux que le Père Noël quand il vient. Il les emmène faire du cheval. Leur père a acheté un poney à Jerry, et quand Emma aura grandi, il lui en achètera un aussi. Ils ont tout, ces gosses. On ne leur refuse rien. C'est même étonnant qu'ils ne soient pas plus enfants gâtés.

« Ça me fait penser à cette femme, à la réunion du groupe, qui a dit que son fils aimait tellement la maison de son père au bord du lac qu'il avait demandé à vivre avec lui. Ça arrive tout le temps. »

— Vous voulez voir leurs chambres, madame ?

La question avait été posée à Francine, mais Hyacinthe fit non de la tête.

Francine répondit pourtant :

— Oui, ça me ferait plaisir.

— Mais moi, j'ai envie de partir tout de suite, protesta Hyacinthe.

En son for intérieur, elle gémissait : « Je ne veux pas voir le lit où Jerry dort, sagement comme d'habitude, et celui où Emma s'ensevelit sous des piles de poupées et d'animaux en peluche. »

Francine, lui jetant un coup d'œil inquiet, se leva aussitôt. Hyacinthe fit de même, sûre qu'elle était pâle comme la mort.

— Pouvez-vous me donner vos noms, que je puisse dire qui est venu ?

— Dites simplement que la mère et la grand-mère des enfants sont passées, et que nous aimerions qu'on nous fournisse une explication. Merci beaucoup, bonne journée.

— Une explication, répéta Francine une fois qu'elles furent remontées dans le taxi, il ne faut pas se faire d'illusions, on ne nous en donnera pas. Ça va ? Tu ne vas pas t'évanouir ou te donner en spectacle, j'espère.

— Ça ne nous avancerait pas à grand-chose. Non, je suis assommée, c'est tout.

Pendant leur visite, la nuit était tombée. Par les fenêtres de la voiture, elles revoyaient à l'envers le chemin de l'allée, ponctué par des traits de lumière : centre commercial, entrepôt de meubles, pizzeria, exposition de voitures d'occasion, un autre centre commercial... Elles ne reprirent la parole qu'en arrivant à l'hôtel.

Ce fut Francine qui commença.

— Je n'ai jamais été aussi furieuse de ma vie. Ça me fait grincer des dents. Qu'allons-nous faire, maintenant ?

— Il ne nous reste qu'à rentrer chez nous, nous n'avons pas le choix.

— Tu veux qu'on rentre ? Nous ne sommes arrivées que depuis six heures...

— Je n'ai aucune envie de me gaver de dinde à l'hôtel, demain, et toi ?

— Non, moi non plus. Je t'en prie, Hyacinthe, dis-moi ce qui se passe. J'ai l'impression d'être une aveugle perdue dans un pays étranger dont elle ne connaît pas la langue. Je commence à en avoir assez. Une journée comme celle-ci, ça vous ôte dix ans de vie.

— Je ne t'ai pas demandé de m'accompagner, c'est toi qui as voulu.

— Je sais, je sais. Ce n'est pas le moment de nous quereller. Je vais demander qu'on nous monte un repas dans la chambre. Nous discuterons en dînant.

Jamais Hyacinthe n'aurait cru, épuisée comme elle l'était, pouvoir ressentir de la faim. « C'est une réaction physique, pensa-t-elle. Le corps veut survivre, même quand l'esprit s'en moque. Et pourtant... bien sûr que mon esprit veut vivre aussi. Ou du moins, il le voudrait si seulement il savait comment s'y prendre. » Repoussant son assiette vide, elle regarda en face d'elle le ciel sombre dans lequel flottaient des étoiles, petites îles dans une mer de nuages gris argenté qui filaient et écumaient en traversant l'hémisphère. C'était un ciel à la Turner, songea-t-elle, se rappelant ses soleils couchants pâles, brume vaporeuse de couleurs laiteuses. Il y avait tant de beauté, tant de couleur et de vie sous le vaste ciel mystérieux, que seuls les hommes profanaient.

La voix de Francine la fit sursauter.

— Tu allais toujours demander conseil à ta grand-mère quand tu te sentais perdue. Pourquoi ne veux-tu pas faire pareil avec moi, maintenant que tu en as besoin ? Tu ne comprends pas à quel point j'ai mal de te voir comme ça ?

— S'il te plaît, ne m'en veux pas. Je ne peux demander conseil à personne. Si j'y songeais, ce serait à toi que je m'adresserais.

— Je n'y comprends strictement rien. Je ne voulais pas aborder le sujet pendant ces vacances parce qu'il ne fallait que se réjouir d'être avec Jerry et Emma. Mais, maintenant que tout est gâché, autant te dire ce que j'ai sur le cœur.

— Vas-y, dis-moi, je ne te contredirai pas. Je vais t'écouter, c'est tout.

— Je n'arrive pas à me résigner. Pourtant, je dois bien reconnaître que je suis allée demander conseil à un autre psychologue qui m'a donné exactement la même opinion : « Votre fille est une femme adulte, et si elle ne veut pas vous dire certaines choses, laissez-la tranquille. »

— Excellent conseil.

— Je ne suis pas d'accord. C'est comme de dire : « Elle est adulte, alors elle est assez grande pour savoir si elle veut avaler du poison, ou se jeter du haut d'un pont. Ne lui posez pas de questions. Ne l'en empêchez pas. »

— Je ne vais pas me suicider, je te le promets.

— Parfois, j'ai l'impression que tu en as envie. La seule chose qui t'arrête, ce sont les enfants.

Hyacinthe garda le silence.

Francine était si énervée qu'en se levant elle heurta la table et fit s'entrechoquer les assiettes.

— Il te fait du chantage, c'est évident, pas besoin d'être un génie pour s'en rendre compte, ni pour comprendre qu'il s'agit d'une histoire de lit.

— Tu m'as déjà dit ça. Tu es persuadée que c'est à cause d'un adultère, que je l'ai trompé et qu'il l'a appris.

— Oui, et je ne vois pas où est le drame. Ce sont des choses qui arrivent. Tu pourrais très bien obtenir gain de cause si tu intentais un procès. Enfin quoi ! Il admet lui-même ses propres adultères. Pourquoi n'engages-tu pas un bon avocat ? Donne-moi une raison, une seule, qui t'empêche de le faire.

— Je te l'ai déjà dit, je ne veux pas aller en justice, et je n'ai pas changé d'avis.

Francine marcha jusqu'au bout de la chambre et revint sur ses pas. « La pauvre, pensa Hyacinthe, j'ai pitié d'elle, même plus que des enfants. Pour l'instant, j'espère qu'ils s'amusent sans se faire de soucis. »

— Qu'est-ce que tu as fait qui t'effraie autant ? Tu as renversé quelqu'un sur la route ? Tu as été surprise en train de voler dans un magasin ? Dans tous les cas, il faut que tu te confies à un avocat. Ils sont là pour ça. Si tu voulais bien me laisser faire, je te trouverais quelqu'un de bien. Ton père avait beaucoup d'amis, beaucoup de contacts.

Le désastre absolu. C'était exactement de cette façon que Gerald avait prévu les réactions de Francine. Le scandale éclaterait, et l'avocat ne pourrait rien tenter d'autre que d'essayer d'alléger la condamnation. Quinze ans au lieu de vingt ? Avec remise de peine pour bonne conduite…

— C'est très gentil, Francine, mais j'ai déjà un avocat. Il est en train de rédiger l'accord que je dois signer.

— Un accord ! Je prie le Seigneur que tu ne sois pas en train de vendre ton âme au diable. Tu as vu aujourd'hui comment on pouvait se fier à lui ! C'est un monstre, un monstre ! Tant qu'il pourra vivre comme nous venons de le voir, en prince, sans rien pour le contraindre, il te prendra jusqu'au dernier centime.

— Là, tu te trompes. Il m'envoie des chèques toutes les semaines, de grosses sommes. Mais, ajouta-t-elle avec un rire de mépris, je les lui renvoie.

— Comment ? Dis-moi que j'ai mal entendu ! Je te croyais intelligente. Vu la façon dont il se conduit, n'importe quelle femme normale prendrait ce qu'elle peut et essaierait même de lui soutirer davantage. Elle le détesterait.

— Mais je le déteste, dit Hyacinthe à voix basse. C'est pour cette raison que je ne veux pas de son argent. Je ne veux rien qui vienne de lui. Je ne peux même pas toucher le papier du chèque qu'il a tenu. Je veux oublier que je l'ai connu.

— Tu auras du mal à y arriver, avec Emma et Jerry entre vous.

— Je t'en prie, ne nous mettons pas en colère. La journée a été assez dure comme ça.

Elles se turent, debout face à face, le regard triste, jusqu'à ce que Hyacinthe brise le silence.

— Je me demande pourquoi il nous a fait ça aujourd'hui. Tu crois qu'il tire du plaisir à être si cruel ?

— Tu sais, je pense qu'il n'y a même pas vraiment réfléchi. Il a téléphoné, mais nous étions déjà parties, et il n'a pas cherché plus loin. Il devait être tellement ravi de rencontrer des célébrités chez Cherry qu'il n'a rien vu d'autre. Gerald est comme ça… le vrai Gerald. Viens, remballons nos cadeaux, nous les remmènerons avec nous demain matin. Demain, il fera jour.

De retour chez elle, Hyacinthe tomba nez à nez avec Moira devant le supermarché. Celle-ci chargeait dans son coffre le contenu d'un Caddie très plein tandis que

Hyacinthe, un sac dans les bras, s'apprêtait à rentrer à pied.

— Je me dis toujours, remarqua Moira, qu'après s'être empiffré pendant les fêtes personne ne pourra jamais plus avaler une bouchée, mais je suis déjà obligée de refaire des courses.

Avec sa gentillesse habituelle, elle s'adressait à Hyacinthe comme si elles se voyaient encore presque tous les jours et que sa vie n'eût pas changé.

— Comment vont Emma et Jerry ? Ils s'amusent sous les palmiers ?

— Oui, beaucoup. Ils vont dans une très bonne école et supportent bien le déménagement. Nous avons passé d'agréables vacances avec ma mère qui est venue avec moi. Il a fait un temps magnifique, très doux…

Mentir… Pourquoi pas, après tout ? Cela ne fait pas de mal à Moira, et pour moi c'est plus facile.

— Tu n'as pas pris de coup de soleil.

— Non, je ne suis restée que quelques jours, tu sais. Et puis, je ne m'expose pas, je n'aime pas beaucoup ça.

— Tu veux que je te dépose ?

— Non, merci. J'ai besoin de me dégourdir les jambes. Pour garder la ligne.

Elle s'interrompit, confuse. Ce n'était vraiment pas une chose à dire à Moira qui, à vingt-huit ans, avait déjà au moins dix kilos de trop ! « Je ne sais pas où j'ai la tête ! Je ne fais attention à rien et ma fausse gaieté ne la trompe pas une seconde. Bon, essaie de te rattraper, essaie, au moins. »

— Tu sais, je ne t'appelle pas, Moira, parce que je ne vais pas très bien en ce moment et que je ne suis pas très drôle. C'est pour cela que j'ai laissé Gerald emmener les enfants quand il est parti en Floride. C'est mieux pour eux en attendant que je me sorte de cette dépression… que ça aille mieux. C'est temporaire, strictement temporaire, bien sûr. J'aurais dû te passer un coup de fil pour t'expliquer. Tu as été tellement adorable avec moi.

— Ne t'en fais pas, Hya. Prends soin de toi. Tu as beaucoup souffert, mais franchement, je te jure que ça ne se voit pas. Tu es très belle.

— Merci. J'essaie de ne pas me laisser aller. Je dois être en forme pour Noël, et le temps va passer très vite. Les enfants viennent me voir.

Au moins, cela, c'était vrai, car Arnie avait tout organisé pour Noël.

« Gerald m'a demandé de te téléphoner quand tu lui as raccroché au nez. Il se sent vraiment coupable. Il ne pensait pas que vous viendriez pour rien. Quand il a laissé le message sur ton répondeur, il n'a pas imaginé que vous étiez parties si tôt. Je te jure, Hya. J'ai suggéré qu'il se rattrape à Noël. Donc, les enfants arriveront en avion le vingt-trois, et je les accompagnerai. Gerald sait, bien évidemment, que tu ne veux pas le voir. Alors rallonge un peu la soupe pour moi. »

— Formidable, dit Moira avec enthousiasme. Il faut que nous fassions une sortie ensemble avec tous les enfants. Un truc sympa.

Moira reprit sa voiture après lui avoir de nouveau recommandé de prendre soin d'elle. Peu de gens, et peut-être même personne d'autre, ne l'auraient laissée s'en tirer à si bon compte, pensa Hyacinthe. « Elle prendra ma défense, je peux compter sur elle. Elle arrêtera les médisances aux réunions parents-professeurs, ou aux matchs de base-ball de l'école. À la moindre occasion, les femmes du quartier doivent regarder à la loupe la mystérieuse séparation de Hyacinthe et de Gerald. Moira les fera taire de son mieux, mais ça ne servira à rien. »

Enfin, c'est la nature humaine, se disait-elle en entrant dans la maison, quand elle entendit le téléphone sonner. Cela arrivait rarement si tôt dans la journée, mis à part l'appel quotidien de Francine qui téléphonait tous les matins sans faute.

Cette fois, pourtant, ce n'était pas sa mère. C'était Will Miller.

— Je vous ai déjà téléphoné la veille de Thanksgiving, mais je n'ai pas laissé de message parce que je craignais que vous ne m'ayez oublié. Je suis en ville pour la journée, et si vous aviez envie de dîner avec moi, tôt dans la soirée, ça me ferait très plaisir. Ça vous dit ?

L'espace d'une fraction de seconde, électrons et neutrons tourbillonnèrent dans l'esprit de Hyacinthe sans former de raisonnement suivi, mais projetant plutôt des fragments de pensées tels que : « Il ne sait rien de moi. Et si on me voyait avec lui ? Je n'ai rien à dire. Je ne sais plus comment on parle à un homme. Je suis trop fatiguée, ça n'en vaut pas la peine. Je n'en peux plus. Ce serait malhonnête. Je n'ai pas envie d'y aller. »

— Oui, merci, c'est très gentil, répondit-elle.

— Je suis bien content. Comme je dois rentrer tôt à Oxfield, ça vous ennuierait si nous dînions à six heures et demie ?

— En fait, c'est mon heure préférée, j'aime dîner tôt.

— Je passe vous prendre à six heures et quart.

À l'instant où il raccrocha, si elle avait su où le joindre, elle l'aurait rappelé pour se décommander.

Quoi qu'il en soit, il était trop tard, et elle s'en voulut de son inconséquence.

Pourtant, cela pourrait être agréable d'éviter une longue soirée solitaire. Fatiguée de lire, d'écouter de la musique ou de regarder la télévision, lasse et déterminée à ne plus succomber à l'angoisse et aux larmes, elle n'aurait eu d'autre alternative que de se coucher en espérant ne pas rester éveillée à écouter les craquements de la charpente.

En montant, elle jeta un coup d'œil dans le miroir. Moira l'avait complimentée sur sa forme physique, mais elle ne voyait pas pourquoi. Les effets de la perte de poids sur un visage déjà mince ne devaient guère être flatteurs. S'attardant devant la glace pour s'inspecter, elle trouva finalement le résultat plutôt à son avantage. Ses joues n'étaient pas creuses, et de légers cernes agrandissaient ses yeux. Ses longs cheveux, de chaque côté de son visage, lui donnaient un air de femme de la Renaissance, et si elle ne se trouvait pas belle à proprement parler, du moins cela la rendait-il intéressante, et peut-être même un peu mystérieuse.

— Redescends sur terre ! Quelle idiote ! s'exclama-t-elle.

Elle se reprochait encore sa frivolité quand le téléphone sonna de nouveau. Cette fois, ce ne pouvait être que Francine.

Leur conversation fut brève, comme d'habitude. Par un accord tacite, elles avaient décidé d'éviter le sujet, brûlant comme une braise, qui les opposait. Francine l'appelait pour des raisons toutes maternelles. Elle demanda ce que Hyacinthe comptait faire ce jour-là.

— Aussi bizarre que ça puisse paraître, on m'a invitée à dîner ce soir, rapporta Hyacinthe, qui lui raconta sa rencontre avec Will Miller.

— Ne prends pas ce risque, Hyacinthe. Tu n'as vraiment pas besoin de ça. Il ne faut surtout pas que Gerald apprenne que tu sors avec des hommes, en plus de ce qu'il a déjà à te reprocher.

Sortir avec des hommes. Hyacinthe eut un frisson de frayeur. Si seulement Gerald n'avait eu à lui reprocher que cela !

— Tu as raison, reconnut-elle, même si ce dîner est parfaitement innocent. Je viens de te le dire, c'est à cause de la robe que j'ai faite pour Emma.

— N'importe. Il ne faut pas qu'on te voie avec un autre homme tant que le divorce n'est pas définitif et que tu n'as pas les papiers en main. Et si tu veux un jour pouvoir récupérer tes…

« Tes enfants », compléta Hyacinthe intérieurement. Elle ne commenta pas et promit qu'elle n'accepterait plus d'invitation.

— Je ne sais pas où le joindre, je ne peux pas l'appeler pour annuler.

— Bon, mais va quelque part où tu ne connais personne. Sois prudente, je t'en prie.

Par chance, Hyacinthe n'aurait pas pu choisir un lieu plus tranquille. Le grill où Will l'emmena était à une demi-heure de la ville, dans une grange restaurée. Très fréquenté à la belle saison et pendant les week-ends, il était désert ce soir-là, en milieu de semaine, par une soirée pluvieuse de décembre. Il n'y avait pas plus de trois ou quatre couples, assis à bonne distance les uns des autres dans la grande salle. Un feu était allumé dans la cheminée, et les conversations peu bruyantes.

— Très agréable, remarqua Hyacinthe.

— J'ai pensé que ça vous plairait, que c'était le genre d'endroit que vous aimiez.

— Mais vous ne me connaissez pas.

— On sent vite la personnalité des gens.

— Parfois, on se trompe.

— Tout à fait exact.

Elle avait eu raison de penser qu'elle ne saurait plus parler à un inconnu. Une fois mariée, à moins d'être dans la vie active, on ne rencontrait plus que les maris de ses amies, et le plus souvent en présence de son propre mari. On ne faisait pas la conversation avec des hommes. Par exemple, elle ne se mettait pas en frais pour Arnie et le traitait ni mieux ni plus mal qu'un cousin gentil et bien intentionné.

Will retira ses lunettes.

— En fait, je n'en ai besoin que pour lire, mais quand je travaille, je les garde sur le nez pour ne pas les perdre. Je perds tout : mes clés de voiture, mes gants, tout.

Elle sourit. Il avait des yeux enfoncés, des pommettes saillantes et le front haut. Son regard était à la fois vif et sérieux.

— Alors, dites-moi, commença-t-il, avez-vous lu tout Stephen Spender ? Vous avez ses œuvres complètes ?

— Oui, je les ai emmenées pendant un voyage en Floride pour lire dans l'avion. Pendant ma lecture, je me suis souvent dit que j'aurais aimé le connaître.

— C'est vrai, on a souvent ce désir quand on lit ou qu'on voit quelque chose de vraiment bien. J'aurais aimé rencontrer l'artiste qui a sculpté la statue du monument de Lincoln. Je vois très bien ce que vous voulez dire. Vous aimez la Floride ?

— Je ne connais pas assez la région. Je n'y ai fait qu'un saut.

Il attendait qu'elle continue, et le silence qui suivit les mit mal à l'aise. C'était le genre de pause horriblement gênante qui se produit parfois au cours de certains repas quand toute la tablée, après avoir discuté avec entrain, se tait tout d'un coup. Il devait probablement se dire avec regret qu'il s'était trompé sur son compte ; la première fois, dans le café, elle avait été assez bavarde, mais plus maintenant. Comment aurait-il pu deviner l'état d'agitation extrême dans lequel la plongeait la honte de ne pas lui dire la vérité ?

— Que se passe-t-il ? demanda-t-il gentiment. Votre visage change si vite d'expression... Si je me mêle de ce qui ne me regarde pas, et je me doute que je suis indiscret, dites-le-moi.

— Je suis inquiète, avoua-t-elle, prenant une décision rapide. Je suis en train de divorcer, et cela ne se passe pas bien, comme dans la plupart des cas, j'imagine.

— Je me posais des questions, en effet. Je ne trouvais pas très logique qu'une personne seule vive dans une maison de cette taille.

— Pour l'instant, j'y vis seule.

S'il lui demandait si elle avait des enfants, que lui répondrait-elle ? Il ne posa pas la question, et elle fut soulagée de ne pas être obligée de lui servir les justifications bancales qu'elle avait inventées pour expliquer leur absence à Moira.

— Et comment passez-vous le temps, en attendant que ça se tasse ?

— Eh bien, comme je vous l'ai dit, je suis peintre, mais malheureusement je n'ai pas eu le courage de travailler autant que je l'aurais voulu, ces temps-ci.

— C'est compréhensible. Vous travaillez chez vous ?

— Oui, j'ai une pièce bien adaptée, exposée plein nord.

— Vous me ferez visiter votre atelier ?

— Oui, avec plaisir, mais vous risquez d'être déçu.

Une réponse coquette, peu sincère, qui lui sembla ridicule, comme si elle cherchait à s'attirer des compliments. Elle avait vraiment du mal à trouver le ton adéquat.

Sans commenter, il lui demanda si la robe qu'elle avait promise à Sally Dodd avançait.

— J'avoue que j'ai à peine commencé. Je regrette de m'être lancée là-dedans.

— Mais vous avez accepté, dit-il gravement, et elle l'attend.

— Je sais, je vais la terminer.

— À temps pour sa croisière, n'oubliez pas.

— Non, non, je n'oublie pas.

Il avait un regard d'une telle intensité ! Ses yeux étaient comme des opales, d'un gris lumineux avec des paillettes vertes que la flamme de la bougie éclairait quand elle penchait de son côté. Rien ne devait leur échapper ; ils voyaient tout, décelaient les prétentions, les faux-fuyants, les artifices. Non, il ne fallait pas le revoir, non seulement pour la raison avancée par Francine, parfaitement fondée, mais pour une autre, plus difficile à cerner.

— Où avez-vous appris à coudre ? demanda-t-il.

Soulagée de pouvoir changer de sujet, elle répondit aussitôt.

— C'est ma grand-mère qui m'a appris. Une des dernières représentantes d'une espèce en voie de disparition, je pense : une femme née en 1910, rompue aux travaux ménagers. Toutes les tâches domestiques devenaient un art entre ses mains, que ce soit la cuisine ou la fabrication de tapis. Même le nettoyage des sols, je dirais.

— Mon arrière-grand-mère était comme elle. Je ne l'ai jamais connue, bien sûr, ni l'autre, d'ailleurs. Qui, elle, était différente. Elle travaillait avec son mari dans le premier magasin R.J. Miller. Nous avons une photographie de la boutique d'Oxfield, prise en 1879. Ils se tiennent ensemble sur le seuil, avec une carriole arrêtée devant. La rue n'est qu'un large chemin de terre battue, au cœur d'Oxfield. Je me demande ce qu'ils diraient s'ils voyaient la ville aujourd'hui, ajouta-t-il avec un petit rire. C'étaient deux sacrés personnages, paraît-il. Sans doute que plus on monte dans son arbre généalogique, plus on pare ses ancêtres de toutes les vertus.

Il continua, expliquant comment l'entreprise familiale s'était développée. Hyacinthe l'écouta avec une attention flatteuse, ce qui ne lui fut pas très difficile car l'histoire était intéressante. Fille d'un ingénieur chimiste employé dans une usine et femme de médecin, elle ne connaissait pratiquement rien au monde des affaires, aux prises de risques et à la façon dont l'argent se gagne et se perd.

Ce répit permit à Hyacinthe de se détendre. Will avait d'excellentes anecdotes à raconter, entre autres celle du vendeur qui, ne reconnaissant pas son patron, avait refusé de lui montrer une ceinture en cuir parce que « ça ne servirait à rien, elle est trop chère pour vous ».

Elle appréciait son sens de l'humour, qui n'était ni caustique ni mesquin et s'alliait à une modestie fort agréable. Après un commentaire de Hyacinthe sur un sari indien qu'elle avait vu dans la vitrine de chez R.J. Miller, la conversation avait dévié sur les pays étrangers. Il était allé en Birmanie et au Tibet, mais, contrairement à la majorité des gens qui saisissaient toutes les occasions pour se vanter de leurs voyages, il resta discret.

« Il n'est pas comme tout le monde, songea Hyacinthe. Souvent, on ne trouve rien sous la surface dès qu'on gratte un peu, alors que, chez lui, il y a de la profondeur. » Cela lui fit penser à ces livres qu'on ne peut pas refermer après en avoir lu la première page.

Pour rentrer, ils retraversèrent la ville, passèrent devant les vitrines de chez R.J. Miller en faisant le tour de la place, puis prirent la rue où la clinique d'Arnie avait brûlé.

— J'étais ici, le jour où c'est arrivé, remarqua Will. J'étais parti tôt, et je suis arrivé de bonne heure. C'était cauchemardesque, avec la foule qui se pressait dans la rue, l'ambulance, et les flammes qu'on voyait à travers les fenêtres cassées. Il paraît que c'était un incendie criminel, du moins d'après ce que j'ai entendu dire.

— Je ne savais pas.

— Le bâtiment était assez récent. Quand on pense à notre vieil immeuble sur la place, il y a de quoi s'inquiéter, c'est une vraie souricière. Si j'étais à la tête de l'entreprise, je le raserais tout de suite et je reconstruirais un magasin doté de tous les systèmes de sécurité possibles et imaginables. Il faut entendre les objections qui sont avancées ! Les gens adorent tout ce qui est vieux et familier. Certains trouvent du charme à l'ancien, là où d'autres ne voient que du vieillot. Les goûts et les couleurs ne se discutent pas…

Après cela, pendant le court trajet qui restait pour arriver chez elle, elle n'écouta plus ce qu'il disait. Seule comptait l'épée de Damoclès suspendue au-dessus de sa tête.

À sa porte, Will lui prit la main.

— J'ai envie de vous revoir, lui dit-il, mais je ne veux pas aller trop vite. J'espère que votre divorce ne sera bientôt plus qu'un mauvais souvenir.

— Moi aussi.

— Je serai absent jusqu'au nouvel an. Je vous appellerai à mon retour.

En le regardant descendre l'allée et monter dans sa voiture, elle se dit, comme la première fois, que la jeune femme qui l'épouserait aurait bien de la chance.

« Mais je ne veux le revoir à aucun prix. Je suis sûre qu'il s'imagine que j'en ai envie, comme tant d'autres le penseraient à sa place, mais il se trompe. J'en ai fini avec les hommes, quels qu'ils soient, pour toujours. »

Hyacinthe avait décoré la table de Noël avec autant de soin que si elle avait apprêté un dîner élégant pour douze personnes. Quatre bougies entouraient un milieu de table d'œillets roses et rouges, apportés par Arnie avec une coupe en argent danoise de toute beauté pour les contenir… le tout offert sans plus de façons que s'il s'était agi d'un vase en terre cuite. Le lait des enfants était servi dans des verres à pied. Elle avait respecté toutes les coutumes familiales, de la vaisselle en porcelaine aux fruits secs et aux dattes présentés dans les plats traditionnels.

Vêtus de leurs vêtements de fête, ils s'étaient assis à leurs places habituelles. Jerry et Emma, toute fière de sa jolie robe aux roses, étaient placés à la gauche de Hyacinthe, et Francine à sa droite. Seule la composition de la famille avait changé. La chaise qu'aurait dû occuper Jim avait été repoussée contre le mur, et celle sur laquelle, l'année précédente à la même époque, Gerald avait présidé le dîner était occupée par Arnie. Celui-ci, bien qu'extérieur à la famille, faisait de son mieux pour détendre l'atmosphère.

De son côté, Hyacinthe s'efforçait d'ignorer la déprimante sensation que le temps passait à une allure vertigineuse : d'ici à quelques jours, quelques heures, tout serait terminé. Ce bonheur n'était que mensonge. Depuis deux semaines, ou même plus, elle s'était arrangée pour y croire. Toute à la préparation des retrouvailles, elle était parvenue à préserver l'illusion en accomplissant les préparations « normales », achat de cadeaux, pâtisserie, cuisine, et en rouvrant les portes des deux chambres qui étaient restées fermées. Il avait commencé à neiger, elle avait même acheté des luges neuves, dont une pour elle ; ils iraient en voiture jusqu'à Nod's Hill avec des sandwichs et une Thermos de cacao. Ils allaient… Mais quel fardeau, ces activités « normales », alors qu'elle parvenait à peine à leur parler sans éclater en sanglots ! Jusqu'à présent, elle était arrivée à se contenir, et elle priait le ciel de ne pas craquer au moment du départ.

Emma réclamait son attention.

— Il ne neige jamais en Floride. Maman, tu ne m'as pas entendue ? J'ai dit qu'il ne neige jamais en Floride.

— Tout le monde sait ça, intervint Jerry.

— Et alors ?

L'été dernier, Emma aurait pleuré après une telle rebuffade, ou se serait mise en colère. Aujourd'hui, elle avait appris à lancer des reparties méprisantes. Elle était prête à prendre sa place dans le monde des grands. Quand on ne voyait pas un enfant tous les jours, quand il fallait attendre des semaines, voire des mois, entre chaque visite, on rencontrait un nouvel enfant à chaque fois. On manquait tout.

— Comment va Charlie ? demanda Hyacinthe.

— Il ne fait plus pipi partout dans la maison, répondit Emma. Papa lui a appris à aller dehors.

Hyacinthe jeta un coup d'œil involontaire à Francine. Étonnamment, les enfants avaient fait fort peu allusion à leur père depuis leur arrivée, mais chaque fois elle avait remarqué une altération à peine visible sur le visage de Francine. Connaissant sa vivacité naturelle, on ne pouvait que remarquer qu'elle était trop silencieuse. « Dire que j'espérais qu'elle animerait la conversation ! En fait, c'est Arnie qui s'ingénie à remplir les blancs qui mettent les enfants mal à l'aise. » Une fois de plus, ce fut lui qui trouva un nouveau thème.

— Parle-nous de ton poney, Jerry.

— Ah oui ! Sa couleur, vous savez ce que c'est ? Moucheté. Ça veut dire qu'il a des taches. Des taches marron sur du blanc. Mais je préfère le cheval d'oncle Arnie, c'est un Tennessee Walker, super grand… si vous voyiez ça ! Je ne peux pas encore le monter parce qu'il est trop grand, mais oncle Arnie m'apprend sur le poney.

— Des fois, Nanny m'emmène aussi au centre équestre, intervint Emma. On me laisse monter sur les chevaux. Papa ne vient jamais, lui. Il préfère son bateau. Il nous emmène dessus. Il a des voiles.

— Ça doit être amusant, commenta Hyacinthe avec un sourire.

« Des bateaux, des chevaux, pensa-t-elle. Sans doute n'y a-t-il pas une grande différence avec les jouets qu'ils ont dans leur chambre, là-haut, à part le prix. Nous essayons tous les deux d'acheter leur amour. Il ne faut surtout pas dire de mal de Gerald pour ne pas leur mettre de mauvaises idées dans la tête. Tout ce poison, ça ne pourrait qu'être mauvais pour eux. C'est une règle de base. Francine le sait aussi. »

— Quand tu vas venir en Floride avec nous, maman ? demanda Emma. Tu me manques.

— Elle a pleuré, rapporta Jerry. Moi non, parce que je suis plus grand, et puis d'abord, je lui ai rappelé qu'on pouvait venir te voir ici. C'est papa qui l'a dit.

Emma se mit à hurler :

— Mais pourquoi ? Pourquoi il faut venir ici pour voir maman ?

Aucun des trois adultes ne trouva de réponse immédiate ; Francine finit par se lancer.

— C'est parce que Granny est malade. Votre maman veut rester près d'elle pour l'instant.

— Granny n'a qu'à venir en Floride aussi.

— Mais non, Emma, elle est trop âgée.

— Alors toi, tu peux rester avec elle. Je veux que maman vienne en Floride.

« S'il pouvait mourir, se dit Hyacinthe. S'il pouvait mourir d'un coup et nous laisser vivre en paix. Mais non, il va vivre jusqu'à cent ans. Alors c'est moi qui devrais mourir… »

— Moi, je crois que vous êtes en train de divorcer, déclara Jerry, c'est pour ça.

Il attendait une réponse. « Nous aurions dû le leur dire tout de suite. Je crois que nous… que j'espérais qu'il arriverait quelque chose, comme par magie, un miracle, et que toute cette douleur disparaîtrait. Non, en fait, je savais très bien qu'il faudrait en passer par là, mais je remettais le moment de le leur dire en attendant le règlement du divorce. Là, il n'y aurait plus eu d'excuse pour se taire. »

— Oui Jerry, je crois que tu as raison, dit Arnie, volant au secours de Hyacinthe.

Il avait parlé calmement, comme si un divorce était une affaire sans grande importance, rien de bien méchant.

« Dans beaucoup de pays, c'est tout à fait courant, d'ailleurs. Les enfants n'en font plus un drame ici non plus. Mais c'est différent pour les miens, ils sont très vulnérables. »

— J'ai beaucoup de copains dans ma classe qui ont des parents divorcés, annonça Jerry d'un air important. Mais ils vivent tous avec leur mère. C'est leur père qui leur rend visite.

— Voilà, approuva Arnie, tant qu'on peut voir ses deux parents et que tout le monde est content, tout va bien.

Emma, au bord d'un sanglot, avait les lèvres tremblantes et le regard plein de détresse.

— Tu es contente, toi, maman ? Tu ne veux pas vivre dans notre maison ?

« Notre maison »… Comment répondre à cela ? Puis, Dieu merci, elle eut une inspiration.

— On peut très bien avoir deux maisons. Vous pourrez vivre tantôt dans l'une et tantôt dans l'autre, et on sera très heureux.

« Je ne vais jamais tenir le coup. Encore une minute et je m'effondre. »

Francine, comme si elle avait deviné que Hyacinthe était sur le point de craquer, se leva et prit en main la suite des opérations.

— Allez, les enfants, nous reparlerons de ça plus tard. Le gâteau est au réfrigérateur. Il y a de la crème fouettée au chocolat sur le dessus et il faut qu'on le mange tout de suite. Tout le monde prend son assiette pour m'aider à débarrasser. Maman a fait la cuisine, c'est à votre tour de travailler !

De sa place, face à la fenêtre, Hyacinthe vit dans la lumière du lampadaire que de la neige fondue tombait.

— Il neige, annonça-t-elle.

Elle courut à la fenêtre, moins pour tirer les rideaux que pour cacher ses yeux humides et essayer de se dominer.

Comme Arnie se taisait, elle comprit que, par ce silence, il voulait lui laisser le temps de refouler ses larmes. À le voir et à l'entendre, on ne se doutait pas de sa délicatesse. Pourtant, c'était loin d'être la première fois qu'il révélait ce trait de caractère.

Le dessert était un chef-d'œuvre, une spécialité tirée du livre de cuisine de Granny. Un silence gourmand et satisfait tomba sur l'assemblée. Seule Francine, pourtant « accro au chocolat », comme elle disait, y toucha à peine. Quand ils se furent tous resservis plusieurs fois et qu'il ne resta plus que des miettes, elle fit une proposition.

— Hyacinthe, nous avons eu une journée chargée, et il est tard. Tu devrais monter avec Jerry et Emma. Vous avez beaucoup de choses à vous dire, et moi, je vais en profiter pour faire la vaisselle. Non, pas de protestations.

En fait, elle disait à mots couverts : « Parle-leur du divorce. Moi, tu sais que je ne peux pas le faire, puisque je ne sais rien. Et puis, ce n'est pas mon rôle. C'est toi leur mère. »

Francine en voulait au monde entier, même aux assiettes qui faisaient partie du trousseau de Hyacinthe. Jim avait tenu à les acheter alors que Hyacinthe les avait jugées beaucoup trop chères. « Mais tu adores les roses », avait-il insisté. Francine se souvenait parfaitement de ce jour, un après-midi sombre, avec des averses de neige glacée, comme ce soir. Qui aurait pu deviner ce qui allait se passer ? Même elle, qui pourtant avait eu des doutes, avait été loin d'imaginer une soirée comme celle-ci.

— Je vais vous aider, dit Arnie. Je fais très bien la vaisselle, je suis célibataire.

Gerald, lui aussi, avait aimé se rendre utile, du moins au tout début, quand il voulait s'attirer ses bonnes grâces. Mais Arnie n'était pas comme lui. Elle l'aimait bien.

— Si vous voulez vraiment me rendre service, répliqua-t-elle, dites-moi un peu ce que fabrique votre associé. Hyacinthe me cache quelque chose. La situation n'est pas satisfaisante, comme vous venez de le voir à table, et j'en suis malade d'inquiétude.

Arnie poussa un long soupir.

— Si je pouvais éclairer votre lanterne, je le ferais. J'aime beaucoup Hya, et je trouve complètement fou qu'elle soit séparée de ses enfants. Ça ne va pas du tout. C'est très mauvais. Mais je n'arrive pas à tirer les vers du nez à Gerald, et je dois dire que je n'essaie même plus de le faire parler. La situation est délicate, vous savez.

— Oui, je comprends. On ne se sépare pas de ses associés pour des histoires de divorce.

— Non. Gerald est très bon chirurgien, et… (il fit un sourire contrit)… il a beaucoup de succès en société. Comment s'appelait ce type qui séduisait toutes les femmes ? Don Juan ?

— Ah, donc, c'est comme ça qu'il occupe son temps libre.

— N'en tirez pas la conclusion qu'il néglige les enfants. Il faut être juste. Il les adore. Ils ont une gentille nourrice qui prend bien soin d'eux. Il aime faire admirer ses gamins, il est fier d'eux.

— Oui, parce qu'ils ont la chance d'être beaux tous les deux.

— Gerald voudrait discuter avec Hya, parfois, mais elle lui raccroche au nez.

— Elle ne peut plus lui parler, Arnie. Ce serait insupportable. Il lui a fait du mal. À cause de lui, elle n'a plus confiance en personne… ou presque, puisqu'elle a encore confiance en vous.

— Je l'espère. Je ferais n'importe quoi pour elle.

— Si seulement je pouvais me rendre utile ! Si seulement… Mais tant qu'elle ne m'expliquera pas le fond du problème, ou que quelqu'un ne le fera pas à sa place, je serai impuissante. Je n'arrête pas de penser qu'elle va rester toute seule dans la maison quand nous partirons.

Un cri qui sortait du plus profond de son âme et de son cœur échappa à Francine, malgré sa volonté de se maîtriser.

— Elle est si tendre ! si confiante ! C'est une fille qui ne pense jamais à mal ! Même petite, elle était gentille, pas comme la plupart des gosses qui sont des petits monstres d'égoïsme. Elle a toujours été... quelqu'un de bien, vous voyez ce que je veux dire ?

Arnie opina.

— Oui, je sais. C'est toujours les gens les plus gentils qui ont le moins de chance. Le monde a toujours été comme ça, et le sera toujours.

Une rangée de peupliers dans le jardin du voisin jetait sur la neige immaculée des ombres bleu foncé en bandes parallèles. Hyacinthe, sans sentir le froid, resta longtemps seule devant la porte ouverte, fascinée par les troncs longilignes et leurs ombres mathématiquement espacées. « Ce serait une étude intéressante à faire à l'aquarelle », songea-t-elle.

Ils étaient partis. Sans eux, la maison semblait abandonnée ; plus de serviettes mouillées laissées par terre dans la salle de bains, plus de jouets où se prendre les pieds dans l'entrée, plus de jeux de société étalés sur la table de la cuisine. La maison était complètement silencieuse.

Les enfants avaient pleuré, même Jerry, pourtant si fier d'être un garçon et d'avoir trois ans de plus que sa sœur. Il devait penser qu'il avait fait quelque chose de mal, que sa mère était en colère parce qu'il ne rangeait jamais rien, ou alors son père, parce qu'il taquinait Emma... Alors qu'il ne le faisait presque plus jamais !

— Je vais vous téléphoner tous les jours, avait-elle juré.

Elle avait multiplié les promesses, expliqué la situation autant qu'elle le pouvait, avait choisi les mots les plus adaptés, les avait assurés de son amour ; elle avait répété l'excuse absurde de la maladie de Granny, leur avait parlé longuement pour les rassurer, et, enfin, ils s'étaient endormis.

Maintenant, ils étaient partis. « Je devrais peut-être les kidnapper, pensa-t-elle. Je pourrais vendre la maison ; elle est à mon nom. Je pourrais me servir du peu d'argent que papa m'a laissé, et Francine m'aiderait sûrement, et mes frères n'hésiteraient pas, si j'en avais besoin. Je prendrais mes enfants, je quitterais le pays pour me réfugier le plus loin possible : en Australie, en Sibérie, n'importe où du moment que je pourrais me cacher là-bas et y vivre. »

Mais ça n'avait pas de sens. Les enfants seraient terrorisés, et de toute façon, ça ne marcherait pas. Gerald se débrouillerait pour les récupérer, et il serait tellement furieux qu'il révélerait toute l'histoire.

Un incendie criminel. Un homme est mort.

Aussi brusquement qu'il était tombé dans les thermomètres, le mercure remonta, marquant le début du dégel de janvier qui amollit la neige dure et blanche. Obéissant à une impulsion, Hyacinthe avait commencé à peindre une scène de neige, mais après plusieurs tentatives échouées, elle avait reposé ses pinceaux. Elle n'avait pas le cœur à peindre.

En fait, elle n'avait pas le cœur à faire grand-chose. Son cœur… cet organe qui envoyait le sang dans ses veines, comme une pompe, et qui parfois, quand elle paniquait, battait à tout rompre. Il devenait clair qu'il allait falloir qu'elle « se secoue ». C'était le premier conseil que lui aurait donné n'importe quelle personne un peu sensée, si du moins elle avait demandé des avis extérieurs. Francine, qui essayait de contrôler sa propre panique – ah ! pauvre Francine, elle lui en faisait voir de toutes les couleurs –, Francine, donc, voulait à tout prix qu'elle « se secoue ». Moira, à sa manière discrète, sur la pointe des pieds, avait émis le même avis. Même Arnie, au téléphone, lui demandait chaque fois avec tout le tact possible ce qu'elle comptait faire.

Pour l'instant, elle travaillait à la robe qu'elle avait promise à l'employée de chez R.J. Miller. La semaine précédente, la responsable du rayon enfants lui avait demandé si elle n'accepterait pas d'en refaire une demi-douzaine pour de bons clients, et elle avait dit oui. Pourquoi pas ? À présent, c'était devenu un travail répétitif, quasi automatique, qui ne lui demandait aucune concentration.

Un jour, Will Miller vint la voir. Il l'avait prise au dépourvu au téléphone en demandant s'il pouvait passer. Elle n'avait pas pu refuser. Après tout, il l'avait invitée à dîner, et, puisqu'elle avait accepté, ne lui devait-elle pas de lui rendre la politesse ? C'était inévitable, une question de bonnes manières.

En théorie, elle aurait dû se réjouir de passer un moment en agréable compagnie, mais, vu les circonstances, il lui compliquait trop la vie. Après cette visite, elle se débarrasserait de lui. Malgré tout, elle s'étonna de l'énergie qu'elle tira de ses préparatifs. Elle voulut décorer joliment la table du déjeuner afin de le recevoir dans une maison impeccable ; elle avait sa fierté. Elle acheta des jonquilles, des darnes de saumon, et de quoi composer une salade. Elle repassa les sets de table de lin qu'elle n'avait pas utilisés depuis le déjeuner de l'association parents-professeurs. Elle vérifia qu'aucun signe de l'existence d'Emma et de Jerry ne restait visible ; il n'y avait aucune raison de livrer sa vie privée à cet étranger ni de lui révéler la torture qu'elle endurait.

Mais quand il apparut à la porte, il ne se conduisit pas en étranger.

— Vous remarquez quelque chose de différent ? demanda-t-il en se désignant.

— Vous ne portez plus vos lunettes.

— Exact. Dorénavant, je ne mettrai plus que des lentilles. En fait, je portais mes lunettes parce que tout le monde me conseillait de me vieillir. Mais, maintenant que j'ai passé trente ans, il faut que je me rajeunisse. Quelle belle maison ! Elle vous ressemble. Je l'imaginais un peu comme ça, avec des couleurs de campagne, des verts tendres, et tous ces livres... Tiens ! Vous cousez encore une robe.

Dans le salon où ils venaient d'entrer, elle avait laissé son panier à ouvrage ouvert près d'un fauteuil. L'avait-elle fait exprès ? Elle n'en était pas certaine ; elle avait juste senti filtrer l'ébauche d'une pensée quand elle avait fermé le panier puis relevé le couvercle.

— Sally Dodd m'a dit qu'elle était enchantée par la robe que vous lui avez faite. Maintenant, on vous en a commandé d'autres, paraît-il.

— Oui, mais ce sera mes dernières. Ce que j'aime, c'est la peinture. Il faut que je m'y remette.

— Vous m'aviez promis de me montrer ce que vous peignez, vous vous souvenez ?

— Oui. Après le déjeuner, si vous voulez. J'espère que vous avez faim.

— Et moi, j'espère que vous ne vous êtes pas donné trop de mal.

Les gens qui vivaient à fond, qui semblaient toujours à court de temps pour lire, écouter, voir ou apprendre des choses nouvelles, avaient beaucoup de choses à dire. Ainsi, une fois les premières banalités échangées, la conversation roula toute seule. Hyacinthe participa avec des sujets rangés au grenier de son esprit ; des pensées un peu vieilles puisque, depuis un moment, elle n'avait plus rien engrangé de neuf. Évidemment, Will ne s'en doutait pas, et à en croire le vif intérêt qui se lisait dans son regard, il passait un bon moment.

Pourtant, après quelque temps, elle se rendit compte – grâce au fameux sixième sens – qu'il était nerveux. Nerveux, ce n'était pas le mot. Tendu, peut-être ? mal à l'aise ? Non, ce n'était pas ça non plus, pas du tout. Il se montrait aussi disert que lors de leurs deux premières rencontres, mais moins désinvolte, plus pressé en fait. Oui, plus pressé, exactement, comme s'il voulait en finir avec certains préliminaires oiseux pour en arriver au vif du sujet.

Pendant qu'ils terminaient par la tarte aux pommes maison, il s'interrompit et lui demanda presque en s'excusant des nouvelles du divorce. Peut-être était-ce justement le sujet qu'il avait attendu d'aborder.

— Alors, pensez-vous que vos ennuis vont bientôt prendre fin ?

— La loi avance avec la lenteur des icebergs, centimètre par centimètre.

— Mais plus péniblement, j'imagine. Je n'en ai pas l'expérience personnelle, bien sûr, mais je m'en suis approché. Je peux aussi bien vous le dire, puisque nous allons nous voir davantage : j'ai eu une liaison avec une femme mariée. Elle était en instance de divorce. C'était une épreuve terrible pour elle. Ils vivaient encore sous le même toit et se disputaient sans cesse. Je tiens à préciser que je n'étais pas la cause du divorce. Le mari ne connaissait même pas mon existence. Quand je dis que je n'en étais pas la cause, je veux dire pas légalement, mais j'ai eu peur d'en être en partie responsable, sur un plan moral, affectif. Alors je suis parti, non sans mal, je dois dire.

Pourquoi lui confiait-il tout cela ?

— Au fond, je savais que le mieux pour eux était qu'ils restent ensemble. On m'avait dit certaines choses, que j'avais déjà senties moi-même, et qui indiquaient qu'ils pourraient se réconcilier s'ils s'en donnaient la peine. Je trouve que les gens prennent le divorce beaucoup trop à la légère, surtout quand il y a des enfants.

Il attendit les commentaires de Hyacinthe, mais elle fut incapable de rien dire.

— Je n'essaie pas de prétendre que je suis un saint. Je ne voudrais surtout pas jouer les candides. Je ne suis ni innocent ni à cheval sur les convenances, mais cela ne m'empêche pas d'avoir certains sentiments, qui m'ont montré la bonne voie, d'ailleurs, parce que – il sourit – ils se sont retrouvés. Ils ont même eu un autre enfant.

Profondément touchée, Hyacinthe répondit, tout en espérant que ses yeux ne se rempliraient pas de larmes :

— Je comprends très bien ce que vous avez ressenti, mais je suis loin d'être dans la même situation. Nous ne nous réconcilierons jamais, c'est impossible.

Pourquoi avait-elle affirmé cela avec tant de force ? Il aurait mieux valu lui faire croire le contraire, ainsi il ne serait jamais revenu.

— Alors, ce doit sûrement être plus facile pour vous. D'autant que vous n'avez pas d'enfants.

Pourquoi ne réagissait-elle pas ? Elle poussait sans faim sa part de tarte dans son assiette, silencieuse. Il aurait été plus honnête de dire la vérité. Mais alors, comme n'importe qui, il aurait naturellement demandé des explications. Car n'était-il pas très, très étrange que, au cours de deux conversations assez longues, une femme ne fasse pas une seule fois allusion à ses enfants, n'en dise même pas un mot en passant ?

Il fallait lui répondre quelque chose mais sans opérer de diversion trop abrupte... plutôt trouver une transition subtile.

— Oui, j'espère que ce sera vite réglé. Mais qui sait ce qui peut arriver ? En attendant, je me concentre sur ma peinture. J'ai peur d'être grandiloquente, mais ce n'est pas facile d'exprimer ce qu'on ressent sans utiliser de grands mots. En fait, la peinture, c'est ce qu'il y a de plus important dans ma vie. Ça vous semble vaniteux de dire ça ?

— Non, pas du tout. Vous ne croyez pas que Zuckerman dirait cela du violon ? J'apprécie beaucoup votre enthousiasme. Et si vous me montriez vos œuvres ?

Ils montèrent à l'atelier. Reprenant une idée de la maison de son enfance, elle avait accroché des photos dans l'escalier, même si, jusqu'à présent, il n'y en avait encore que deux, celles de Jim et de Francine. Will s'arrêta pour les regarder. Rien ne lui échappait. « Il est curieux des autres, comme moi, pensa-t-elle. »

— Vous ressemblez à votre père, remarqua-t-il. Ce devait être un homme calme, non ? Doux et sérieux, comme vous...

Du haut de l'escalier, une lumière vive tombait dans le hall, et, gênée par le regard qui la détaillait, elle s'empressa de rompre le silence par les premiers mots qui lui passaient par la tête.

— Moi, je ne sais pas, mais lui, en effet, il était plutôt tranquille. Ma mère est différente. C'est la beauté de la famille, comme vous pouvez le constater.

— La beauté de la famille ? Pas la seule, en tout cas. Non, pas du tout. Si on me demandait mon avis, je dirais plutôt que c'est vous. Le visage de cette photo est très beau, il est parfaitement symétrique, mais votre visage à vous est plus intéressant. Il a plus de caractère. On a envie de regarder les yeux splendides, peut-être un peu grands pour le visage, et la bouche magnifique… Le menton est peut-être légèrement volontaire, mais cela rend l'ensemble charmant. Oui, on a envie de vous regarder.

Flattée, surprise et un peu embarrassée par ce jugement inhabituel, elle murmura un remerciement et l'emmena voir ses peintures. Si les compliments sur sa beauté l'intimidaient, elle attendait avec impatience et sans fausse modestie ses commentaires sur son travail. Ainsi donc, laissant ses tableaux parler par eux-mêmes, elle attendit en silence pendant que Will faisait lentement le tour de l'atelier.

Il s'arrêta devant les portraits, ceux qu'elle préférait de ses débuts : Jim dans une chaise longue et Francine en robe du soir blanche. Il regarda attentivement son préféré de l'année précédente qui représentait le petit garçon trop gros de Moira, auquel elle était parvenue à donner l'air plus mince par un habile jeu de lumière. Ensuite, il passa aux paysages : deux d'une barque sur un lac sombre, et les scènes de neige par beau et par mauvais temps. Lentement, concentré, il s'arrêtait devant chacun d'eux, penchant la tête, prenant du recul pour mieux voir. Il n'était pas comme ses autres visiteurs qui, ne s'intéressant pas à l'art, se contentaient de faire poliment les compliments de rigueur à l'artiste. Plus le temps passait, plus Hyacinthe sentait monter l'impatience d'entendre sa réaction.

La dernière toile était l'une de ses meilleures, une nature morte représentant une brassée de carottes et de soucis dans un panier de jardinier. Les oranges et les jaunes, certains harmonieux, d'autres discordants, rappelaient la manière dont Matisse traitait les couleurs, aimait-elle à penser. C'était audacieux. En juxtaposant les teintes, on avait peur que ça ne fonctionne pas, mais c'était tout le contraire.

— Quelqu'un a voulu l'acheter à une exposition en ville, une soirée de soutien à une œuvre de bienfaisance, mais je n'ai pas voulu m'en séparer, rapporta-t-elle en cachant sa fierté.

— Vous en avez vendu beaucoup ?

— À peu près une douzaine.

De mémoire, elle fit le compte de ses ventes. Arnie en avait acheté deux.

— J'ai surtout vendu à des connaissances. Je n'ai pas encore beaucoup montré mon travail... Mais je compte bien exposer. C'est ma passion.

Voyant qu'il ne commentait pas, elle s'étonna. Il s'était tourné une nouvelle fois vers les carottes et les soucis et – comme c'était étrange ! – elle lui trouva l'air triste.

Au bout d'un moment, il lui posa une question.

— Vous allez souvent voir de la peinture ? Vous m'avez dit que vous aviez travaillé dans un musée.

— Pas depuis un certain temps, mais j'en ai visité beaucoup, et d'excellents. C'est mon grand fantasme d'entrer un jour quelque part et de trouver une de mes toiles exposée.

— Au Metropolitan ou au Louvre ?

Hyacinthe le fixa avec stupéfaction. Était-il sérieux ?

— Non, bien sûr, pas vraiment. C'est très rare qu'un peintre ait cet honneur. Il faut être un génie.

— Alors, où voyez-vous vos œuvres ?

— Dans des galeries, là où les collectionneurs vont acheter des toiles valables. À Madison Avenue, à New York, par exemple, ou sur la rive gauche, à Paris.

— Un projet bien ambitieux, remarqua Will en secouant la tête d'un air dubitatif.

— C'est-à-dire ? Vous ne m'en pensez pas capable ?

— Je voulais dire seulement que... comme dans tous les domaines... il n'est parfois pas raisonnable de viser trop haut... Trop haut, répéta-t-il après une hésitation, puis il sourit.

Bizarre. Soudain, elle se rendait compte qu'il n'avait exprimé aucune admiration, n'avait fait aucune louange pendant sa lente tournée dans la pièce. Cela n'était jamais arrivé.

Elle prit le taureau par les cornes.

— Vous n'aimez pas ce que je peins. Dites-moi la vérité, ça m'est égal.

Il hésita un moment avant de répondre qu'il était loin d'être un critique d'art, et se contentait d'apprécier la peinture et de lire beaucoup sur le sujet sans, encore une fois, être expert...

La dérobade l'irrita et l'inquiéta. Elle avait l'impression de commencer à le connaître suffisamment pour le savoir honnête, et elle exigea toute la vérité.

— Will, s'il vous plaît, dites-moi ce que vous pensez, je sais que vous essayez de me le cacher.

— Bien, mais ça ne va pas vous plaire. Si je vous le dis, c'est parce que je vous aime beaucoup, Hyacinthe. Alors voilà : je ne sais pas si c'est l'argent que vous recherchez, ou la gloire, ou les deux, mais ce que je vois là ne vous apportera ni l'un ni l'autre.

Ce jugement la frappa de stupeur.

— Vous l'avez tellement souhaité que vous vous êtes bercée d'illusions, ou qu'on vous a trompée. Il n'y a rien de nouveau dans ce que je vois là. Vous vous inspirez trop des autres.

Comment osait-il ! Il lui faisait face effrontément, sûr de lui. Sans aucune pitié, il lui assénait des cruautés.

— Il est vrai que beaucoup d'artistes subissent des influences, reprit-il. Des impressionnistes tout neufs, on en trouve à la pelle, Dieu sait. Mais ceux qui réussissent ont quand même quelque chose. C'est difficile à définir, mais on reconnaît cette qualité en la voyant. C'est la même différence qu'entre un amateur qui arrive à déchiffrer un nocturne de Mozart et le pianiste qui joue le même morceau en concert.

Elle était anéantie. Si elle avait pu le jeter dehors, elle l'aurait fait tout de suite.

— Vous avez essayé tous les styles, poursuivit-il, depuis les garçons de ferme aux pieds nus à la Norman Rockwell jusqu'aux couchers de soleil diffus sur Londres à la Turner. Vous peignez très bien, mais ça ne suffit pas. Vous…

Il s'interrompit soudain, comme s'il réalisait d'un coup ce qu'il était en train de faire.

— Je suis navré, Hyacinthe ! Je ne voulais pas vous faire de peine, juste vous aider. Je vous connais depuis peu de temps, et j'ai vu que vous n'étiez pas heureuse, que vous viviez plus mal ce qui vous arrive que vous ne vouliez l'admettre. C'est pourquoi je veux vous éviter de perdre votre énergie et de placer vos espoirs dans une voie qui ne vous mènera à rien. Je ne vous parlerais pas de cette façon si je ne comprenais pas ce que signifie pour vous ce que je vois dans cet atelier… Ces toiles représentent des années de travail. Nous nous voyons aujourd'hui pour la troisième fois, et à chaque fois vous avez parlé avec passion de votre peinture. Voilà pourquoi je m'exprime, moi aussi, avec passion. Je ne voudrais surtout, surtout pas vous faire de mal, Hyacinthe.

— Alors, que me conseillez-vous ? De tout jeter à la poubelle, ou d'y mettre le feu ? C'est ça que vous me conseillez ?

— Gardez-les pour vos futurs enfants et petits-enfants. Peignez en amateur. Ou vous pourrez probablement caser ce genre d'œuvres dans certains grands magasins au rayon art. Beaucoup de gens achètent des tableaux assortis à leur décoration intérieure.

Amère, humiliée et furieuse contre Will, même si c'était à sa demande qu'il lui donnait son opinion, elle ne put pourtant s'empêcher de penser à Arnie qui lui avait si généreusement donné de l'argent pour des tableaux de la couleur de ses fauteuils. Lui, au moins, avait du cœur…

Will n'aurait pas dû insister autant. On aurait dit qu'il prenait plaisir à être dur. Oui, elle était furieuse.

Quand il s'approcha pour lui toucher le bras, elle s'écarta. Puis ce fut lui qui s'éloigna. Il alla jusqu'au bout de la pièce et revint en se lamentant.

— Je mérite de me faire battre. Quel gâchis ! C'est mon tort de toujours dire ce que je pense sans songer aux conséquences. Jamais je n'apprendrai à être plus prudent ! Je le répète, je croyais bien faire. Vous vous en doutez, Hyacinthe. Au fond de vous, vous devez le savoir. Pourquoi aurais-je voulu vous causer une telle peine ? Pourquoi ? Écoutez-moi. Si vous voulez réussir dans une carrière, et je ne sais même pas si vous en aurez envie après votre divorce, vous en avez une à portée de main, littéralement à portée de main. Vous avez vu comme votre robe a été admirée ! Il faut que vous alliez…

— La robe aussi était une copie, rétorqua-t-elle.

— Avec les vêtements, ce n'est pas grave. Tout le monde copie. On copie même des copies. Des saris, des fichus en dentelle du XVIIIe, répondit Will sur le même ton. Il faut que vous alliez dans une école de stylisme pour apprendre à couper et à ajuster. Le sens de la couleur, vous l'avez déjà en vous, c'est flagrant.

— Rien de plus facile ! Vous êtes sûr que je ne devrais pas plutôt me mettre à la danse classique ?

Will lui lança un sourire contrit.

— D'accord, j'ai mérité vos railleries. Mais quand vous prendrez le temps d'y réfléchir, j'espère que vous me pardonnerez mon manque de tact.

— C'est très joli de parler d'école de stylisme, dit-elle soudain, mais même si ça me tentait, ce qui n'est pas le cas, ce serait trop tard.

— Bien sûr que non. Même à soixante ans, ce serait encore possible. Il n'est jamais trop tard.

— Redescendons, dit-elle en se dirigeant vers l'escalier.

Will qui la suivait lui posa une question.

— Qui vous a appris à coudre ?

— Ma grand-mère.

— Elle vous a donné une bonne formation. Sally Dodd dit que vous avez des doigts de fée.

— C'est drôle, ma grand-mère disait la même chose.

— Eh bien, elles ont raison toutes les deux.

Dans le hall, Will hésita comme s'il attendait qu'elle l'invite à entrer dans le salon.

En général, quand on déjeune chez les gens, on ne part pas un quart d'heure après le repas. Hyacinthe savait très bien ce qu'il voulait, mais elle n'avait aucune intention de le satisfaire.

— Je suis ravie que vous soyez venu, dit-elle poliment en se tournant vers la porte d'entrée.

— Hyacinthe, je sais que vous êtes en colère. Je comprends, mais écoutez-moi encore un peu. Je voudrais vous voir faire quelque chose de votre vie. Apprenez le stylisme. N'attendez pas.

— Non, c'est vous qui allez m'écouter. Cette robe, je l'ai réussie par hasard. Ça ne veut rien dire du tout. Je ne vaux rien, je n'ai pas d'idées.

— Des idées, vous en aurez, comme vous en avez eu pour vos peintures. Vous savez déjà dessiner. Mettez dans le tissu ce que vous mettiez sur la toile, et je vous prédis que vous changerez de vie.

— Changer de vie..., répéta-t-elle sans essayer de camoufler son amertume.

— Oui. Vous ne m'avez pas beaucoup parlé de vos ennuis, mais il est clair que quelque chose vous fait très, très mal. (Il regarda autour de lui.) Cette maison... Vivre ici seule, ce doit être comme d'habiter dans une tombe. Il faut que vous laissiez tout cela derrière vous et que vous repartiez de zéro.

Elle ne parvint pas à lui répondre. Il lui avait ôté sa seule force, lui avait sapé son peu de confiance en elle, volé le seul but qui lui restait dans l'existence.

— Êtes-vous trop en colère contre moi pour me serrer la main ?

Lui tendant la main, elle dit simplement :

— Je vais oublier tout ce que vous venez de me dire, et je vais me remettre tout de suite au travail.

Will dut décider de ne pas relever car il répondit simplement :

— Merci pour le déjeuner. Votre tarte aux pommes est excellente. Je vais partir assez longtemps en voyage d'affaires en Europe, mais je vous appellerai à mon retour.

— Bon voyage, dit-elle avant de refermer la porte.

Elle ne le regarda pas descendre l'allée, comme elle l'avait fait la fois précédente. S'il pensait vraiment la revoir, il se trompait beaucoup. Son sang bourdonnait, battait contre ses tympans. Quand cela arrivait, lui avait-on dit, cela voulait dire qu'on entendait son cœur. Rien d'étonnant.

Elle courut dans l'escalier pour aller revoir le travail qui venait d'être condamné si sévèrement. Toutes les heures passées les pinceaux à la main, le plaisir, les espoirs qui avaient accompagné la création de ces œuvres si charmantes ! Comment pouvait-il, cet inconnu qui ne faisait que passer dans sa vie, venir chez elle et tout anéantir d'un seul coup ? Partout où elle avait vécu, elle avait été « l'artiste », on l'avait connue comme telle et respectée. Même... même Gerald avait au moins reconnu ses capacités. Hyacinthe, l'artiste.

C'était trop dur à supporter. Elle avait l'impression d'avoir été frappée à grands coups alors qu'elle était déjà à terre. Et Will Miller savait qu'elle était fragile. Ne l'avait-il pas dit ?

Le battement persistait dans ses oreilles. « Et si je tombais malade, seule dans cette maison, si je mourais ici… ? C'est possible, même des gens jeunes et en bonne santé peuvent s'effondrer d'un coup s'ils souffrent trop… Si cela arrivait, je ne reverrais jamais mes enfants. »

Du fond de sa gorge sortit un bruit terrible, déchirant, le hurlement d'une femme mise à mal par une armée d'invasion. Elle avait perdu toute raison, toute mesure, quand elle courut au téléphone et composa le numéro de Gerald.

— Toi ! cria-t-elle dès qu'elle entendit sa voix. Toi ! Est-ce que tu sais ce que tu me fais ? J'en ai assez. Je veux mes enfants. C'est moi qui les ai mis au monde. Ils sont bien plus à moi qu'ils ne seront jamais à toi. C'est mal ce que tu fais. Tu es un monstre sans cœur. Tu es froid. Froid. Est-ce que tu sais à quel point je te méprise ? Je te hais. Je préférerais tenir un serpent venimeux dans la main plutôt que de poser un seul doigt sur toi. Comment peux-tu te regarder dans la glace sans dégoût ? Comment peux-tu justifier ce que tu as fait ?

— Tout ce que j'ai à dire, c'est que tu es encore hystérique.

Calme, il restait si calme… Toujours pareil à une publicité pour produit de luxe ; du mobilier, cette fois ? Le bureau serait en acajou, une antiquité bien cirée, et tous ses accessoires disposés sur le plateau avec un soin maniaque.

Elle baissa le ton.

— Je ne suis pas hystérique. Je te demande simplement pourquoi tu me fais subir ça. Qu'est-ce que je t'ai fait pour mériter que tu m'enlèves mes enfants ?

— Tu sais très bien que tu peux les voir, Hyacinthe. Tu en auras la preuve écrite avant la fin du mois. Il te suffit de me prévenir suffisamment à l'avance, et…

— Et tu partiras avec eux, tu me mèneras en bateau comme la dernière fois, à Thanksgiving.

— Mais pas du tout. C'était un malentendu.

— Un malentendu bien orchestré.

— Si ça te fait plaisir de penser ça, libre à toi.

Aussi clairement que s'il avait été assis face à elle, elle vit le haussement d'épaules indifférent.

— Franchement, Hyacinthe, tu n'as pas de quoi te plaindre. Tu dois déjà avoir lu des articles sur les couples originaires de pays différents ; quand ils se séparent, ils ne peuvent même pas obtenir la permission de faire venir leurs enfants en visite.

— Mes enfants ne sont même plus à moi. Ils sont à toi. C'est toi qui prends les décisions, qui décrètes quand je les verrai, qui choisis leur école, ce qu'ils mangent, leurs vêtements. Tu les vois grandir jour après jour alors que moi… (sa voix se brisa dans un sanglot)… moi je ne leur rends que de rares visites, ou je les reçois comme des invités, avec des cadeaux. Moi, leur mère ! Leur mère !

— La situation est triste, répondit-il tranquillement. Très triste. Mais ce n'est pas moi qui en suis la cause. Tu devrais reconnaître tes responsabilités.

— Je les connais, mes responsabilités, et je sais que c'était un accident, une cigarette mal éteinte. J'ai été négligente, mais rien de plus, et tu le sais très bien.

— Au contraire. Était-ce par accident que tu as vandalisé deux bureaux ? Je ne suis pas le seul qui ait vu le carnage, les ordinateurs par terre, les téléphones… Non, et je ne suis pas le seul à être au courant pour Sandy. Tu m'as dit toi-même, si tu veux bien te le rappeler, Hyacinthe, que ma prétendue liaison à fait le bonheur des pipelettes du quartier. Ici, dans la ville d'à côté, un type s'est fait arrêter parce qu'on avait découvert des preuves contre lui après cinq ou six ans. Oh, il a obtenu un petite remise de peine pour bonne conduite. Et par-dessus le marché… (à ces mots, Hyacinthe cru voir les sourcils de Gerald se lever et son regard se fixer sur elle)… et par-dessus le marché, il n'y avait eu ni blessés ni morts dans cette affaire. Tu vois que tu n'as pas à te plaindre. Tu es plutôt bien lotie, et tu le serais encore mieux si tu déposais mes chèques à la banque et si tu t'en servais.

— Ne gâche pas tes timbres, Gerald. Je n'utiliserai pas un centime de cet argent. Quand je pense que tant de gens merveilleux meurent tous les jours, je me demande pourquoi tu es toujours sur terre.

— Merci. C'est tout ? Je suis occupé, tu sais. Tu n'as peut-être rien à faire, mais moi si.

Quand il eut raccroché, Hyacinthe resta l'appareil dans la main. *Rien à faire*. Les mots se répétèrent dans sa tête, formant un pénible refrain. « Je ne fais rien. J'entre dans mon atelier, je prend un pinceau, et j'attends l'inspiration qui ne vient pas. Que vais-je devenir ? Je vais me transformer en coquille, en coquille vide. »

Par une des premières vraiment belles journées de début du printemps, Granny eut une attaque. Sans avertissement ni douleur, elle ferma les yeux. Comme elle aurait été la première à le reconnaître, sa mort ne causa pas le chagrin intense qu'avait déclenché la disparition de Jim. Pendant les longues prières du service funèbre, l'esprit de Hyacinthe se mit à vagabonder, formant un vague parallèle entre la vie de sa grand-mère et la sienne.

Les uns après les autres, quelques amis se levèrent devant l'assemblée pour prononcer quelques mots. Il y eut un très vieil homme qui avait été maître de cérémonie au mariage de Granny ; deux cousins éloignés de l'Ohio ; une jeune voisine. Tous parlèrent bien, avec une émotion sincère, et en les écoutant, Hyacinthe sentit les souvenirs déferler ; les images, les bruits et les odeurs de Granny et de sa maison lui revenaient : les aiguilles à tricoter dans le panier, les pommes en train de cuire sur la cuisinière, son parfum de muguet, et la fois où elle s'était plainte à la SPA parce qu'un chien avait été laissé dehors dans le froid.

Le vieil homme rappela des anecdotes dont Hyacinthe n'avait jamais entendu parler.

— Elle avait pris des pensionnaires pendant la Dépression. Elle leur préparait à manger, elle lavait leurs vêtements et frottait les planchers ; elle n'avait jamais fait ce genre de travail et n'en avait pas besoin, mais elle a appris toute seule et s'est rendue utile.

» Lorsque la guerre a éclaté et que la crise s'est achevée, elle a aidé son mari à remettre son entreprise sur pied. Quand il est mort d'un cancer, elle a pris l'affaire en main, ce qui lui a permis de mettre de l'argent de côté pour ses vieux jours. Elle a perdu deux fils, l'un pendant la guerre, une autre guerre, et l'autre il y a peu de temps, votre père, Hyacinthe, et votre époux, Francine. Et pendant toutes ces épreuves, elle a gardé la tête haute. Elle n'a jamais oublié comment rire. Elle a gardé son amour de la vie, et elle a continué, bravement.

À la fin du service, Hyacinthe ne resta pas pour échanger paroles de réconfort et souvenirs avec ceux, nombreux, qui se rassemblaient. Broyant du noir, elle rentra tout de suite chez elle et resta la moitié de la nuit éveillée à tourner de sombres pensées dans sa tête.

Quelques jours plus tard, elle laissa un message sur le répondeur de Francine.

— Je pars à New York pour affaires. J'ai besoin de temps pour réfléchir. Ne t'inquiète pas, je vais bien. Je reviens bientôt.

Puis elle tourna la clé dans la serrure et partit prendre le train.

Dans la chambre de son hôtel de New York, elle fit la liste des musées, vingt en tout, où elle avait décidé d'aller étudier toutes les toiles les unes après les autres, quel que soit le temps que cela lui prendrait. Ce serait un voyage fascinant, de la Renaissance italienne aux paysagistes du XIXe siècle, puis l'impressionnisme, le fauvisme, l'expressionnisme, le modernisme, le postmodernisme, et le reste. Au bout du compte, même si elle en avait trop vu, la vérité finirait bien par se faire en elle, et elle trouverait la réponse à sa grande question : « Ai-je du talent ou pas ? »

Son expédition dura cinq jours. Plus tard, elle devait se souvenir de quelques moments particulièrement émouvants, qui, rétrospectivement, avaient dû influencer sa décision. Elle avait eu un coup au cœur devant le portrait contemporain d'une petite fille couchée sur les genoux de sa mère. « C'est Emma ! avait-elle pensé, c'est exactement son expression le jour où je lui ai offert la robe avec les roses. La joie rayonnait sur son visage, et l'artiste a réussi à tout faire passer, le souffle d'une jeune vie, qui, s'il est un bonheur à observer, nous attriste aussi par sa touchante innocence.

« Comment ai-je pu me faire tant d'illusions sur mon propre compte ? Will Miller avait raison. Mon travail n'a jamais ému personne aux larmes, ni n'a donné de joie. Je sais peindre, mais je n'ai pas ce don indéfinissable. »

Puis il y eut une conversation au musée d'Art moderne. Devant les *Nymphéas* de Monet, une jeune femme lui avait dit :

— Ça fait quelque chose, non ? Dès que j'ai un peu de temps en sortant du travail, je vais regarder de la peinture. Grâce aux artistes, on se sent mieux, surtout quand on a des soucis.

— Oui, c'est vrai.

— On ne sait pas trop comment ils font. Qu'ont-elles de spécial, ces fleurs ? Tout le monde peint des fleurs, même sur les cartes de vœux, alors, quelle est la différence ?

À Giverny, où les *Nymphéas* avaient vu le jour, elle avait passé un après-midi enchanteur. Elle avait été si heureuse ! Mais Gerald, de mauvaise humeur, l'avait obligée à se presser pour en finir plus vite.

Elle resta devant le tableau longtemps après que la foule des visiteurs se fut clairsemée, revivant cette journée, des quantités de pensées en tête. Les gens qui l'aimaient l'avaient trompée sur ses capacités, par amour, parce qu'ils étaient fiers d'elle ; et elle avait cultivé ses illusions toute seule, voulant imaginer son travail meilleur qu'il ne l'était.

Will Miller aurait été surpris s'il avait su – il n'en aurait pourtant jamais l'occasion – qu'elle s'apprêtait à suivre ses conseils. On lui avait acheté ses robes un prix faramineux ! La couture n'était certes pas ce qu'elle avait espéré faire de sa vie, mais combien de gens sur terre arrivaient à réaliser leurs rêves ? Et cette fois, ce n'était pas un château en Espagne. Le projet était réaliste.

Le sixième jour, elle fut prête à passer à l'acte. S'étant documentée grâce à des brochures, elle arrêta son choix, monta dans un taxi, et, sans se donner le temps de changer d'avis, s'inscrivit dans une très bonne école de stylisme.

— Tu me donnes l'impression d'être une adolescente en révolte qui a fugué, protesta-t-elle à son retour.

— Ça n'a rien à voir avec l'âge, explosa Francine. C'est normal que je me fâche. Tu pars comme ça, en laissant juste un message qui dit que tu as « besoin de temps pour réfléchir » ! Je me suis fait des soucis épouvantables. J'avais peur que tu te…

— Que je me suicide ? Mais non, pas du tout. Tu aurais dû être contente pour moi, au contraire. Tu m'as répété je ne sais combien de fois que je devrais un peu mieux occuper mon temps, et tu avais raison. À partir de maintenant, c'est ce que je vais faire.

Francine ne s'apaisa pas si facilement.

— Tu as même inquiété ton ami que voici. Arnie m'a appelée après t'avoir téléphoné pendant trois jours d'affilée sans obtenir de réponse. Tu peux le remercier.

Arnie, carré dans le grand fauteuil qui avait été celui de Gerald, fit un geste de la main pour l'arrêter.

— Ta mère et moi, nous avions les mêmes craintes. On peut bien te dire la vérité. J'avais peur à cause des gosses. J'ai pensé… que tu pouvais te faire du mal…

C'est pour ça que je suis venu. Je n'ai rien dit à personne, sauf que j'allais à New York pour affaires.

— Je suis désolée de vous avoir tous inquiétés, mais vous n'avez pas besoin d'avoir peur. Ça n'arrivera jamais. Je ne causerai pas une telle douleur à mes enfants. Je suppose qu'ils vont bien, tu me l'aurais dit, Arnie, s'il y avait un problème… ?

— Oh oui, ils vont bien. Je les vois deux ou trois fois par semaine. Nous allons au même club de natation. Ils apprennent à nager. Si tu voyais Emma…

Gêné, il s'interrompit.

— C'est vrai, nous voudrions la voir, remarqua Francine.

Un lourd silence suivit. Francine et Arnie fixaient Hyacinthe qui avait tourné les yeux vers le sol. Sans relever la tête, elle sentait leur regard, comme s'ils la touchaient avec des mains chaudes.

Francine brisa le silence d'un ton sévère :

— Je trouve que ton projet est un peu loufoque. Tu ne devrais pas plutôt te remettre à la restauration ? Tu adorais ça.

— Non. Je n'étais que débutante. Il faut des années pour apprendre le métier, et j'ai besoin d'argent.

— Arrête de dire des bêtises, Hyacinthe. Tu as vu la maison où vit Gerald. Désolée, Arnie, c'est votre associé, mais c'est mon ennemi, et franchement, je suis surprise – ne me croyez pas ingrate, je suis très reconnaissante pour toute votre gentillesse, mais je…

— Je ne prends pas parti, intervint Arnie fermement. Gerald le sait. Je suis neutre. Si je pouvais les aider à recoller les morceaux, j'aurais l'impression d'avoir fait du bon travail. Mais, pour l'instant, il n'y a aucun signe d'amélioration.

Hyacinthe regarda Arnie et Francine. « Je me sens loin d'eux, pensa-t-elle. Il y a un mur autour de moi. Ils voudraient que je laisse tomber le rempart pour m'atteindre, mais je n'y arrive pas. Quand ils parlent, leurs mots rebondissent sur cet obstacle et leur reviennent. »

— Et tu ne veux pas vendre tes toiles ? demanda Arnie. Ça fait longtemps que j'ai envie de t'en demander quelques-unes pour mon nouvel appartement. J'ai un séjour qui fait bien un kilomètre de long. Je pourrais en caser au moins sept ou huit, selon la taille. Je ne sais pas combien valent tes tableaux, mais je ne te demande pas de rabais. Ton prix sera le mien.

— Tu n'as qu'à aller en haut, prends ce que tu voudras, dit Hyacinthe gentiment. Ils ne valent pas grand-chose, probablement rien du tout. Ce sera ma modeste façon de te remercier.

Francine, très agitée, tapotait du pied avec irritation.

— Tu dis que tes peintures ne valent rien ? Et en couture, tu vaudras quoi ?

— Quelque chose, je l'espère.

— Simplement parce que tu as quelques espoirs, quelques idées, tu veux quitter ta maison, t'éloigner de moi et de tes amis, tout laisser tomber sans savoir où tu vas !

— Tu oublies que je l'ai déjà fait.

— Il n'y a aucune comparaison. Tu avais un…

— … un mari. Je sais. Eh bien, j'apprends à m'en passer.

— Tu n'auras pas à t'en passer longtemps, remarqua Arnie, pas une femme comme toi.

Leurs paroles, tels des balles ou des cailloux, se heurtaient au mur. Pourtant, Francine choisissait bien sa cible.

— Si tu vends cette maison, comment pourras-tu recevoir les enfants quand ils te rendront visite ?

— Je trouverai un appartement à New York.

— Renoncer à une maison comme celle-ci ! Moi, je ne veux pas vendre la mienne. Ton père voulait qu'elle reste dans la famille pour que nous puissions tous nous y retrouver. George vient passer une semaine cet été avec toute sa smala, et Tom pense se rendre dans l'Est deux ou trois fois par an pour ses affaires. Et puis, j'ai des amis partout, même en Angleterre, et ils aiment venir s'installer chez moi. Tu ferais une grosse bêtise en vendant cette maison.

— Je t'ai dit que j'avais besoin d'argent pour vivre à New York.

— Si je peux me permettre, je ne suis pas tout à fait d'accord avec vous, intervint Arnie. Hyacinthe aurait bien raison de vendre maintenant, c'est le moment. Le quartier perd de sa valeur. On élargit l'avenue, les entreprises viennent s'installer par ici, et dans deux ou trois ans, cette maison ne vaudra plus grand-chose.

— Bien, vous vous y connaissez mieux que moi, dit Francine sans beaucoup de conviction. N'en parlons plus. Ma fille a toujours été une tête de mule de toute façon, et je crois qu'elle a déjà pris sa décision.

L'horloge de l'entrée sonna un coup. C'était la grande horloge de Granny, et Hyacinthe pensa aussitôt : « Je l'emmène. Même si je dois tout laisser, elle, je la prends ; c'est mon porte-bonheur. »

Quand l'horloge sonna les trois coups suivants, Arnie se leva.

— Maintenant que je sais que tu vas bien, Hya, je vais partir. Je te rendrai visite à New York. J'y fais souvent des sauts pour mes affaires.

Ils se serrèrent la main, elle le remercia, reçut un petit baiser sur la joue, et le raccompagna à la porte.

— Inutile de te le répéter, mais ça se voit que ce garçon est complètement fou de toi, observa Francine.

— Je ne m'en rends pas du tout compte.

— Tu ne t'en rends peut-être pas compte, mais moi, si. Je l'aime bien. Il est direct et il n'a pas peur de regarder les gens en face. Évidemment, tu n'as pas envie d'y penser pour l'instant, mais plus tard, nous verrons.

— Je ne m'intéresse pas à lui, ni à personne d'autre.

— Un jour, ça reviendra. Tu as entendu ce qu'Arnie a dit.

— Je n'ai rien en commun avec lui.

— Je voulais seulement dire qu'il pouvait t'être utile. Et il est vraiment adorable avec Jerry et Emma depuis qu'ils sont en Floride.

— Oui, il est très gentil, et je lui en suis reconnaissante.

— Il est très intelligent. Tu ferais bien de suivre ses conseils.

— Je n'ai pas besoin de ses conseils. Je suis en train d'apprendre à ne dépendre de personne.

— Parfait… Tu as l'air fatiguée.

— Un peu.

— Va m'attendre dans la véranda, je vais faire du thé.

La comprenant, Hyacinthe lui obéit. Le sentiment maternel n'avait rien à voir avec l'âge. Granny, à quatre-vingts ans, avait dorloté son fils de cinquante-cinq ans.

— J'ai pensé à quelque chose, dit Francine en remuant son thé. Puisque tu as pris ta décision, tu devrais au moins garder tes beaux meubles. Prends ce dont tu auras besoin pour ton appartement, et place le reste au garde-meuble. Un jour, tu seras contente de les retrouver, conclut-elle avec optimisme.

« Non, jamais je n'en aurai besoin. Comment veut-elle que je rachète un jour une maison comme celle-ci ? »

— Tu n'es pas d'accord ? demanda Francine, car Hyacinthe ne répondait pas. De toute façon, tu n'as jamais tenu compte de mes conseils. Je devrais être habituée, depuis le temps, acheva-t-elle avec un soupir.

Elle avait le visage défait. Les rides verticales au-dessus de ses sourcils étaient si profondes qu'elles risquaient d'y rester gravées définitivement et de déparer ce visage exquis. « Elle vient de passer une année terrible, et j'y ai ma part de responsabilité », songea Hyacinthe. Avec un soudain élan de tristesse et de regret, elle tendit la main par-dessus la petite table pour la poser sur celle de sa mère.

— Je te demande pardon, murmura-t-elle. Nous ne sommes pas toujours d'accord, mais cela arrive très souvent entre les gens qui s'aiment, non ? Mais je vais t'écouter pour les meubles.

Des meubles… Comme c'était dérisoire par rapport au reste ! Elle aurait tout pu jeter sans le moindre regret, surtout les meubles, avec tout leur passé. Pourtant cela revêtait une grande importance pour Francine. Dans son amour pour sa fille, elle voyait cette précaution comme une sorte de garantie qu'un jour elle retrouverait une vie « normale ».

Les feuilles du rosier grimpant recommençaient à se développer sur la tonnelle. Que de constance ! Aux premiers flocons de neige dans le ciel gris, il portait toujours gravement un dernier petit bouton fripé. « Il va me manquer, pensa Hyacinthe. Je me sentais si bien, le jour où je l'ai planté ! Et nous étions si contents de notre nouvelle maison ! Non. J'étais la seule à être heureuse… »

Elle resta assise là, sa tasse à la main, tandis que la première abeille de la saison tournoyait en bourdonnant dans le soleil.

11

En traversant les salles de cours et les couloirs de l'école de stylisme, Hyacinthe pensait souvent aux gens qui reprenaient leurs études sur le tard. Même à soixante-dix ou quatre-vingts ans, lisait-on dans les journaux, certaines personnes finissaient par obtenir le diplôme universitaire dont elles avaient rêvé toute leur vie. Elle-même était encore jeune et pourtant, il y avait un fossé entre elle et les autres étudiants. Ils étaient si insouciants, si libres ! Elle les trouvait trop joyeux pour elle, trop appliqués, trop inconscients des dangers de la vie, trop touchants de jeunesse, trop… tout. *À côté d'eux, j'ai l'impression d'arriver de la planète Mars.*

Ce ne fut que vers la moitié du semestre qu'elle commença à s'apercevoir que les enseignants, contrairement aux étudiants, l'avaient remarquée. Sa surprise fut totale quand, alors qu'elle avait été si peu sûre d'elle en début d'année, un de ses croquis fut donné en exemple lors d'un cours de perfectionnement en dessin. Plus tard, l'enseignant lui avait même confié qu'elle n'avait aucun besoin de suivre ce cours.

Ce petit encouragement, pensa-t-elle par la suite, fut sans doute l'élément qui lui permit de garder le cap sans devenir complètement folle. Sa grande familiarité avec la couleur et les formes lui facilitait la tâche ; alors qu'elle ne s'était jamais beaucoup intéressée aux vêtements autrement que pour répondre à un désir naturel d'être jolie, il lui sembla tout simple de préparer son dossier de présentation de modèles. Ce n'était pas plus compliqué que de s'installer devant son chevalet. Très souvent, elle rapportait du travail à son appartement. Là, sur une table de bridge, elle étalait ses feuilles et s'entraînait à dessiner à l'encre.

Presque tous les week-ends, elle assistait à des cours supplémentaires, ce qui lui permettait d'occuper en entier sa semaine et de se préserver ainsi de la solitude qui menaçait parfois de l'engloutir comme une lame de fond.

Se sentir seul dans la foule, c'était devenu un cliché. Hyacinthe n'avait jamais vécu dans un endroit où le postier ne s'arrêtait pas pour bavarder une minute à la porte, où la caissière du supermarché était trop pressée pour échanger quelques mots. D'une certaine façon, cet anonymat la soulageait, mais il lui fit aussi vivre quelques moments difficiles. La diversité des gens dans la grande ville, et surtout dans son quartier à la limite de Chelsea, aurait dû en théorie lui permettre de rencontrer beaucoup de monde, cependant dans la pratique il n'en allait pas ainsi. Rien que dans son immeuble, il y avait un tel mélange qu'aucune cohésion n'était possible, et que les contacts se limitaient à des signes de tête amicaux. Elle n'avait rien de commun avec la comédienne en herbe de dix-neuf ans qui vivait en face de chez elle avec son petit ami, ni avec les travailleurs de l'atelier de confection qui ne parlaient pas anglais ; le vieux couple, locataire depuis soixante-cinq ans, appartenait, lui aussi, à un autre monde.

Sous sa fenêtre, la rue, comme la population, était en pleine mutation. Le passé persistait dans les immeubles de cinq étages, avec les draps aux fenêtres et les groupes de femmes qui s'installaient sur les marches des perrons pour bavarder tout en surveillant des hordes d'enfants. Mais le quartier se rénovait ; les façades des *« brownstones »* avaient été ravalées et éclaircies au point de laisser paraître dans leur granit brun de légères traces de rose ; les boutiques aux portes rutilantes avaient des poignées de cuivre bien polies, et des pancartes calligraphiées en caractères faussement anciens annonçaient des antiquités de l'époque victorienne, des restaurants thaïlandais, et des livres d'occasion. Sur toute cette diversité régnaient une agitation, une hâte que Hyacinthe n'avait jamais connues.

Après ses journées bien remplies, elle montait les quatre étages et refermait la porte de son petit deux pièces qui, selon les jours, lui semblait un refuge ou une prison. Ses brusques changements d'humeur s'expliquaient facilement. La vue d'une mère dans la rue avec ses jeunes enfants lui donnait envie de courir se calfeutrer chez elle, là où il n'y avait rien pour lui rappeler que les autres menaient des vies normales ; au contraire, le plaisir qu'elle tirait d'une séance de travail intéressante lui insufflait le besoin de réussir, de triompher de l'adversité, et elle détestait sa geôle.

Elle avait trouvé l'appartement toute seule, sans tenir compte des propositions d'aide d'Arnie. Sourde aux conseils de Francine, elle n'avait fait aucun effort non plus pour décorer son logement. Il y avait un lit, deux chaises et la table de bridge sur laquelle elle travaillait. La cuisine avait la taille d'un placard, mais elle cuisinait très peu et mangeait à peine, ce qui la faisait mincir de plus en plus. Quelle importance… Elle ne désirait rien d'autre que finir sa formation et trouver un travail assez rémunérateur pour lui permettre de louer un appartement où ses enfants pourraient venir lui rendre visite.

Souvent, elle se répétait que le plus important, l'essentiel, était de garder espoir. Non seulement il ne servait à rien de regarder en arrière, comme l'avait toujours dit Granny, mais les regrets perturbaient trop. Pourtant, le jour où elle signa les documents définitifs du divorce et où elle fut officiellement délivrée de Gerald, elle fut prise d'assaut par une cohorte de souvenirs. Elle revit le motel où ils se retrouvaient en cachette sous son édredon de satin ; elle se vit à son mariage au moment où ils avaient ouvert la danse, et la passion de la première nuit qu'elle avait passée avec lui, son alliance au doigt… Comment tout cela avait-il pu disparaître ? Évanoui ! Parti en fumée, ne laissant que des désillusions.

Oui, il ne lui restait plus que l'espoir d'un avenir meilleur. Trop souvent, le sommeil lui échappait tandis que montaient de la rue les voix stridentes des passants et les vibrations des camions. Alors, il lui arrivait de retourner en pensée dans la maison qu'elle venait de quitter, et de revivre la dernière heure déchirante qu'elle y avait passée.

Elle n'avait confié qu'à très peu de monde la nouvelle de son départ. Pour ses adieux, elle n'avait été entourée que de gens délicats, d'amis qui ne posaient pas de questions et n'étaient venus qu'animés de bonnes intentions. Moira, bien sûr, ainsi que deux institutrices qui, pensant qu'elle allait en Floride, avaient apporté de petits cadeaux pour Jerry et Emma. L'artisan qui avait repeint la maison était aussi présent : pendant une grave maladie de sa femme, l'hiver précédent, Hyacinthe avait préparé et surgelé des repas pour toute la famille, ce qui lui avait valu sa reconnaissance éternelle.

Francine, catastrophée, n'y comprenait toujours rien et était très, très en colère contre sa fille. Mais, fidèle à sa nature, elle tâchait vaillamment de n'en rien laisser paraître. Quand elle prit Hyacinthe dans ses bras pour lui dire au revoir et l'embrasser, les yeux brillants de larmes, elle se tut. N'avait-elle pas déjà épuisé tous les arguments ?

Parfois, quand, allongée dans le noir, elle entendait le tic-tac de son réveil qui indiquait minuit passé, elle pensait aussi à Will Miller. Sans aucun doute aurait-il été surpris d'apprendre qu'une totale, ou presque totale, inconnue avait suivi ses conseils. Si cela avait été possible, elle aurait aimé lui parler de sa décision. Mais elle ne le pourrait jamais. En partant, elle avait laissé une fausse piste, et d'ailleurs, il ne voudrait peut-être plus entendre parler d'elle. Il se serait de toute façon détourné d'elle un jour, en apprenant quelle femme bizarre il avait rencontrée, une femme qui avait abandonné ses enfants. D'ailleurs, elle ne s'intéressait pas tant que cela à lui, ni à aucun homme, séduisant ou non.

Un matin, après une nouvelle nuit trop brève, elle vit de la neige dans le ciel en s'éveillant. On était encore au début de novembre, et ces flocons prématurés fondaient, formant une boue grise sur le trottoir. Cela lui rappela cependant que Thanksgiving approchait. Il valait mieux oublier l'horrible fiasco de l'année précédente. Cette fois non plus, ils ne passeraient pas cette fête ensemble car elle ne pouvait pas les recevoir. Francine allait sur la côte Ouest pour voir ses autres petits-enfants dont le nombre croissait sans cesse. Hyacinthe n'avait aucune envie de les rejoindre. Ni de risquer une autre catastrophe en Floride.

Il vaudrait mieux s'arranger pour leur rendre visite deux semaines avant ou après les fêtes que Gerald passerait, à son habitude, en mondanités. En regardant la neige, elle fut soudain saisie par un besoin terrible d'être avec eux, plus intense que l'habituelle torture qui la tenaillait en permanence. L'année approchait de sa fin. Les mois s'écoulaient aussi vite que des heures. À la fin du prochain semestre, Emma entrerait en cours préparatoire, Jerry en huitième. Leur enfance filerait sans qu'elle s'en aperçoive.

Elle se rappela qu'elle pouvait demander à Arnie d'organiser la visite pour elle. N'était-il pas étrange de dépendre de lui à ce point ? En même temps, cela semblait aussi tout naturel.

Dans l'avion qui l'emmenait vers le sud, Hyacinthe resta pendant tout le trajet très lucide sur son état d'esprit. Presque tous les qualificatifs pour décrire son humeur commençaient par un *e* : elle était euphorique, enchantée, extatique... mais aussi pleine d'appréhension, et prête à pleurer. Bien décidée à ne pas laisser une seule larme lui échapper, elle se répéta sa devise : « L'esprit triomphe sur le cœur », et reprit son livre. Elle lisait la biographie de Coco Chanel, qui avait appris à coudre, jeune fille, dans un magasin de retouches et était devenue une célébrité de la haute couture.

L'histoire la passionna tant que plus tard, à l'hôtel – où elle dîna seule car Emma et Jerry ne devaient arriver que le lendemain matin –, elle se surprit à examiner les vêtements des autres femmes alors que jamais auparavant elle n'y avait prêté grande attention.

Elle remarqua un beau tailleur, mais qui n'allait pas à celle qui le portait, puis une jolie robe, mais d'une couleur trop terne. Francine l'aurait avivée avec un foulard, carmin ou émeraude, une des deux couleurs au choix. Et cette autre robe ! De la soie tissée main, ça se voyait au premier coup d'œil. Quelques mois avant, elle n'aurait jamais reconnu le tissu.

À partir d'un si beau matériau, avec une coupe très simple et quelques mètres de tissu d'une couleur complémentaire, on pouvait facilement imaginer une demi-douzaine de modèles : un style japonais, en choisissant avec soin un obi imprimé, blanc et noir peut-être ; on pouvait aussi adopter une large ceinture à l'européenne, nouée par-derrière pour former une sorte de petite tournure, ou appliquer un volant plissé sur l'ourlet.

Une fois remontée dans sa chambre après le dîner, pour patienter jusqu'au matin, elle fit des croquis sur le papier à lettres de l'hôtel. Elle dessina l'obi et le volant, puis une femme en robe d'été avec un grand chapeau, puis la même robe portée avec une toque ronde. Elle pensait à des femmes qu'elle connaissait, à Moira, par exemple… et chercha des moyens de camoufler dix kilos superflus.

Cette multitude d'idées l'embarrassait. Pour qui se prenait-elle, pour Mme Chanel ? Et pourquoi pas ? La grande dame avait bien commencé par une petite boutique de modiste où elle parait de simples chapeaux de paille pour les transformer en accessoires de luxe. Évidemment, elle avait eu un amant riche, ce qui n'avait pas dû lui nuire.

Tout cela était plutôt amusant.

Le lendemain matin, les enfants firent une arrivée magnifique, descendant d'un 4×4 tout neuf conduit par leur nourrice. Hyacinthe hésita à les reconnaître. Jerry avait grandi d'au moins cinq centimètres ; il ne faisait plus aucun doute qu'il serait le sosie de Gerald. Les nattes d'Emma avaient disparu. Ses cheveux retombaient sur ses épaules, ondulés comme ceux de Francine, ce qui, d'une façon subtile, lui faisait quitter le stade de la petite enfance. Leur mère avait l'impression de les voir pour la première fois. Ayant juré de ne pas verser de larmes, que ce soit de tristesse ou de joie, elle se retint, même lorsqu'elle les eut attirés tous les deux contre elle pour les serrer dans ses bras.

La nourrice, femme d'un certain âge en uniforme blanc, attendait en retrait, un sourire enjoué aux lèvres.

— Vous êtes madame O'Malley, dit Hyacinthe.

— Oui, et ils m'en ont fait voir de toutes les couleurs, ce matin ! Ils seraient partis à six heures si je les avais laissés faire. Ils avaient envie de la voir, leur maman !

— On a apporté nos maillots de bain, annonça Emma. Papa a dit qu'il y avait une piscine à l'hôtel et que tu voudrais bien qu'on se baigne.

Comment aurait-elle pu deviner un jour que le mot « papa » lui ferait grincer des dents ?

— Bien sûr, répondit-elle gentiment. C'est bête, je n'ai pas pensé à prendre le mien, mais je resterai assise au bord avec Mme O'Malley pour vous regarder. Ensuite, nous déjeunerons dehors, près de la piscine. On va bien s'amuser.

— Elle s'appelle Nanny, corrigea Emma.

— D'accord, je vais vous surveiller avec Nanny. Vous pouvez vous changer là-bas. Emma, dis-moi lequel des deux sacs est à toi, je vais venir t'aider.

— Non, c'est Nanny qui m'aide, protesta Emma. C'est toujours elle qui m'habille.

— D'accord. Pendant ce temps, je vais chercher des chaises à l'ombre.

« C'est Nanny qui m'aide. » Ce n'était pas bien grave, pourtant cela la faisait se sentir inutile, comme si elle était de trop.

Ayant trouvé des fauteuils, elle s'installa et les attendit. La pataugeoire n'était pas trop pleine. Quelques jeunes enfants s'éclaboussaient, et d'autres couraient sur le bord tandis que les mères les mettaient en garde contre le carrelage glissant ; on se rendait compte qu'il s'agissait de mères non seulement à leur apparence, mais aussi à leur façon de parler. Il y avait toujours des intonations très spécifiques aux voix maternelles.

« Tu te fais souffrir, se réprimanda-t-elle alors. On dirait que tu n'attends que ça. Tu ne peux pas chercher les aspects positifs ? Regarde-les qui arrivent, en caleçon rouge et en bikini rose, ces petits corps qui sont sortis de ta chair, de ton cœur. »

— Attention ! s'écria-t-elle en voyant Jerry plonger dans la piscine.

Nanny lui assura qu'il en avait le droit.

— Tant qu'il y a un maître nageur et qu'il reste dans le petit bain. Jerry est déjà bon nageur. Ne vous inquiétez pas.

— Je ne savais pas qu'il avait fait tant de progrès.

— Oui, c'est un véritable athlète. Il a commencé à prendre des leçons de tennis le mois dernier, et le professeur dit qu'il est très en avance sur les autres enfants de son âge.

— Il ne me l'a pas dit, et pourtant, je leur parle au téléphone presque tous les jours.

Elle n'aurait pas dû dire cela. On aurait cru qu'elle se justifiait, comme si elle eût dû des explications, ou cherchait à montrer que, malgré tout, elle était une mère aimante et attentive.

— Oh, je sais bien. Il faut toujours que je leur rappelle l'heure. Vous devez attendre leur coup de fil avec impatience.

Elles jouaient la comédie, des rôles, celui de la mère et celui de la nounou fascinée par cette situation bizarre – et c'était tout naturel. La mère, donc, était assise là, imperturbable, impeccable et calme, dans ce décor somptueux de marbre, avec le ciel, la piscine, prétendant que la situation n'avait rien d'extraordinaire. Évidemment, la nourrice et le personnel de maison devaient se poser beaucoup de questions, comme la femme de ménage désagréable, le jour terrible où elle était allée là-bas. À l'instant même, Nanny lui jeta un coup d'œil curieux ; se voyant surprise, elle fit semblant de surveiller Emma qui parlait à une autre petite fille dans l'eau.

— Emma adore les gens. C'est un vrai moulin à paroles. Elle se fait des amis partout où elle va. Tout le monde l'adore, même les gens les plus bougons. Tenez, par exemple, l'autre jour, un vieux bonhomme pas commode s'est mis à lui parler à la pharmacie et…

La nourrice parlait d'eux comme si Hyacinthe ne les connaissait pas et qu'il fallût les lui décrire, les lui expliquer.

— … et alors, quand j'ai raconté ça à son papa, il a bien ri, ça lui a beaucoup plu. Il aime que…

Elle s'interrompit.

« Résiste contre la colère, contre la douleur, Hyacinthe. Reste digne. »

— Vous pouvez parler de leur père, vous savez.

La nourrice rougit.

— Je voulais juste dire que cette petite, c'est un sacré personnage.

Oui, encore un point commun avec Francine, et tant mieux pour elle. Cela lui faciliterait la vie.

Jerry, qui avait aussi lié connaissance avec des enfants, ramena un de ses nouveaux amis.

— Il s'appelle Doug. Il voudrait déjeuner avec nous. Ses parents ne doivent rentrer qu'après le déjeuner. Il peut ?

On ne savait trop si la question s'adressait à sa nounou ou à Hyacinthe. Elle s'empressa de répondre, au même moment que la nourrice.

— Oui, bien sûr.

Malgré tout, en ce jour d'exception, l'innocent petit ami faisait figure d'intrus, tout comme Nanny ou quiconque aurait ôté à Hyacinthe de précieuses minutes avec ses enfants. Sans moyen de transport pour les emmener ailleurs, elle était prisonnière de l'hôtel. Elle ne pouvait tout de même pas demander à Nanny de déjeuner seule. Puis elle se dit que peut-être, très probablement, même, Gerald avait demandé à la nourrice de ne pas laisser les enfants seuls avec leur mère.

« Tu es hystérique, Hyacinthe. Tu ne te contrôles pas. »

Les bavardages enfantins animèrent le repas. Ce n'était pas du tout ce qu'elle avait prévu, ni ce dont elle avait tant rêvé. Elle pensa à son deux pièces. Peut-être, après tout, avait-elle eu tort de vendre leur maison. Avec ce genre de raisonnement, elle tournait en rond.

— Je veux aller faire du cheval ! hurla soudain Emma. J'en ai assez de la piscine.

Il y avait un élément nouveau dans sa voix, un ton strident d'enfant gâté.

— J'en ai assez ! Au club, il y a des glaces, c'est mieux qu'ici.

— Tais-toi, rétorqua Jerry. Ferme ta gueule.

— Ne lui parle pas comme ça, dit Hyacinthe, je n'aime pas ça.

— Tout le monde dit ça, maman.

— Peut-être, mais ça ne me plaît pas.

Pourquoi le reprenait-elle ? Pourquoi le gronder parce qu'il disait une phrase comme « Ferme ta gueule » ? Pourquoi lui chercher querelle aujourd'hui ? Pourtant, c'était le rôle d'une mère d'éduquer ses enfants si elle le faisait gentiment. Oui, c'était le rôle d'une mère. Mais elle oubliait : sa mère, maintenant, c'était la nourrice.

— Je veux aller faire du cheval ! répéta Emma.

— Je n'ai pas apporté vos vêtements d'équitation, objecta Nanny. Je ne savais pas que vous voudriez y aller.

— Je peux faire du cheval habillé comme ça, protesta Jerry.

— Mais non, tu le sais bien. Il te faut un pantalon long pour empêcher que ça frotte, et des bottes, et une bombe avec une lanière sous le menton. Tu sais que ton papa serait furieux si tu montais à cheval tête nue. C'est pareil que le casque à vélo. Pas de discussion, conclut Nanny avec autorité.

— On ne pourrait pas juste faire un tour là-bas pour montrer les chevaux à maman ? insista Jerry. Rien que pour regarder… ça te plairait, maman, hein ?

— Oui, beaucoup. Je serai heureuse d'aller partout où vous voudrez.

— Ce n'est pas tout près, mais la route est agréable, remarqua Nanny. Il faudrait partir tout de suite pour éviter la circulation.

Jerry monta à l'avant et bavarda pendant tout le trajet quand il ne tournait pas les boutons de la radio. Emma, assise sur la rangée du milieu, s'endormit. Quand sa tête s'inclina et se posa sur l'épaule de sa mère, Hyacinthe ne bougea plus ; elle fut vite ankylosée, mais elle était prête à supporter n'importe quel inconfort pour le bonheur de sentir la douce tête contre elle, avec la bonne odeur de ses cheveux qui lui effleuraient la joue.

— On y est presque ! s'exclama Jerry. Je connais le chemin. C'est après le deuxième feu, expliqua-t-il en levant deux doigts. Et puis après, on tourne à gauche… non, à droite… et je vais te montrer le cheval d'oncle Arnie tout de suite en arrivant.

Surexcité, il faisait des bonds sur son siège. Depuis toujours, même sur sa chaise de bébé, il vibrait d'énergie.

— Tu ne veux pas me montrer ton poney d'abord ? s'étonna Hyacinthe tendrement.

— Je te montrerai les deux. Mais son cheval en premier, parce qu'il est plus grand. Il est énorme. Je te l'ai déjà dit ! C'est un Tennessee Walker !

Dans presque toutes leurs conversations téléphoniques, Jerry arrivait à caser ce détail.

— Oui, je sais. Et le poney d'Emma ?

— Il n'est pas vraiment à elle. Elle est trop petite. On la laisse monter dessus en le tirant par la longe, mais il faut la tenir. Elle croit qu'il est à elle, et on ne lui dit pas qu'elle se trompe pour ne pas lui faire de peine, attention.

Ce qu'il pouvait être gentil ! C'était adorable, et drôle, aussi, alors qu'il essayait si fort de se donner des airs de dur.

— Vous avez parlé de moi ? demanda Emma en se redressant.

— Nous disions seulement que tu faisais une bonne sieste et que nous étions presque arrivés.

Emma sourit. On n'aurait pas besoin de lui redresser les dents. Sa fossette au menton avait disparu ; Jerry, lui, l'avait encore, comme Gerald. Quelqu'un – mais qui ? – avait donné à Emma un petit cœur en or accroché à une chaînette. Elle s'était égratigné l'intérieur du bras, ou peut-être était-ce une piqûre d'insecte ; on y avait mis un sparadrap. Rien n'échappait à Hyacinthe.

En même temps, il lui semblait ne rien voir du tout. Elle avançait dans le brouillard, ne garderait que des impressions fugaces d'un chemin ombragé, de bâtiments bas aux toits de bardeaux, puis de champs, de grands espaces plats et verdoyants entourés de barrières blanches. On sortit un poney, un petit animal guère plus grand qu'un danois, et, pour faire une démonstration à Hyacinthe, on assit Emma sur son dos pendant une ou deux minutes. Nanny applaudit et Hyacinthe l'imita. Ensuite, on fit venir un autre poney, beaucoup plus grand celui-là. Jerry monta en selle, mais elle ne voyait toujours rien ; elle avait du flou devant les yeux et dans la tête. Que faisait-elle là ? Tout semblait faux.

Nanny lui toucha le bras.

— Vous vous sentez bien ?

Haycinthe reprit ses esprits.

— Oui, oui, ça va.

— Je vous demande parce que vous n'avez pas répondu à Jerry. Il vous montre comment il faut monter.

— Je suis désolée ! Je ne sais pas pourquoi je ne l'ai pas entendu. Vas-y, Jerry, explique-moi.

— Il faut tenir les rênes entre le pouce et ce doigt. Tu vois ? Comme ça, pas dans toute la main. Et il faut rester assis bien droit, avec les genoux vers le bas. Tu vois ? Est-ce que je peux avancer un peu ? Juste un peu ? Je sais que je ne suis pas habillé comme il faut et que je n'ai pas le droit, mais juste un peu, Tom ?

Le jeune lad qui tenait le poney fit un clin d'œil à Jerry. Il avait l'air de bien l'aimer. Tout le monde l'aimait.

— D'accord, je vais faire le tour de l'enclos une fois avec toi. Après, tu descendras, et on ne dira rien à personne.

— Ils sont très gentils avec les enfants, commenta la nounou. Sans doute parce que leur oncle Arnie met son cheval en pension ici et qu'il vient presque tous les jours. Pendant l'année scolaire, Jerry ne peut pas venir souvent, alors on promène son poney pour lui.

Jerry descendit fièrement de cheval et tendit les rênes à Tom. « Il mène une vie agréable, pensa Hyacinthe. Je devrais au moins me réjouir pour lui, c'est déjà ça. »

— Je ne t'ai pas dit comment il s'appelait, maman ?

En fait il le lui avait dit, et très souvent, mais de toute évidence, cela lui faisait plaisir de le répéter, donc elle prétendit l'ignorer.

— Il s'appelle King Charles. Tu sais pourquoi ?

— Non. Pourquoi ?

— Parce que Charlie est un épagneul king-charles.

— Ah ! C'est une excellente raison, en effet.

— Oui, hein ? C'est un poney des îles Shetland moucheté.

Cela aussi, elle le lui avait entendu dire bien souvent, mais elle se contenta de remarquer :

— J'aime beaucoup ses bas blancs.

— C'est des chaussettes, maman. Les bas, c'est quand ça monte jusqu'aux genoux.

— Tu t'y connais vraiment bien !

— Oui, très bien ! approuva-t-il. Tu sais que je monte sur une selle anglaise ? Les cow-boys ont des selles de western, mais pas moi.

— C'est parce que tu n'es pas un cow-boy, tu viens de la côte Est, toi.

Nanny regarda sa montre.

— Si nous voulons éviter les encombrements pour le retour, nous ferions mieux d'y aller tout de suite. Heureusement, nous n'avons pas besoin de rentrer à l'heure pour le dîner. Vous savez que papa reste un soir par semaine à la clinique, et ça tombe aujourd'hui.

Hyacinthe, évidemment, ne connaissait pas ce détail, mais elle se rappelait bien ses exigences et les dîners à heure fixe – sauf en cas d'extrême urgence. Une image s'imposa à elle pour disparaître aussitôt : des mains puissantes, fines, impeccables et sévères – si on pouvait dire cela des mains – plaçant proprement couteau et fourchette dans l'assiette, bien parallèles. À travers ce souvenir, avec tout ce qu'il évoquait, ou parce que la journée s'achevait, elle sentit une horrible dépression l'envahir. À quoi avait servi cette visite ? Seulement à rouvrir ses blessures. Elle ne savait pas si ses enfants souffraient. Peut-être s'étaient-ils consolés de son absence, à présent. Elle ne pouvait que prier que ce soit le cas.

— Je veux une glace, déclara Emma. Une avec des petits bouts de chocolat.

— Emma, tu ne te souviens pas du mot magique ?

— Je veux une glace, s'il te plaît.

— Parfait. Nous la prendrons à l'hôtel.

— Il y en a avec des paillettes de chocolat ?

— Sûrement.

Nanny avait l'air ennuyée.

— C'est bientôt l'heure du dîner, vous savez. Vous n'aurez plus faim.

— C'est encore le milieu de l'après-midi, répliqua Hyacinthe fermement, et cela ne leur fera pas de mal s'ils ne terminent pas leur dîner pour une fois.

Polie et respectueuse, Nanny n'en outrepassait pas moins ses fonctions. Elle ne se serait pas permis cette liberté avec une autre mère, ou n'importe quel employeur. Seulement, elle voyait parfaitement qu'elle avait affaire à une mère qui, pour une raison mystérieuse, avait perdu ses droits et avait été mise à l'écart.

Sur la terrasse, sous l'agréable brise qui agitait les frondes de palmier au-dessus de leurs têtes, ils s'installèrent dans une petite jungle bien domestiquée, entourée de fleurs. Hyacinthe, observant ses enfants, vit qu'ils étaient contents, mais sans excès, déjà habitués à ce genre d'endroit, à ces oasis de luxe.

Jerry annonça que son père l'emmenait voir des tournois de tennis. Il avait une raquette neuve. Emma n'était pas assez grande pour jouer ; elle faisait de la danse classique. Et papa avait commencé à jouer aux échecs avec lui.

Cela n'avait rien de gênant en soi. Si on pouvait se le permettre, quoi de plus naturel que d'offrir à ses enfants des chances supplémentaires de se développer ? Mais, obligée de vivre avec un petit budget, elle savait qu'elle ne pourrait pas se permettre de leur offrir tout ce superflu. Comme cela lui était arrivé bien souvent, depuis, Hyacinthe se souvint de la femme, à la réunion, dont le fils lui avait préféré la belle maison de son père au bord du lac. Elle se souvint aussi – mais comment l'oublier un seul instant ? – du visage de la veuve et de son petit garçon…

Une question de Jerry la fit sursauter. Il demandait si le divorce était prononcé.

— Oui, répondit-elle d'un ton détaché.

— Les papiers ont été signés ?

Elle n'en revenait pas. Les enfants de cette génération savaient trop de choses, trop tôt. Mais comment pouvaient-ils faire autrement ?

— Oui, répéta-t-elle simplement.

— Pourquoi tu ne viens jamais à la maison ? demanda Emma.

Jerry la fit taire sans méchanceté.

— Tu es trop petite pour comprendre ; ce n'est pas ta faute, tu n'as que cinq ans.

— J'ai cinq ans et demi. Maman, dis pourquoi !

« Je suis fatiguée, pensa Hyacinthe. Fatiguée, et je ne sais pas quoi répondre. »

Ils attendaient, et une fois de plus, la nourrice, cette femme qui ne la connaissait pas, lui lança un coup d'œil curieux.

Ce fut Jerry qui parla à sa place.

— C'est parce que maman est malade. C'est Tessie qui l'a dit.

— Tessie ? Qui est-ce ?

— Tu sais bien. Elle fait la cuisine et le ménage.

« Malade, pensa Hyacinthe. Oui, je ne devais pas avoir l'air très en forme, le jour où elle m'a vue. »

— Eh bien, elle se trompe, Jerry. Je suis en parfaite santé. Il a fallu que je m'occupe de Granny pendant longtemps, et puis…

— Tessie a dit que tu n'étais pas bien, je l'ai entendue. Elle te l'a dit à toi aussi, Nanny, tu te souviens ? Je vous ai entendues toutes les deux dans la cuisine. Tessie a dit qu'elle pensait que tu n'étais pas bien parce que tu n'avais pas parlé du tout le jour où tu es venue et qu'on n'était pas là. Elle a dit que tu étais méchante, et que c'était pour ça que papa t'avait quittée. Mais moi, je sais que ce n'est pas vrai. Tu n'es pas méchante, et Tessie est bête. Je la déteste. Je l'ai dit à papa.

Hyacinthe ferma les yeux une seconde, puis elle entendit sa propre voix résonner, venant de très loin.

— Et papa a répondu quoi ?

— Il a dit bien sûr que non, que tu n'étais pas méchante.

Nanny, qui avait deux taches rouge sang sur les joues, l'interrompit.

— Fais attention à ce que tu dis, Jerry. Je ne me souviens pas que Tessie ait employé le mot « méchante », elle a dit « malade ». Sois précis, ça veut dire employer le mot juste.

— Mais je suis précis. Je suis précis, maman. Je me souviens toujours de tout, hein, maman ?

— Oui, tu as une mémoire extraordinaire.

— Ça, c'est bien vrai, tout à fait, renchérit Nanny qui se tourna vers Hyacinthe pour expliquer : C'est un malentendu. Tessie n'a rien voulu dire de mal. Elle a cru que vous étiez malade. Peut-être que vous ne vous sentiez pas bien, ce jour-là. Leur oncle Arnie parle toujours de vous aux enfants, et il n'a jamais dit que vous étiez malade, il n'a rien dit du tout. Il le leur aurait dit si c'était vrai. Il parle beaucoup de vous.

Hyacinthe ne se laissa pas tromper. Sous la sympathie apparente, sous la curiosité qui virait maintenant à l'indiscrétion malsaine, il y avait aussi sans doute un soupçon de malveillance. Elle sous-entendait presque qu'il y avait « quelque chose de louche » entre elle et Arnie.

Ces insinuations étaient mauvaises pour les enfants. Il fallait changer de sujet au plus vite. Pourtant, elle ne put s'empêcher de poser une dernière question.

— Et papa t'a dit quoi d'autre, Jerry ?

— Il a dit que Tessie ne devait pas dire des choses comme ça. Il a dit qu'il allait lui parler.

— Mais maman, insista Emma, tu ne m'as toujours pas dit quand tu allais revenir.

— Je te le dirai au téléphone, chérie. Je ne le sais pas encore.

— On ne peut pas aller te voir à la maison, alors ?

Comment eût-elle pu annoncer qu'elle l'avait vendue ?

— Je te le dirai aussi au téléphone.

— Pourquoi tu es obligée de repartir, maman ?

L'intérêt de la nounou s'intensifiait. On la voyait réagir à chaque question, demandant en langage muet : *Alors, et à ça, comment allez-vous y répondre ?* Mais peut-être était-ce compréhensible, après tout, la situation était loin d'être ordinaire. Il y avait de quoi se poser des questions et discuter dans les cuisines.

— C'est parce que je retourne à l'école, Emma, et qu'il ne faut pas que j'arrive en retard.

— À l'école ? Mais tu es grande, les parents ne vont pas à l'école.

— Si, ça arrive, dit Jerry d'un air entendu. C'est papa qui me l'a dit.

Cela réglait la question. Si papa l'avait dit, ce devait être vrai.

— Il faut vraiment que nous partions, dit Nanny. C'est l'heure.

Ils se levèrent aussitôt et traversèrent la réception vers la sortie et la voiture. Emma et Jerry couraient devant.

— De beaux enfants, remarqua Nanny.

Peut-être essayait-elle maladroitement de faire amende honorable, à moins, au contraire, qu'elle ne voulût souligner l'abandon de leur mère. Comment deviner les méandres de ses pensées ? On comprenait si mal les gens… Aucune importance, d'ailleurs, cela ne changeait pas grand-chose.

Quelques heures plus tard, alors que l'avion s'élevait dans le ciel nocturne, Hyacinthe essaya de se rappeler les dernières minutes de sa visite, mais sa tête était vide. Elle se souvenait seulement que la veille au soir, pendant qu'elle griffonnait des croquis de mode sans intérêt, elle avait attendu le moment de les voir avec impatience. Maintenant, elle gardait de sa visite une impression atrocement angoissante. Pourtant, Jerry et Emma n'étaient pas malheureux, leur nourrice s'occupait bien d'eux et on voyait qu'ils l'aimaient. Gerald, bien sûr, les adorait. Ce n'était pas cela... Mais une vérité indéniable et cruelle prenait lentement toute la place dans son esprit : ses enfants – la « chair de son cœur », comme elle se le formulait toujours à elle-même – lui échappaient. Elle allait les perdre.

Tard, un après-midi, Hyacinthe, entendant frapper, ouvrit la porte et trouva Arnie devant elle.

— J'ai essayé d'appeler plus tôt dans la journée, mais ça ne répondait pas, et comme je devais revenir de Wall Street en passant pas loin d'ici, j'ai pris le risque de venir voir si tu étais chez toi.

— Je rentre tout juste d'un cours. Je n'ai pas eu le temps de ranger l'appartement. C'est incroyable qu'un si petit espace puisse être autant en désordre. Enfin, peu importe, entre.

Elle parlait trop, comme on le fait quand on reçoit une visite impromptue et qu'on est trop tendu pour supporter ce stress supplémentaire. Sans avancer de plus de quelques pas dans la pièce, Arnie se trouvait à portée de la table de bridge sur laquelle le travail de Hyacinthe attendait ; elle remarqua sa surprise avant qu'il ait le temps de l'effacer de son visage.

— Ça fait des éternités qu'on ne s'est pas vus.

— Ce qui n'empêche que nous nous parlons tout le temps au téléphone.

Elle lui sourit, non qu'elle en eût très envie, mais parce qu'il était si aimable qu'il méritait au moins cela.

— Ce n'est pas pareil. Tu veux sortir dîner ?

Il avait aperçu le sandwich encore enveloppé dans son papier et la bouteille d'eau d'Évian, ainsi que le lit fatigué dans la pièce à côté. En voyant cela, il avait tout vu. Hyacinthe savait qu'il lisait en elle à livre ouvert.

— Merci, mais pas ce soir, répondit-elle. Une autre fois. Il faut que je rende un travail demain matin. Tu sais, je travaille dur ! ajouta-t-elle gaiement.

— C'est bien, c'est bien, je ne vais pas te déranger. Je reste seulement quelques minutes pour me reposer les pieds.

Elle reprit place à sa table à dessin tandis qu'il s'asseyait face à elle sur la deuxième chaise en l'observant. Sans lever les yeux de sa feuille, elle sentit qu'elle faisait l'objet d'un examen attentif.

— Comment te sens-tu ? demanda-t-il brusquement.

— Ça va. Je suis très prise, mais ça va.

— Pose ce crayon une minute et parle-moi.

Son ton péremptoire et inquiet la surprit tant qu'elle obéit.

— Dis-moi la vérité, Hya. Tu crois que je ne sais pas que tu es malheureuse ? Jerry a dit à Gerald ce qui était arrivé la semaine dernière quand tu es allée les voir. Et hier, en prenant un verre après les consultations, Gerald m'en a parlé. C'est pour ça que je suis venu. Il était désolé de ce que la bonne a dit. Il voudrait pouvoir s'expliquer lui-même. Pour le bien des enfants, il pense qu'il serait préférable que vous puissiez avoir des contacts amicaux de temps en temps.

Incendie criminel. Il y a eu mort d'homme. Dis-toi bien que tu as de la chance. Fais-toi une autre vie. Contacts amicaux.

— Arnie, tu peux lui dire de ma part qu'il devrait avoir honte de te donner un tel message. D'abord, il n'en pense pas un mot. Et, vu les circonstances, il sait très bien que c'est impossible. Donc, s'il te plaît, ne me redemande plus jamais ça, d'accord ?

Il lui en coûtait tant de parler qu'elle s'arrêta.

Arnie fit un signe de découragement.

— D'accord, je n'en parlerai plus… Mais j'ai du mal à comprendre, ajouta-t-il après un soupir. Je sais bien que ce n'est pas facile de divorcer. Il y a des retombées, comme pour les explosions atomiques. Moi, je ne me suis jamais marié, je suis donc mal placé pour donner des conseils. Pourquoi est-ce que je ne me suis pas marié ? Je n'en sais rien. Pourtant, on en voit, des jolies femmes, dans ce métier ! Peut-être que c'est ça qui m'a perturbé. Tu sais, au début, la chirurgie esthétique, je pensais que ça ne servait qu'à traiter les mutilés de guerre ou les accidentés. Mais finalement, maintenant on aide surtout les femmes à se rajeunir.

Gerald, lui aussi, avait eu de belles ambitions. Haycinthe se souvenait du patient, dans le Texas, qui était né avec une moitié de nez, et de la façon dont Gerald avait décrit ce visage atroce, effrayant, et de l'opération qui avait permis de transformer sa personnalité. Donc, maintenant, ils ne traitaient plus que de jolies femmes, pensa-t-elle. Il fallait bien que quelqu'un s'occupe d'elles aussi. Et si certaines complétaient leurs paiements en passant par le lit du chirurgien, grand bien leur fasse, elle s'en moquait.

« Où est passé cet amour qui m'a enflammée du premier jour de notre rencontre jusqu'au soir où tout a explosé dans un incendie terrifiant ? Partie, la passion, finie, morte. »

Arnie réfléchissait.

— Oui, oui. C'est dommage. Je t'ai toujours dit que je vous aimais tous les deux. Et Gerald… Gerald est l'associé idéal. Le premier était un imbécile. Il avait un mauvais contact avec les patients, et il ratait trop d'opérations. Nous avons eu de la chance de ne pas être poursuivis. Mais tout le monde parle déjà de Gerald. C'est le chirurgien qui monte, là-bas. Il est excellent. En fait, je pense même à réduire ma clientèle, à toucher moins et à lui laisser une plus grosse part du travail. Ce n'est pas que je sois vieux, je n'ai même pas cinquante ans ! J'aimerais juste me la couler douce, passer plus de temps avec mes chevaux.

Il s'installait comme s'il s'apprêtait à bavarder pendant des heures, et elle commençait à s'impatienter, se souvenant qu'il était parfois un peu trop enclin à se confier. Il lui lança un long regard, et elle se rappela soudain la réflexion de Francine : *« Cet homme est fou de toi. »* L'idée la perturba, et elle se dépêcha de le relancer sur sa dernière remarque.

— Tes chevaux, au pluriel ? Tu en as acheté un pour tenir compagnie à Major ?

— Non, là, c'est différent. Major, c'est pour le monter. L'autre est un pur-sang de toute beauté. C'est un cheval de course, mais je le mets en pension à la même écurie. Il m'a coûté une fortune. On peut évidemment gagner gros si le cheval remporte des courses, sinon tant pis, c'est un passe-temps passionnant. Tu es déjà allée aux courses ?

— Non, jamais.

C'était bête de s'agacer, songea-t-elle. Sous son attitude d'homme expérimenté, avec sa coupe de cheveux de séducteur et sa cravate de soie jaune imprimée de selles et de harnais, perçait une innocence juvénile qui arrivait à la toucher.

— Oui, je sais que c'est un hobby un peu coûteux, mais si je peux me le permettre, pourquoi m'en priver ? Quand je me risque à jouer et que je gagne, j'adore m'offrir des cadeaux. J'ai acheté un petit bijou de Mercedes ce week-end. Ce n'est pas encore une Lamborghini, mais bon, commenta-t-il avec un rire. D'ailleurs, je donne toujours une bonne partie de mes gains à des associations caritatives. À des hôpitaux pour enfants, des trucs comme ça. Ça me donne bonne conscience, ajouta-t-il avec un nouveau rire. En parlant d'enfants, tu retournes à l'école, si j'ai bien compris. Comment ça se passe ?

— Très bien, c'est intéressant. J'aime ça. Au début, j'avais un peu peur que ça ne me plaise pas, mais finalement, je suis contente.

— Tu es peut-être contente, mais tu n'en as pas l'air.

La dévisageant de nouveau, il continua :

— Ce n'est pas une façon de vivre, ça. Regarde ce taudis. Et tu t'achètes un sandwich pour le dîner. Quand je pense aux soupers que tu concoctais, dignes d'une reine... Bon sang, pourquoi refuses-tu de prendre l'argent de Gerald ? Dieu sait qu'il peut se le permettre. Il gagne un fric fou.

— Arnie, tu connais déjà la réponse, et tu viens de me promettre qu'on ne reparlerait plus de ça...

Repoussant l'objection d'un signe de la main, il reprit :

— Tu ne peux pas vivre ici. Même sans son aide, tu n'aurais pas pu trouver un endroit un peu mieux ?

— Je n'ai rien d'autre que ce que m'a rapporté la vente de la maison. J'ai placé le capital, et il faut que je me contente des intérêts. Tu dois savoir combien coûtent les appartements à New York !

— Bien sûr. C'est d'ailleurs pourquoi je n'en loue pas. Ça revient moins cher et c'est beaucoup plus pratique de descendre au Waldorf pour quelques nuits quand je viens.

Il se leva pour aller jeter un coup d'œil dans la chambre.

— Ce n'est pas plus confortable qu'une écurie ! Major est mieux logé que toi. Pourquoi n'as-tu pas au moins fait venir quelques meubles ?

— Rien ne tiendrait ici, voyons, ça se voit bien. D'abord, ça ne serait pas dans le style, et puis, il n'y a pas la place matérielle. Aucun des deux divans ne passerait dans l'escalier ni par la porte.

— Oui, tu as raison, répondit-il d'un ton lugubre. Quand je pense… quand je pense au dernier Noël que nous avons passé dans ta maison ! C'était triste sans le père des gosses, mais vous étiez là, toi et ta mère. Je les revois encore manger leur gâteau au chocolat et… Qu'est-ce que tu vas faire pour Noël ? Tu ne vas jamais pouvoir les recevoir ici !

Ah ! S'il avait pu partir et la laisser tranquille… Malgré elle, ses yeux se remplirent de larmes, et, afin de le cacher, elle se leva pour regarder par la fenêtre. Le crépuscule était passé, et les rues éclairées ressemblaient à une scène de théâtre sur laquelle passaient des gens très divers… bien habillés, mal habillés, jeunes, vieux, des pères qui rentraient du travail, des clients du restaurant chinois, des érudits qui venaient acheter des livres anciens. Tous avaient quelqu'un qui les attendait, mari, femme, enfants, amis, amant, ou du moins était-ce l'impression qu'ils donnaient.

Elle sentit le bras d'Arnie se poser sur ses épaules, et il la fit tourner vers lui.

— Ne pleure pas, dit-il doucement.

C'était la dernière chose à dire, car aussitôt ses yeux se remirent à déborder.

— Si tu savais comme je voudrais comprendre ce qui se passe ! déclara-t-il, toujours aussi gentiment.

— Il croit que c'est ma faute ! C'est pour ça qu'il me punit.

Dès que les mots eurent franchi ses lèvres, Hyacinthe aurait donné cher pour pouvoir les rattraper. Dire qu'elle avait laissé échapper une vérité aussi choquante, aussi dangereuse ! Comment être sûre qu'Arnie ne répéterait pas ce qu'il savait un jour, par inadvertance ?

— Ta faute ? Ta faute de quoi ?

— Il croit que j'ai mis le feu, que c'est moi qui ai brûlé la clinique.

— Quoi ? s'écria-t-il en la relâchant, horrifié. Comment ça ? Je n'y crois pas !

— Si, je t'assure, c'est vrai.

Puis, tout à coup, l'instinct de survie la fit réagir, et elle comprit qu'elle pouvait, au moins, minimiser l'impact de ce qu'elle venait de révéler.

— Oui, c'est de la folie ! Quand je pense que je n'étais même pas là-bas, je n'étais pas allée à la clinique depuis des semaines. J'étais à la maison avec les enfants.

— Il a perdu la tête. Pourquoi aurais-tu fait une chose pareille ?

— Facile, à cause de Sandy.

— Eh bien, moi, je vais te dire que s'il y a une coupable possible, c'est Sandy. Je ne mettrais pas ça au-dessus des capacités de cette petite traînée.

Soudain, sa peur vira à la panique. Hyacinthe agrippa le revers de la veste d'Arnie et le regarda droit dans les yeux.

— Je t'en prie, tu ne répéteras pas ce que je viens de te dire, ni à lui ni à personne, tu me le jures ?

— Bien sûr, Hya. Est-ce que tu crois que je pourrais te causer du tort ?

Il la regardait bien en face, toujours aussi tendrement.

— Non, je sais bien.

— Ta mère m'aime bien, reprit-il d'un ton taquin. Et si elle m'aime bien, ça devrait te suffire. Elle est vraiment fine, cette femme.

Il sortit le mouchoir fantaisie qui lui servait de pochette pour lui essuyer les yeux.

— Fais-moi confiance, Hyacinthe, j'ai déjà oublié ce que tu viens de me dire. Si on me pose des questions – ce que personne ne fera, il n'y a pas de raison –, je dirai que je ne sais pas de quoi il s'agit. C'est une honte. Tu as été accusée très injustement.

— Je ne veux pas que ça change tes rapports avec Gerald. Cela n'a rien à voir. Je ne veux pas tout gâcher, ajouta-t-elle, retrouvant courage.

— Toi, Hya ? bien sûr que non.... Mais tu ne peux plus vivre dans ce fichu trou. Écoute-moi, il te faut un appartement présentable où les enfants pourront venir. Un endroit agréable près de Central Park pour qu'ils puissent y aller jouer, faire du cheval et tout ce qui s'ensuit. Sors tes affaires du garde-meuble, installe-toi mieux. Francine est venue ici ?

— Non, elle ne m'a pas rendu visite à New York.

Elle serait effarée. Moira aussi, comme tout le monde.

— Imagine la tête qu'elle ferait si elle te voyait ! Non, il faut que tu te trouves un autre appartement, et tout de suite. Près du parc, surtout.

— Je sais qu'il me faut un endroit pour les enfants. C'est pour ça que je veux apprendre un métier, gagner ma vie. Mais tu sais bien que je ne pourrais pas louer ne serait-ce qu'une poignée de porte dans le quartier que tu me conseilles.

— C'est parce que tu ne connais pas les gens qu'il faut. Je pense à un type qui est dans l'immobilier, un gros bonnet. Il me doit un service. Je vais le contacter pour te trouver un loyer dans tes moyens. J'avais déjà proposé de t'aider, mais tu as voulu te débrouiller toute seule.

— Arnie, tu es un ange, mais même les anges ne peuvent pas toujours accomplir des miracles.

— Eh bien moi, si. Tu verras. Est-ce que j'ai droit à un baiser pour la peine ?

Elle avait beau espérer qu'il ne lui donnerait qu'un baiser amical, comme de coutume, elle se prépara à une autre sorte de baiser et fut soulagée quand il se contenta de lui toucher brièvement chaque joue du bout des lèvres avant de sortir en hâte et de descendre les quatre étages en courant.

De la fenêtre, elle le vit sur le trottoir en train de guetter un taxi, puis en héler un et sauter à l'intérieur. C'était un homme très viril, et il devait beaucoup séduire les femmes. Mais il ne lui plaisait pas. Ils n'avaient rien en commun. Pourtant, bizarrement, il la comprenait, et elle lui en était reconnaissante.

Elle avait toujours trouvé Arnie difficile à cerner, mais les gens n'étaient-il pas tous bien énigmatiques ?

12

Après le départ des déménageurs, l'appartement fut rapidement mis en ordre. N'en croyant toujours pas ses yeux, Hyacinthe admirait son nouveau domaine depuis l'entrée ; elle voyait les deux chambres, le petit bureau où elle pourrait travailler et faire dormir Jerry, et tout le reste. Elle n'aurait pas pu rêver mieux. Situé plus près de l'East River que du haut de la Cinquième Avenue, là où les anciennes et les nouvelles fortunes cohabitaient dans le luxe, le quartier était assez prospère, offrant confort et espace. En ce début de printemps, alors que les ginkgos verdissaient dans les rues, on pouvait aller à pied jusqu'au fleuve pour regarder passer les bateaux, et on n'était pas très loin vers l'ouest du grand parc avec ses arbres en fleurs. Pendant les prochaines vacances scolaires, elle irait s'y promener avec les enfants.

Dans le premier tiroir de son bureau, elle accumulait des listes d'endroits à visiter : les musées, les concerts pour enfants, la statue de la Liberté. Elle espérait que ce bureau ainsi que les autres objets familiers venus de leur maison permettraient à Emma et Jerry de retrouver la mémoire de leur vie d'avant la séparation, et les rapprocheraient d'elle. Les objets avaient un fort pouvoir évocateur qui éveillait les émotions. La petite table ronde de la cuisine leur rappellerait certainement le lait et les biscuits qu'ils y avaient si souvent pris pour le goûter, après l'école. Et puis, il y avait l'horloge à coucou, sur laquelle ils avaient appris à lire l'heure. Mais peut-être attribuait-elle aux enfants des sentiments d'adultes qu'ils ne connaissaient pas encore. Ou alors, comme beaucoup de gens, ils n'acquerraient jamais ce genre de sensibilité. Si c'était le cas, cela vaudrait peut-être mieux pour eux…

L'ancienne maison était tellement plus grande que, inévitablement, presque tout avait dû rester au garde-meuble, dans l'attente de l'avenir meilleur que prédisait Francine. Cela n'avait pas empêché Hyacinthe de donner un certain nombre de choses : le lit qu'elle avait partagé avec Gerald, le grand fauteuil qu'il avait aimé et son repose-pied, la table de la salle à manger à laquelle il avait présidé. Maintenant, il n'y avait plus rien pour le lui rappeler trop vivement.

— Tu vas voir, quand ce sera installé ! avait dit Arnie avec son enthousiasme habituel en l'emmenant visiter l'appartement la première fois.

Vide, il avait semblé gigantesque… et Hyacinthe avait été certaine qu'il était atrocement cher.

— Arnie ! s'était-elle exclamée. Tu sais que je n'ai pas les moyens de vivre ici. Tu pourrais aussi bien me faire visiter une maison Vanderbilt, s'il y en a encore par ici.

Il avait répondu patiemment :

— Je t'ai dit que j'avais une combine, Hya. Tu vas payer trois fois rien… à condition que tu ne le cries pas sur les toits. Le propriétaire aurait une émeute sur les bras si ses autres locataires l'apprenaient. Il doit être propriétaire de plusieurs milliers d'appartements... Il peut bien se passer des quelques milliers de dollars qu'il perdra sur ce loyer-ci.

— Je trouve ça quand même bizarre.

— C'est parce que tu n'y connais rien en affaires. Il me doit un service, je t'ai dit. Alors, paie ton loyer, et sois heureuse. Fais venir les enfants et amusez-vous bien.

Ainsi s'était achevée la discussion, et il n'y aurait plus eu de raison d'en parler si Hyacinthe ne s'était pas sentie à son tour très redevable vis-à-vis d'Arnie.

— Jamais je ne pourrai lui revaloir ça, dit-elle à Francine au téléphone.

— Mais si, il pense à une chose très précise, et il espère que tu diras oui.

Si c'était le cas, pensa Hyacinthe, elle avait eu tort de le laisser se faire des illusions. Pourtant, elle ne lui avait pas donné de faux espoirs. L'avait-elle encouragé ? Peut-être n'aurait-elle pas dû accepter qu'il lui rende ce service, mais la tentation avait été trop forte.

Pour la centième fois, elle regarda autour d'elle, s'imprégnant de l'atmosphère. Il régnait un tel calme, ici... Tout le contraire de son deux pièces, bruyant de jour comme de nuit, où la vie de la rue et les bruits du vieil immeuble lui parasitaient la tête. Ce nouvel appartement était de plus très lumineux ; le soleil et la lune, tour à tour, jetaient leur lueur sur les murs et le plancher.

On venait de lui livrer des fleurs de bienvenue de la part d'Arnie. Il y en avait partout. Un bouquet sur la table du coin-repas et, entre les fenêtres du salon, un buisson fleuri dont elle ne connaissait pas le nom, probablement rare et fort cher, planté dans un magnifique pot de céramique ; sur la table de nuit près de son lit, elle avait mis dans un petit vase les boutons de roses. Elle prit le téléphone et l'appela à son hôtel pour le remercier.

— J'allais partir, dit-il. Je jette mes affaires dans la valise et je file par le dernier avion pour rentrer.

— Je croyais que tu devais rester plus longtemps, répondit-elle, ne sachant trop comment finir la conversation.

— Non, je n'ai pas le temps de me reposer, j'ai du travail. Et cette fois, je n'avais pas d'excuse pour venir. Je n'ai fait le voyage que pour ton déménagement.

— Ce que tu peux être gentil ! Beaucoup trop gentil, dit-elle sincèrement. Dommage, tu vas manquer ma mère. Elle arrive demain, et je pensais que tu pourrais dîner avec nous.

— Ta mère ? Je suis content qu'elle vienne te voir. Heureusement qu'elle n'a pas vu l'autre appartement.

— Oui. Je n'aurais pas eu fini d'en entendre parler !

— Et elle aurait eu raison de le critiquer. J'aime beaucoup Francine, si tu veux savoir. Tu sais pourquoi ? Parce qu'elle a beaucoup plus d'affection pour moi que toi.

— Tu es injuste, Arnie, je t'aime beaucoup. Quand je pense à tout ce que tu fais pour moi…

— Bien… mettons que ça suffira.

— Je regrette que tu ne restes pas assez longtemps pour dîner avec nous. Je vais étrenner la cuisine. Cela fait des éternités que je n'ai pas cuisiné.

— J'en déduis que tu te sens mieux, dit-il gentiment.

— C'est vrai. J'apprends à survivre. C'est ça où se laisser couler.

— Non, ne baisse pas les bras, Hya, il ne faut jamais abandonner.

— On ne m'a pas préparé de dîner aussi délicieux depuis des lustres, remarqua Francine en plaçant le dernier plat dans le lave-vaisselle. Soit je vais au restaurant, soit je me fais un petit quelque chose, mais tu devines que le résultat n'est pas à la hauteur de tes talents. Tu es un vrai mystère pour moi, Hyacinthe, je te le dis souvent.

Allait-elle se lancer dans une nouvelle harangue sur le divorce et les enfants ? Pitié, non, pria Hyacinthe, qu'elle s'abstienne, pour une fois. Cette fois, elle n'avait pas besoin d'avoir peur : sa mère lui sourit tendrement, très maternelle.

— Dire que tu es entrée dans une école de stylisme, tu n'es pas croyable, toi qui ne portais jamais que des jeans et des pulls.

— Peut-être que j'ai hérité un petit peu de ton goût pour les vêtements.

Francine prit un calepin sur la table du salon.

— Ça me rappelle tes tableaux, ta façon de croquer les personnages, ton père allongé dans le hamac, ou moi avec ma robe blanche.

— Beaucoup de grands couturiers sont aussi peintres. Certains créateurs de mode très connus ont d'abord été dessinateurs. On commence toujours par montrer des croquis aux fabricants pour qu'ils décident si le modèle les intéresse.

— Peut-être que tu deviendras célèbre.

Que c'était bête de dire des choses pareilles ! Francine n'avait pas la moindre idée des difficultés qu'on rencontrait dans ce milieu, de la concurrence, des gens qui se tiraient dans les jambes, de ceux qui ne tenaient pas leurs promesses, des coups de publicité autour de nouveaux noms qui retombaient tout aussi brutalement dans l'oubli. « Si je pouvais seulement arriver à gagner confortablement ma vie, se dit Hyacinthe pour la centième fois, toucher un revenu fixe, un peu moins aléatoire que ce que m'ont rapporté les robes que j'ai vendues chez R.J. Miller... » À chaque seconde de son existence, quoi qu'elle pense, quoi qu'elle fasse, elle gardait cet objectif en tête. Rien ne lui prouvait qu'elle y parviendrait, mais cette idée ne la quittait pas. Même quand elle prenait plaisir à son travail – et à mesure qu'elle progressait, elle s'amusait de plus en plus –, ces considérations financières prédominaient.

Souvent, au milieu d'une conversation, son esprit vagabondait. Elle pouvait être en train de parler de n'importe quoi, soudain se formait une image : Jerry riant aux éclats. Ou elle se posait une question : « Il est quatre heures, est-ce qu'ils vont à leur leçon d'équitation ? »

Elle fit un effort pour revenir au moment présent, dans le joli salon où Francine attendait qu'elle reprenne la parole. N'était-il pas étrange que deux personnes réunies dans la même pièce, à moins d'être en train de lire ou d'accomplir une tâche spécifique, se sentent obligées de se parler ? Le silence était même déplaisant, comme un signe qu'on s'ennuyait, ou qu'on n'aimait pas l'autre, ou qu'on était en colère.

— J'ai acheté quelque chose sur un coup de tête, cet après-midi, dit Hyacinthe. C'est trop cher pour ma bourse, et je ne comprends toujours pas ce qui m'a fait craquer.

— Montre.

Hyacinthe alla chercher dans le placard du hall un rouleau de tissu imprimé multicolore, le déroula, et le fit pendre sur son bras pour le présenter.

— Je l'ai vu dans la vitrine d'un décorateur, expliqua-t-elle. C'est un tissu d'ameublement. Sens comme il est lourd. Mais en fait, il n'est pas beaucoup plus épais qu'un vrai tissu écossais pour confectionner les kilts. Je me suis dit qu'on pourrait en tirer un vêtement fabuleux. Regarde-moi ces couleurs ! Ça ne te rappelle pas un vitrail, avec ces cobalts et ces rubis ?

— C'est vrai que c'est original.

— Ça ne te plairait pas, en jupe ?

— Je ne sais pas. Pour la porter avec quoi et à quelle occasion ?

— Quand tu voudrais. Avec des bottes et un gros pull, ou le soir, avec un chemisier en soie et le collier de rubis et de diamants qui est dans le coffre familial. Là, il faudrait que tu te fasses accompagner par un garde du corps.

Les couleurs du tissu la mettaient en joie, et elle se mit à rire.

— J'ai aussi acheté de la soie vert gazon l'autre jour en passant devant un magasin qui faisait des soldes.

Elle se garda d'expliquer qu'elle l'avait achetée chez un grossiste près de son ancien appartement.

— Ce n'est pas du tissu cher au départ, mais la couleur est magnifique, et je me suis dit que ça me permettrait de m'entraîner à la coupe. J'aime bien m'exercer chez moi.

— Fais voir.

— Tiens, regarde, ce n'est pas joli ? Ça me fait penser à une pelouse après une bonne averse.

— Que comptes-tu en faire ?

— Juste un drapé tout simple, mais pas trop simple quand même, pour que ça n'ait pas l'air d'une combinaison. On vend trop de robes qui ressemblent à des sous-vêtements ou des déguisements pour Halloween.

— Continue, tu m'intéresses.

— Évidemment, seule une femme avec une très jolie silhouette pourrait se permettre de porter une robe simple de cette couleur vive. Une femme mince dans ton genre. Tu ne voudrais pas me laisser essayer le drapé sur toi ?

— Pourquoi pas ? répondit Francine qui avait l'air de s'amuser.

— Bien. Je vais prendre des épingles. J'ai justement suivi un cours sur la technique du drapé hier. C'est très difficile. Je vais essayer des plis à la grecque. Surtout ne bouge pas.

Elle continua de parler, la bouche pleine d'épingles.

— Une robe comme celle-ci se doit d'être cousue à la main. On ne se rend pas compte – du moins, moi, je n'en avais pas la moindre idée – que le travail à la main marque tant la différence. C'est ce qu'on trouve chez les grands couturiers à Paris. Ça explique le prix. Granny aurait pu travailler dans la haute couture. Je n'en avais pas conscience avant.

— Comment arrives-tu à parler avec des épingles plein la bouche ?

— C'est facile. Et ça me donne l'impression d'être une vraie professionnelle.

Elle se tut, concentrée sur son travail. Pendant une seconde, elle se vit à son chevalet, le pinceau à la main ; elle ressentait la même absorption sereine, le même plaisir à façonner des formes, à créer quelque chose à partir de rien. Elle épinglait, ajustait, épinglait de nouveau. Le tissu glissait entre ses doigts. Une soie de meilleure qualité serait mieux tombée. La ligne de la jupe, sous les hanches, aurait été plus nette, comme la diagonale d'un triangle. Mais ce n'était pas trop mal, malgré tout.

— Il y a un grand miroir dans la salle de bains, dit-elle quand elle eut fini. Va te regarder et dis-moi si tu aimes.

Une seconde plus tard, Francine était de retour.

— C'est incroyable ! Tu as fait une robe en un rien de temps, je n'en reviens pas.

— Tu sais, il y a de grands créateurs qui viennent nous donner des cours. Si on écoute bien, on arrive à apprendre pas mal de trucs du métier.

— Tu avais déjà du talent avant d'entrer dans cette école. Tu ne vas pas me dire que tous les étudiants arrivent à ce résultat après quelques cours.

— Oh, non, mais il y a aussi beaucoup de travaux pratiques. Tu voudrais que je te la couse ? Tu la porterais ?

— Mais, ma chérie, j'y accrocherais une pancarte à ton nom ! Je serais aussi fière qu'Emma quand tu lui as donné sa robe avec les roses.

Le nom d'Emma provoqua un court silence. Francine poussa un soupir presque inaudible avant de se remettre à parler gaiement, manifestement pour changer de sujet.

— Je comprends tout, maintenant : c'est la peinture qui t'a menée à ça. Tout ce que tu as appris porte ses fruits. Le sens du volume, des proportions… c'est évident. Tu sais, je te dois des excuses. Tu as eu raison de choisir cette voie, et moi, j'ai eu tort de vouloir t'en empêcher. Je me disais que je n'avais pas le droit de juger tes tableaux parce que je ne m'y connais pas beaucoup en art, et pourtant… enfin, ce que tu fais maintenant, c'est du pur génie. Ça coule de source. Cette fois, tu as trouvé ton véritable mode d'expression… J'espère, reprit-elle doucement après une interruption, que je ne t'ai pas peinée.

Francine et Will Miller. Deux personnes qui ne se connaissaient pas et ne se rencontreraient jamais. Francine avait gardé ses doutes pour elle, et lui, il lui avait jeté brutalement son opinion à la face.

— Est-ce que tu vas encore parfois chez R.J. Miller ?

— Non. Le magasin près de chez moi vient de fermer, et il paraît que tous les autres ont été rachetés par un grand groupe. C'était charmant mais un peu vieillot, non ?

Hyacinthe se sentait très bête de penser encore à un homme avec lequel elle n'avait pas passé plus de six ou sept heures au total. Pourtant, il lui arrivait de voir dans la rue quelqu'un qui le lui rappelait pour une raison ou une autre : démarche rapide, monture en écaille, ou teint haut en couleur. Elle ne comprenait vraiment pas pourquoi.

— Tu me manques, déclara Francine. Au moins, avant, je pouvais venir te voir d'un coup de voiture une ou deux fois par mois.

— Quelle différence ? Maintenant, tu peux prendre le train et venir aussi vite. Tu n'aimes pas ta chambre ?

— Si, beaucoup, mais je ne savais pas qu'il y aurait de la place pour moi, j'ai laissé ma valise à l'hôtel.

— Non ! Tu as pris une chambre à l'hôtel ? Je suis désolée, j'aurais dû te prévenir.

— Ce n'est pas grave, je le saurai pour la prochaine fois. Au moins, j'ai vu où tu habitais, et je me sens mieux.

— Et qui plus est, je ne paie presque rien.

— Tu ne crois quand même pas ce que t'a raconté Arnie ?

— Pourquoi pas ?

— Parce que c'est un immeuble très cher, et qu'il est bien rare que les gens fassent de tels cadeaux. À un membre de leur famille, passe encore, mais pas à un ami. Non, chérie, c'est Arnie qui paie pour toi.

— Papa te dirait : « Francine, tu dérailles complètement », tu n'as pas l'impression de l'entendre ?

— Ah ? Tu crois ? Eh bien, nous verrons. Que répondras-tu quand il te demandera en mariage ?

— Ça n'arrivera pas, je te l'ai déjà dit. C'est ridicule. Je ne suis pas son genre de femme, et il ne me plaît pas.

— Bon, bon, nous verrons. De toute façon, cela compliquerait la situation. Il est trop proche de Gerald.

Francine s'interrompit, fronçant légèrement les sourcils, puis s'écria impulsivement :

— Que comptes-tu faire pour les enfants ? Je ne te comprends pas. Quand vas-tu enfin te décider à me dire pourquoi tu t'es mise dans cette situation de fous ? Tu ne me fais pas confiance ?

La vague noire s'éleva et submergea Hyacinthe une fois de plus. Bien décidée à ne pas se noyer, elle se débattit.

— Ce n'est pas une question de confiance. Je défends ma vie privée. Oui, tu es ma mère, je suis ta fille, mais je ne suis plus une enfant.

La semaine précédente, la police avait arrêté un homme qui avait mis le feu, dix ans plus tôt, à la maison de sa femme qui l'avait quitté. On l'avait pisté jusqu'en Oklahoma. Comment avait-on prouvé sa culpabilité ? Hyacinthe n'en avait pas la moindre idée.

Elle refusait de lire l'article en entier. Quelqu'un avait dû le voir, ou l'entendre en parler… Quelle différence ? Il lui semblait qu'il s'écoulait rarement un mois sans que la presse relate un nouveau fait divers de ce genre, et qu'un criminel qui se croyait tiré d'affaire se fasse prendre.

— Bon, je n'insiste pas, peut-être qu'un jour tu changeras d'avis, dit Francine en se levant. Il est tard, et je dois faire des courses demain toute la journée. Je ne viens pas si souvent à New York.

Hyacinthe se leva aussi.

— Je t'en prie, ne sois pas fâchée. C'est très dur…

— Oui, c'est dur et c'est triste, et il vaut mieux que je n'insiste pas. Je suis désolée d'en avoir encore parlé, parce que nous ne nous sortons jamais de ce genre de discussion.

Francine passa sa veste, serra la ceinture qui soulignait sa taille, et prit son sac à main.

— Nous n'allons pas avoir l'occasion de nous voir pendant un moment. La Ligue d'aide à l'enfance envoie une commission d'étude au Mexique, et je vais l'accompagner comme observatrice bénévole pendant six semaines. J'ai envie de m'arrêter en Floride au passage. L'avantage de connaître Arnie, c'est que je peux l'appeler quand je veux pour voir Emma et Jerry. Je les embrasserai pour toi.

— Je leur téléphone presque tous les jours, tu sais.

— Ce n'est pas pareil. Bon, j'y vais.

Elles s'embrassèrent et Hyacinthe ajouta :

— Je vais finir ta robe, si tu en as vraiment envie. J'essaierai de la terminer à temps pour ton voyage au Mexique.

— Merci, ça me ferait très plaisir, mais ne te tue pas à la tâche. Prends soin de toi.

— Oui, toi aussi.

L'ascenseur arriva. Francine y entra, et les portes se refermèrent sur elle. Elle partait toujours ainsi, sans grandes effusions. « Discrète, polie, sûre d'elle, pensa Hyacinthe. Je pense tout le temps à notre vie d'avant, quand les enfants étaient bébés. Nous étions tous si heureux, si joyeux, si proches… »

Gerald avait jeté un pavé dans la mare, et les rides se propageaient toujours à la surface de l'eau.

« *Le temps...* » lut-elle. Elle relisait les vers de Tennyson qui n'avaient pas vieilli malgré les années et correspondaient si bien à sa propre situation.

Et le temps, dément répandant sa poussière,
Et la vie, furie brandissant sa flamme.

Sa flamme ! On ne pouvait pas tomber plus juste, songea-t-elle en refermant le livre.

Il était tard. De là où elle était assise, un soir quelques semaines après, la ville semblait une poussière d'étincelles jetée sur le ciel nocturne que ce scintillement colorait vaguement de rose. Aucun bruit ne montait de la rue jusqu'au quatorzième étage, et le silence remplissait la pièce. L'été, dans son ancienne vie, les nuits avaient résonné des stridulations des criquets, interrompues de temps à autre par un aboiement ou le claquement d'un cadre de moustiquaire.

Au bout du couloir, les enfants dormaient. Demain, ils devaient rentrer en Floride. Magnanime – à ce mot, une terrible amertume lui transperça la poitrine –, il les lui avait laissés deux semaines. Mais c'était presque plus dur de les accueillir pour si peu de temps que de leur parler au téléphone ; les intervalles entre les visites étaient trop longs alors que les appels téléphoniques, grâce à l'intervention d'Arnie, n'étaient pas limités.

Elle devait tant à Arnie. Il avait prédit que l'appartement lui porterait bonheur et, en effet, la situation s'était améliorée. Au moins, les enfants savaient qu'ils avaient un endroit où retrouver leur mère. La perte de la maison les avait perturbés plus profondément qu'elle ne l'aurait cru. L'influence du monde matériel l'avait de nouveau frappée, car, clairement, ils regrettaient plus la maison qu'ils ne la regrettaient elle !

L'horloge de Granny sonna onze coups. Elle était bruyante, mais les enfants continuèrent à dormir paisiblement. Les réverbérations s'éteignirent, et Hyacinthe resta sans bouger dans son fauteuil, bien éveillée, à se dire qu'elle devrait aller se coucher. Elle ne disposait que de quelques heures de sommeil ; demain, Jerry voulait aller au muséum d'Histoire naturelle pour revoir les dinosaures. Ensuite, ils déjeuneraient et puis, en fin d'après-midi, Arnie, qui avait profité de ce week-end pour venir à New York pour ses affaires, reprendrait l'avion avec eux jusqu'en Floride.

À présent, il faisait presque partie de la famille. Elle trouvait souvent plus facile de lui parler qu'à Francine. Il ne se montrait jamais critique. Les enfants s'amusaient comme des rois avec lui ; non pas que Francine ne soit pas toujours merveilleuse avec eux, mais avec Arnie, ce n'était pas pareil.

Avec sa passion des chevaux, il occupait une très grande place dans l'existence des enfants. C'était impressionnant de voir Jerry diriger tranquillement un animal tellement plus grand que lui, et de l'entendre discourir sur le pur-sang et le Tennessee Walker. Arnie l'encourageait en le taquinant.

— Tu as intérêt à faire des progrès très vite, parce que, d'ici quelques années, Emma va savoir trotter aussi bien que toi.

— Alors, je galoperai !

Hyacinthe avait dit un jour qu'elle devrait sans doute apprendre à monter à cheval, et Arnie avait approuvé sans réserve. Mais pour quoi faire ? Pour ses rares visites en Floride ? Non, l'équitation, c'était le domaine d'Arnie, qu'ils prennent ce plaisir avec lui.

« Pourquoi ne pas les laisser bénéficier de sa gentillesse ? pensait-elle. Tous les trois, moi et les enfants, nous ne sommes pour lui qu'une entreprise philanthropique parmi d'autres. » Il était d'une générosité extraordinaire, lui avait appris Gerald, un de ces riches célibataires sans enfant qui aiment consacrer leur temps et leur argent aux autres.

Francine, bien sûr, défendait une autre hypothèse, et bien qu'elle n'en dise rien, elle accueillerait sans doute plutôt favorablement un lien sentimental entre eux, consacré ou non par le mariage.

— Maintenant, tu es libre, avait-elle remarqué plus d'une fois. Tu devrais sortir plus souvent. Une jeune femme a besoin d'une vie affective…

Ce qui voulait dire évidemment : « Tu es trop jeune pour vivre comme une nonne. »

Comme si l'on était jamais trop vieux, quand on avait la santé ! Mais ce n'était pas si simple. Elle avait un immense besoin d'être aimée, et pourtant, elle ne rencontrait personne. « Je suis enfermée toute la journée avec des étudiants plus jeunes que moi, ou qui sont déjà pris. Ou alors – il faut avouer que c'est souvent le cas – qui ne s'intéressent pas aux femmes. Il n'y a personne. »

L'horloge sonna minuit. Pieds nus, elle alla se pencher sur le lit des enfants, juste pour les regarder dans la pâle lumière du couloir. La vie. La vie, et le temps…

— Tu sais bien que j'ai des goûts de luxe !

Arnie avait beau tourner la situation en dérision, c'était la vérité, et il savait que Hyacinthe n'était pas dupe. Il avait loué une voiture avec chauffeur pour les emmener à l'aéroport.

Emma et Jerry étaient fatigués et à moitié endormis. Ils avaient parcouru le musée de long en large, puis étaient rentrés à pied par le parc pour chercher leurs valises à l'appartement. Maintenant, ils en avaient « plein les pattes », comme disait Hyacinthe pour les amuser.

— Vous allez dormir pendant tout le trajet dans l'avion, prédit Arnie, et quand vous arriverez, l'hôtesse vous réveillera parce que l'avion ne va pas plus loin.

Hyacinthe eut un coup au cœur.

— L'hôtesse ? Tu veux dire que tu ne vas pas les accompagner ?

— Je dois rester pour voir quelqu'un demain matin à propos d'une de mes propriétés. Ils ne risquent rien. C'est d'eux dont je viens de parler à l'hôtesse.

Voyant que cela ne l'enchantait pas et qu'elle s'inquiétait, il lui assura que des milliers d'enfants voyageaient seuls pour aller voir leurs parents divorcés.

— Un signe des temps. J'ai téléphoné à Gerald ce matin, il est d'accord, et il n'y a pas plus soucieux que lui de la sécurité de ses enfants. Reconnais-lui au moins cette qualité, Hya.

Toujours préoccupée, elle demanda à Jerry :

— Ça t'ennuie de prendre l'avion sans oncle Arnie ?

— Maman, quand même, j'ai neuf ans ! protesta-t-il en prenant l'air d'un dur et en redressant ses petites épaules. Je m'occuperai d'Emma.

— Non ! Je m'occuperai de moi toute seule ! hurla celle-ci.

Elle avait l'air tellement vexée que Hyacinthe ne put s'empêcher de rire. Mise devant le fait accompli, elle les regarda donc s'éloigner puis disparaître au bout du couloir d'embarquement. Jerry portait les deux valises, tandis qu'Emma, oubliant quelque peu sa fierté, le suivait en s'accrochant à sa veste. Si elle en avait eu le droit, elle aurait couru pour les serrer une nouvelle fois dans ses bras.

— Tu m'en veux ? demanda Arnie au moment où ils repartaient.

— Un peu. Tu aurais dû me prévenir.

— Tu aurais refusé de les laisser partir seuls.

Elle dut bien admettre qu'il avait raison. Mais cette tendance à vouloir lui donner des conseils et à diriger sa vie l'agaçait parfois. Cela pouvait sembler absurde, mais elle avait l'impression qu'il lui imposait des choix en mari possessif, pour son bien.

— J'ai réservé une table pour nous à mon hôtel, dit-il brusquement.

Ayant prévu de rentrer chez elle et de se coucher pour lire, elle ne fut pas particulièrement enchantée. Elle essaya de refuser avec tact, expliquant qu'elle devait se lever tôt et serait ravie de dîner avec lui une autre fois.

— Tu ne vas pas te coucher à huit heures, protesta-t-il. Je te raccompagnerai suffisamment tôt. Fais-moi plaisir.

Il accompagna sa supplique d'un sourire très charmant pour l'amadouer.

À travers le crépuscule naissant, la grosse voiture roulait sur l'autoroute comme sur du velours. Bientôt bercée par le mouvement régulier, elle fit un effort pour se décontracter. Le confortable et somptueux intérieur de la limousine lui donnait une impression de sécurité réconfortante. Il y avait bien longtemps qu'elle n'avait plus éprouvé cette sensation d'être protégée ; elle en avait perdu l'habitude. En silence, elle se répéta : « Détends-toi, détends-toi. »

Le dîner, bien entendu, atteignit la perfection, dans un décor reposant : une harmonie de douces teintes roses et grises et beaucoup de fleurs. Des airs de piano leur parvenaient discrètement de l'autre bout de la pièce.

Arnie l'observait. Il sourit en la voyant prendre un petit calepin qui tenait dans le creux de sa main et jeter quelques notes sur le papier à l'abri de la table.

— Tu travailles ici aussi ?

— Pardon, c'est devenu une habitude. Si je n'écris pas tout de suite mes idées, je risque de les oublier. Et on ne sait jamais quand un petit détail va attirer l'attention. Ça peut venir n'importe quand, dans la rue, ou au cinéma pendant un film historique.

— Et là, tu as vu quoi d'intéressant ?

— Tu vas rire. Un type vient d'entrer avec un costume bleu marine. La femme qui l'accompagnait était vêtue de brun chocolat, et j'ai trouvé que les deux couleurs allaient bien ensemble. Je veux m'en souvenir.

— On dirait que tu aimes vraiment ce que tu fais.

— Ce n'était pas exactement mon rêve, mais parfois, on ne choisit pas.

Elle s'interrompit, puis demanda soudain :

— Est-ce que Gerald parle de moi, parfois ? Est-ce qu'il se rend vraiment compte de tout ce que tu fais pour Emma et Jerry ?

— Non, il ne te mentionne jamais. Je te l'aurais dit. Il faut reconnaître que nous n'avons pas beaucoup l'occasion de discuter. Nous sommes très pris, la clinique est surchargée, c'est la folie la plupart du temps. En dehors du travail, nous ne nous voyons jamais. Sans doute est-ce pour cela que notre association fonctionne si bien. Gerald a ses amis. Il est plus jeune que moi, ajouta-t-il avec un clin d'œil. Mais, oui, quand même, il est content que les enfants s'entendent bien avec moi.

Hyacinthe se sentit touchée. Si quelque chose devait ne pas aller, Arnie s'en apercevrait. La nourrice n'était pas trop mal, mais elle avait plus confiance en lui. « S'il y avait un problème, elle s'adresserait à Gerald, pas à moi, pensa-t-elle. Cette femme ne m'aime pas. »

— Je ne pourrai jamais te remercier assez, dit-elle.

Elle porta son verre de vin à ses lèvres pour cacher que ses yeux s'embuaient de larmes.

— Tu viens de passer une journée éprouvante, Hya, les séparations, ce n'est pas facile. Allez, courage, ajouta-t-il en posant la main sur la sienne, tu t'en sors bien, tu es formidable. Tu as du ressort, de la force, comme un bon cheval. Non, je plaisante. Tu n'es pas un cheval, tu es une femme magnifique, et tu as besoin de boire encore un verre. Pas de discussion. Et mange.

Tu as trop perdu de poids. Tu ne cuisines jamais dans ton bel appartement ?

La mention de l'appartement lui remit un souci en tête. Elle avait écarté l'hypothèse de Francine concernant le loyer, mais ce soir, en sentant la chaleur de la main d'Arnie, elle ne trouvait plus la supposition aussi ridicule.

— Ma mère ne croit pas que le loyer ait pu être autant baissé pour moi, dit-elle brusquement. Elle dit que tu racontes des histoires, et que ton ami n'a sûrement pas accordé de réduction.

— Non ? Qui a baissé le prix, alors ?

— Personne. C'est toi qui paies la différence tous les mois.

— Ah…

— J'ai été idiote de ne pas l'avoir deviné, une vraie gamine.

— Pour une gamine, tu ne te débrouilles pas si mal.

Il s'était mis à lui caresser la main. Ses ongles étaient impeccables ; elle appréciait ce détail. Trop d'hommes les négligeaient. Il avait un bracelet-montre en or tressé, comme un bijou ; de petits diamants incrustaient l'or de ses boutons de manchette, ce qu'elle ne trouvait pas de très bon goût. Mais le second verre de vin commençait à lui faire tourner la tête. Quelle importance tout cela avait-il, après tout ?

— Je voulais que tu aies un bel appartement pour recevoir les enfants. Et pour toi, aussi. Tu es une femme merveilleuse. Les femmes que je rencontre se ressemblent toutes, elles sont interchangeables, tu vois ce que je veux dire ? Elles ont le même style, les mêmes conversations, en général sans aucun intérêt. Toi, tu passes ton temps le nez dans des livres, pourtant tu n'es jamais ennuyeuse. Je n'ai jamais éprouvé pour personne ce que je ressens pour toi. Tu es beaucoup trop bien pour moi, je ne devrais sans doute pas me faire d'idées. Je te l'ai déjà dit ? En tout cas, j'en avais l'intention.

Hyacinthe essaya de dévier la conversation.

— Tu es trop gentil avec moi, Arnie. Dès que j'aurai fini ma formation et que j'aurai trouvé du travail, je te rembourserai tout.

— Ne dis pas de bêtises. Tu crois que j'accepterais ? Bois ton vin, il coûte cent cinquante dollars la bouteille, ne le gâche pas. Et le caviar… allez, mange ! C'est hors de prix.

« Il a des goûts de luxe. L'argent lui file entre les doigts, avait dit Gerald. *Enfin, il n'a ni femme, ni enfant, ni maison… ce n'est pas pareil pour lui. »*

— Quand nous aurons terminé, je voudrais que tu montes avec moi une minute, Hya. Je vais te montrer quelque chose.

— Pas tes estampes japonaises ?

Sa réflexion, se dit-elle, n'était peut-être pas très drôle, mais, en tout cas, cela le fit rire. Il lui expliqua que non, il ne s'agissait que de cadeaux qu'il avait achetés pour les enfants et n'avait pas voulu leur confier pendant le voyage en avion.

Dans sa chambre, il lui montra une calculatrice perfectionnée pour Jerry, et une magnifique poupée en costume d'équitation, avec bombe et pantalon de cheval, pour Emma. Quand tout eut été admiré avec enthousiasme, il sortit un petit écrin de velours.

Hyacinthe ressentit un choc. Pouvait-il vraiment avoir en tête ce que Francine supposait depuis toujours ? Mais non. C'était seulement – façon de parler – une très belle chaîne en or avec un pendentif :

deux chérubins, mâle et femelle, aux grands yeux de diamant.

— Tourne-toi, je vais te le mettre, dit-il.

Elle se reconnut à peine dans le miroir accroché entre les fenêtres. Ses joues roses, ses cheveux châtain foncé brillants, comme ses yeux, et le pendentif qui étincelait sur sa peau blanche, à la naissance des seins.

— Arnie ! s'écria-t-elle. Que c'est beau ! C'est magnifique, mais…

— Mais je n'aurais pas dû, acheva-t-il en riant. Et pourquoi pas, tu peux me le dire ?

« Parce que, aurait-elle voulu oser répondre, je te dois déjà trop, et que je ne veux pas être ton obligée. »

— Tu en fais trop pour moi, murmura-t-elle. Je ne sais plus comment te remercier.

— Pour commencer, tu pourrais m'embrasser.

De grand cœur, elle avança le visage vers sa joue, mais il fut plus rapide qu'elle, l'attira contre lui et l'embrassa sur les lèvres. Le premier réflexe de Hyacinthe fut de lui résister, mais il augmenta la pression, et elle sentit ses forces l'abandonner. Ils étaient serrés l'un contre l'autre, en contact de la bouche jusqu'aux hanches. Maintenant, toute volonté s'était enfuie, et ses pensées s'affolaient : « C'est le vin, je suis faible, cela fait deux ans que je n'ai rien ressenti. »

Il défaisait les boutons de son chemisier. De sa peau émanait une odeur de pin ou d'épices, ou de bon foin. Il était fort. Elle se répétait une litanie : « Cela fait tellement longtemps. Comme c'est bon de ne pas résister, de se laisser flotter. Ferme les yeux. Laisse-le faire… »

Ils se trouvaient dans le salon de la suite, et en rouvrant les yeux, elle vit la chambre à travers une porte entrouverte. Le lit, aux draps blancs et frais, était déjà ouvert pour la nuit. Là, il lui enlèverait ses vêtements et la ferait allonger…

« Non ! Qu'est-ce que tu fais, Hyacinthe ? Tu as envie de quelqu'un, mais pas de n'importe qui ! Ce n'est pas lui que tu veux. Tu le regretterais cinq minutes après. Non, non ! »

— Que se passe-t-il ? s'exclama Arnie.

Comme elle avait honte ! Il allait être furieux. Il allait la prendre pour une allumeuse, pour une de ces femmes méprisables qui font marcher les hommes et se refusent au dernier moment.

— Je ne peux pas, Arnie, murmura-t-elle. Je t'en prie, ne te fâche pas.

Comme elle, il avait le visage enfiévré. Il avait été prêt, et elle lui faisait du mal, elle faisait du mal à cet homme si gentil, si charmant.

— Pardon, Arnie. Si tu savais comme je m'en veux. Ce n'est pas ta faute, c'est juste que j'ai eu peur, tout d'un coup. Je ne me comprends pas moi-même. Je ne dois pas être encore prête.

Ils n'avaient pas bougé, étaient toujours, de façon très gênante, presque l'un contre l'autre. Un instant, ils gardèrent le silence. Le regard d'Arnie se durcit, son visage aussi.

— Mais qu'est-ce qui t'a pris… ?

Il s'interrompit et changea de ton.

— Non, ce n'est pas toi qui as commencé, c'est moi. Je te demande pardon, moi aussi. Rhabille-toi.

Il se détourna, car elle avait encore les seins découverts, et répéta plus doucement :

— Ce n'est pas ta faute, c'est moi qui ai commencé.

D'autres femmes auraient pensé qu'une nuit avec lui n'eût pas été un grand sacrifice pour le remercier de tout ce qu'il avait fait pour elle. Mais elle ne pouvait pas, elle s'en sentait incapable.

Il dut voir ses doutes et ses regrets sur son visage, car il essaya de la réconforter.

— C'est parce que tu n'as plus confiance en personne. Je te comprends.

— Oui, c'est ça, et je ne t'en ai pas dit la moitié...

Elle se sentait les jambes si faibles qu'elle dut s'asseoir. Il s'aperçut qu'elle tremblait ; il remarquait tout.

— Tu crois que je suis déséquilibrée ? murmura-t-elle.

Il s'assit près d'elle.

— Comment ça ?

— C'est ce que dit Gerald. Réponds-moi...

— Si tu l'as jamais été, en tout cas, je peux t'assurer que tu ne l'es pas pour l'instant.

Elle se trouva folle de prendre un risque aussi effrayant, aussi insensé, mais un besoin irrépressible de parler s'était emparé d'elle. Elle eut l'impression de se jeter du haut d'une falaise dans un fleuve, de jouer avec sa vie, mais les mots lui échappaient. Elle fit l'impensable.

— Tu sais, je suis allée à la clinique la nuit de l'incendie. Je t'ai déjà dit que Gerald pensait que c'était moi qui l'avais allumé. Il n'a pas complètement tort. Je t'ai menti, je suis allée là-bas. Sans doute qu'on ne se connaissait pas assez pour que je t'avoue une chose aussi dangereuse pour moi.

» À cette époque je fumais encore, continua-t-elle. Tu te souviens peut-être que j'étais une grande fumeuse. Tu n'as pas remarqué que j'ai complètement arrêté ? J'ai fait le vœu de ne plus jamais toucher à une cigarette. Plus jamais.

— Mais qu'est-ce que tu me racontes ? Tu me fais peur ! dit Arnie, atterré.

— Je suis devenue comme folle. J'ai tout cassé, j'ai marché de long en large en fumant cigarette sur cigarette. C'est comme ça que l'incendie a dû prendre. C'était à cause de cette fille, et maintenant, tu vois où ça m'a menée ! C'est pour ça qu'il a les enfants. Voilà comment ça s'est passé. J'ai bien dû signer tout ce qu'il voulait, tu comprends ? Ou sinon, sinon…

— Oui, je comprends, dit-il doucement. Je comprends.

— Même encore maintenant, je ne suis pas tranquille. Je ne le serai jamais, jamais. Je ne récupérerai jamais mes enfants. Jamais je n'oublierai l'homme innocent qui est mort par ma faute.

Il lui passa un bras autour de la taille, et elle appuya la tête contre son épaule ; il n'y avait plus de passion ni de désir dans ce geste, il ne voulait que lui apporter du réconfort, et elle avait besoin de se laisser consoler, de prendre tout ce qu'il pouvait lui donner.

— C'était un accident, Arnie, je te le jure. Les rideaux ont dû prendre feu, et l'incendie s'est propagé. Toi, tu ne penses pas que je l'ai fait exprès, au moins ? Dis-le-moi franchement, tu ne m'en crois pas capable, j'espère ?

— Je te connais, je suis absolument certain que tu n'aurais pas fait ça. Je ne vois pas pourquoi il t'accuse ni ce qui le met dans cet état. Ce n'était même pas sa clinique, c'était moi le propriétaire.

— Il s'était lassé de moi, tout simplement. Il avait besoin d'une excuse. Maintenant, il peut profiter de ses enfants sans s'encombrer de moi.

— Je ne vois pas comment on peut arrêter de t'aimer.

— Ça arrive dans tous les couples.

— Sûrement pas à moi si tu… Je ne sais pas si tu aurais envie un jour de… non, ce n'est pas le moment.

Soudain, une peur terrible envahit Hyacinthe, lui glaçant les os. Qu'avait-elle fait ? Elle agrippa les bras d'Arnie et le dévisagea avec désespoir en s'écriant :

— Arnie, tu ne diras jamais rien à personne, tu me le jures ? Tu ne laisseras rien échapper ? Je suis à ta merci, tu sais ! Tu pourrais détruire ma vie et celle des enfants si on m'arrêtait. Je n'en ai même pas parlé à Francine. J'aurais peur qu'un jour elle voie rouge et qu'elle aille parler à Gerald. Tout serait fini pour moi. Et elle le méprise tellement…

— Hya, tranquillise-toi. J'ai déjà tout oublié. Je n'ai rien entendu. Tu ne m'as rien dit.

Peut-être avait-elle été naïve. La naïveté était son principal défaut, Francine comme Gerald le lui avaient suffisamment reproché. Pourtant, dans la vie, il fallait bien parfois accorder sa confiance à quelqu'un.

— Je compte sur toi, Arnie.

Il se leva.

— Je vais appeler un taxi pour te raccompagner, dit-il en l'embrassant sur les joues. Je suis là, Hya, je t'attendrai. Je ne veux pas te presser, mais pense à moi.

13

Depuis quelques mois, Hyacinthe consacrait ses week-ends et ses soirées après les cours à coudre en secret. Elle avait pris l'habitude d'écouter de la musique en travaillant. « J'ai écouté dix opéras, calcula-t-elle, et j'ai accumulé assez de modèles pour présenter une petite collection. »

La jupe coupée dans le tissu d'ameublement attendait dans la penderie. Dans le même tissu cobalt et rubis, elle avait taillé une veste à porter sur une jupe en mousseline de soie finement plissée, de l'une des deux couleurs de base. Ces deux jupes pendaient à présent à côté du reste. Elle avait reproduit dans du satin de première qualité la robe vert cru qu'elle avait drapée sur Francine et que celle-ci avait emportée avec grand plaisir au Mexique. Avec ce nouveau tissu, le résultat était deux fois plus réussi. Dans la même penderie, on trouvait maintenant une robe noire unie, garnie d'un jabot de magnifique dentelle blanche inspiré du XVIIe siècle, un costume d'homme en laine grise à fines rayures rouges, un tailleur en lin à fleurs, et divers pantalons corsaires associés à des petits hauts.

Un jour, alors qu'elle contemplait les vêtements qu'elle avait créés, elle se demanda si elle n'avait eu pour but que de se donner du plaisir. Elle n'avait aucune envie de les porter. Ses propres vêtements lui suffisaient amplement pour son mode de vie : elle allait en cours, passait quelques après-midi le week-end avec des amies rencontrées dans son immeuble, et recevait sa mère lors de ses visites à New York. La vie de Francine était de loin plus mondaine que la sienne.

Quand elle allait en Floride, elle ne partait jamais pour plus de deux jours. Les enfants montaient dans le Nord, eux aussi pour de courtes périodes. Arnie l'emmenait au restaurant chaque fois qu'il venait en ville, mais il ne lui avait plus demandé de dépasser le rez-de-chaussée de l'hôtel.

Ils se conduisaient comme si la fameuse soirée n'avait pas eu lieu. Hyacinthe ressentait un mélange de sentiments compliqué à son égard, qui se partageaient entre la gratitude et une profonde affection. Qu'avait-il pu éprouver après son refus ? Elle essayait de le deviner. De toute évidence, il avait envie de la voir, pourquoi sinon serait-il venu la chercher ? Il avait certainement des maîtresses qui lui offraient ce qu'elle n'avait pas pu lui donner. Ou peut-être avait-il simplement pitié d'elle, surtout maintenant qu'il connaissait le fin mot de l'histoire.

Un jour, tout en ruminant ces pensées et en regardant son travail distraitement, elle décida qu'il serait plus logique d'essayer de vendre sa collection. Si elle se faisait des illusions, ce n'était pas grave, cela ne lui coûterait rien d'essayer. Il ne lui fallut pas plus d'un quart d'heure pour disposer tous les modèles dans un grand carton plat, et pour descendre prendre un taxi.

Peu après, elle arrivait dans une des boutiques les plus chic de Madison Avenue, et demandait à voir le directeur.

En le regardant examiner le contenu de la boîte, l'idée lui vint qu'il ne devait pas avoir l'habitude de voir débarquer de jeunes créateurs de façon aussi peu orthodoxe. Son coup de tête passé, elle se sentait envahie par la timidité et se serait volontiers sauvée si une telle attitude n'avait pas risqué d'aggraver encore son cas.

Mais l'élégant monsieur qui la recevait n'avait pas l'air choqué du tout. Au contraire, il montrait de l'intérêt pour ce qu'il voyait. Plusieurs minutes passèrent dans un silence que ne rompait que le froissement du papier de soie.

— J'aime bien le costume d'homme à rayures rouges porté avec le chemisier à dentelle, commenta-t-il avec un petit sourire…

Sortant les vêtements un à un, il vida la boîte, les examina attentivement l'un après l'autre, puis les replia avec soin.

— Je ne sais pas…, dit-il en dévisageant Hyacinthe.

Elle lui rendit son regard, pensant qu'il ne savait pas comment se débarrasser d'elle sans la blesser.

— Oui, je ne sais pas. Votre travail est intéressant. Vous ne vous attendiez quand même pas à ce qu'on vous donne une réponse positive en cinq minutes ?

Hyacinthe eut envie de dire : « Monsieur, je ne m'attendais à rien du tout. Je ne suis pas folle. Enfin, si, sans doute un peu, autrement, je ne serais pas venue. Je ne suis pas du calibre des créateurs dont les vêtements sont accrochés au rez-de-chaussée : les plus grands noms de Milan, de Paris, de New York sont ici. » Elle fit non de la tête.

— Écrivez-moi votre nom ici, avec votre numéro de téléphone, et quelques lignes sur qui vous êtes. Donnez-nous un peu de temps pour réfléchir, mais je vous recontacterai, soyez-en sûre.

Comme dans un rêve, se demandant si elle se faisait des idées, ou si c'était lui qui lui donnait de faux espoirs, Hyacinthe reprit son carton et retourna chez elle en taxi.

Quand, très peu de jours après, le téléphone sonna et qu'elle entendit une voix inconnue, elle se dit aussitôt que ce devait être la secrétaire du monsieur en question, qui l'appelait pour lui dire qu'il regrettait de la décevoir, mais que, bien qu'il ait apprécié sa visite...

Au lieu de quoi, elle eut en ligne la secrétaire d'un très, très grand nom du milieu de la mode : Lina Libretti. Lina Libretti était aujourd'hui à New York ce que Coco Chanel avait été à Paris quarante ans plus tôt... Ou du moins, si elle n'égalait pas tout à fait Chanel, elle était... Libretti. Apparemment, on lui avait parlé des modèles de Hyacinthe. Voulait-elle venir les montrer à l'atelier le lendemain, ou le surlendemain ?

N'en revenant pas, Hyacinthe raccrocha. Bien entendu, elle connaissait Lina Libretti, et pas seulement de nom comme tout le monde, mais parce que, plusieurs fois, Mlle Libretti était venue donner des cours à l'école. C'était une femme petite, très brune et d'une énergie farouche qui s'exprimait avec un fort accent italien. Ainsi donc, l'après-midi suivant, Hyacinthe partit pour la Septième Avenue, son carton dans les bras, le cœur débordant d'un espoir fantastique, que tempérait un réalisme beaucoup plus terre à terre.

La pièce où elle fut reçue était très grande. D'immenses verrières ouvraient sur le ciel, et devant un bureau gigantesque recouvert de magazines et de piles de dossiers se dressait un mur d'étagères où étaient exposées des photos de célébrités. Au milieu de cette démesure, derrière l'impressionnant bureau, était assise une femme minuscule. Dans la salle de cours, elle n'avait pas paru aussi petite.

Elle se leva, adressant un sourire chaleureux à Hyacinthe, puis entra directement dans le vif du sujet.

— Vous n'aviez pas besoin de traîner tout ça ici. Je connais votre travail, vos esquisses. Vous ne vous souvenez pas que je suis venue plusieurs fois à votre école ?

— Si, bien sûr, dit Hyacinthe, se demandant comment elle aurait pu l'oublier.

— Je me souviens de vous aussi. Je voulais vous parler à la fin du semestre. Je n'aime pas perturber les étudiants en milieu d'année. Mais vous avez été plus rapide que moi. Vous avez fait grande impression, là-bas.

Elle ponctua cette affirmation d'un grand geste en direction de Madison Avenue.

— Je prépare quatre collections par an, continua-t-elle, et ces gens m'en achètent une grande partie. Mais j'imagine que vous savez déjà tout cela.

Hyacinthe n'eut que le temps d'approuver d'un hochement de tête avant que le torrent de paroles ne reprenne.

— Vous m'avez impressionnée, moi aussi. Je dirais que vous vous y connaissez en art, et que vous aimez la nature. Je me trompe ? Vous ne voulez pas vous asseoir ?

Hyacinthe fut frappée par ce jugement. Cette femme sortait vraiment de l'ordinaire, elle était d'une haute intelligence, certainement, percevait les gens avec justesse, et semblait avoir un caractère bien trempé.

— Alors ? Je me trompe ? répéta Mlle Libretti.

— Non, en effet, je peins, ou du moins j'ai beaucoup peint. Et j'ai grandi dans une toute petite ville de province.

— Vous voyez ! Je l'ai deviné à votre travail, avec toutes vos feuilles d'arbre et vos couleurs de ciel. C'est très frais. Vous pensez sans doute que je raconte n'importe quoi, et vous avez peut-être raison, mais enfin, je peux vous dire que vous êtes douée, très douée. Je suis une vieille femme, j'ai dépassé les soixante-dix ans depuis longtemps, et j'ai vu défiler des centaines de jeunes stylistes. Ils sont tous persuadés d'avoir du talent, de se distinguer des autres, les pauvres, alors que c'est très rarement le cas. Ils pensent tous être originaux, mais combien d'entre eux le sont ? – elle se mit à rire. Pas que je sois très originale moi-même ! Écoutez, ça vous plairait de venir travailler avec moi ? Je peux vous apprendre le métier deux fois plus vite que dans votre école.

Le cœur de Hyacinthe tambourinait dans sa poitrine, dans ses oreilles, et sans doute jusque dans ses orteils.

— Bien, je vois à votre tête que vous êtes d'accord. Alors, venez. Maintenant, ouvrez cette boîte que je regarde ce que vous apportez. Vous avez failli donner une attaque à ce pauvre homme, l'autre jour.

Plus tard, en se remémorant les événements, Hyacinthe estima qu'il lui avait fallu environ six mois pour vraiment réaliser ce qui lui arrivait. Tout d'abord, elle avait eu tant à apprendre que, après quelques heures d'euphorie, elle avait été complètement écrasée par sa deuxième journée chez Lina Libretti. À tout moment, elle s'était attendue à ce qu'on lui annonce que, finalement, elle ne convenait pas au travail, et qu'il s'agissait d'une regrettable erreur.

Elle n'avait jamais visité d'atelier de couture où, sous un éclairage ultra-puissant, des rangées d'hommes et de femmes, debout ou assis, cousaient, coupaient, repassaient et finissaient les modèles sortis de l'imagination d'un créateur. Sauf dans les revues de mode, elle n'avait jamais vu de grand couturier épingler et ajuster un vêtement sur un mannequin vivant ; sa seule expérience dans ce domaine avait été le jour de ses essais sur Francine. Elle ne savait rien de la coupe des tissus en tricot, pas grand-chose des étoffes réversibles, et quasiment rien sur le système économique dont dépendait la survie des entreprises du secteur.

Ses erreurs la décourageaient, et elle redoutait les réprimandes qui la cinglaient comme des fouets quand Lina rectifiait une erreur ou découvrait un oubli. Un après-midi particulièrement difficile, elle demanda même à Lina si elle voulait qu'elle parte. La réponse fut sèche, mais suivie par une petite tape dans le dos et ces mots : « Que vous êtes bête. Vous serez encore là longtemps après moi… si du moins vous en avez assez envie. »

Si elle en avait assez envie ? Les idées se bousculaient dans sa tête. Elle était allée au musée du Costume, à l'exposition chinoise, au lac de Central Park, et toutes ces expériences constituaient un terreau fertile pour son imagination. La dentelle d'un bonnet d'enfant se transformait en pyramide de volants sur une robe de bal couleur amande, et un sari imprimé lui inspirait des manches amples sur un fourreau couleur crème.

— Bien, dit Lina avec un petit signe de tête. Maintenant, passons à la coupe. Regardez-moi bien attentivement.

Quand la boutique à laquelle Hyacinthe avait apporté ses premiers modèles commanda plusieurs des vêtements qu'elle avait créés et les commercialisa sous la griffe Libretti, un article dans un grand magazine de mode parla d'elle, révélant que la nouvelle styliste était jeune et qu'elle s'appelait Hyacinthe.

Lina se montra généreuse.

— Si vous continuez comme ça, je pense vous laisser signer vos modèles. Vous travaillerez dans une fourchette de prix inférieure… pas basse, mais un peu moins chère, et nous appellerons votre collection « *Hyacinthe* de Lina Libretti ».

Les réactions de son entourage devant ce soudain succès furent intéressantes.

Francine se conduisit en mère aimante. Elle vint immédiatement à New York, l'emmena fêter l'événement dans un des plus grands restaurants de la ville, et lui acheta un bracelet pour aller avec sa nouvelle célébrité. Pourtant, derrière le sourire de fierté, on discernait sur son visage une légère, très légère ombre de doute et d'incrédulité, comme si elle pensait que ce qui arrivait était irréel.

Arnie fut égal à lui-même, encourageant et pourtant assez cynique.

— Formidable ! Formidable ! Tu vas leur montrer qui tu es ! Mais attention, tu débarques dans le milieu, méfie-toi, vérifie le montant des salaires. Ne te laisse pas rouler.

De Gerald, elle reçut un petit mot bref et amical pour la féliciter. Elle le jeta à la poubelle, et ne songea pas à lui répondre. Comme Gerald ne lisait pas les revues de mode, elle se demanda où il avait été pêcher ces informations.

— C'est toi qui le lui as dit, accusa-t-elle Arnie au téléphone.

— Non, je te jure que non. Il faut t'y faire, Hya, tu deviens célèbre. Et en six mois seulement. Mais ne prends pas la grosse tête, surtout !

« Le temps vient à bout de tous les chagrins » : une petite voix soufflait parfois à Hyacinthe cette sage maxime qu'elle avait apprise à l'école, il y avait bien longtemps, presque dans une autre vie. « Avec le temps, va, tout s'en va ». Pour elle, c'était différent. Le temps ne lui avait appris qu'à cacher sa peine et à réagir, à se réjouir d'avoir du travail, de savoir ses enfants en bonne santé, et d'avoir pu échapper, jusqu'à présent, à la menace suspendue au-dessus de sa tête, l'orage prêt à éclater.

« Quand je suis dans l'autobus, pensait-elle, et que je vois un écolier joyeux avec son cartable, je ne peux que penser à mon fils de dix ans, qui rit, comme lui. Puis je pense à Emma, petite fille trop vite poussée en graine, sensible et curieuse. Elle ressemble à son père, mais aussi à Francine, et elle sera grande, comme moi. Mais, et cela les distingue de moi, mes enfants se sont habitués à leur mode de vie.

« Tout a changé, et à la fois tout est pareil, selon l'angle qu'on privilégie. Entre Francine et moi, il y a maintenant une trêve tacite ; elle sait que je ne lui dirai rien, et elle ne pose plus de questions. Arnie est égal à lui-même, plein de vie, dépensier et fidèle ; nous n'avons toujours pas eu d'explication depuis le soir où je me suis échappée de ses bras. Lina est toujours enthousiaste. En fait, elle est très contente, parce qu'à présent, après tout juste un an, la griffe Hyacinthe est entrée dans dix-huit des points de vente les plus prestigieux du pays. Je goûte pour la première fois aux défilés, aux photographes, aux interviews.

« Oui, tout a changé, et pourtant, tout est pareil. »

— Il faut que je vous parle, dit Lina. Venez dans mon bureau et fermez la porte. Personne ne doit être au courant avant la semaine prochaine, quand je ferai mon annonce publique. Je m'apprête à vendre ma maison de couture.

— Vous voulez vendre, Lina ? Mais, et vous ? Qu'allez-vous devenir ?

On ne pouvait pas dissocier cette petite boule d'énergie de l'atelier de la Septième Avenue où elle trônait telle une reine derrière son énorme bureau croulant sous les papiers.

— Ça ne se fera pas sans transition. Je m'y prépare, simplement. Ensuite, eh bien, je profiterai des millions qu'on va me donner, ajouta-t-elle avec un rire. Mais sérieusement, je suis fatiguée… Pas trop fatiguée pour entreprendre un voyage autour du monde, par exemple, mais je vieillis, et il me faut du changement. C'est là que vous intervenez, Hyacinthe.

— Moi ? Je pense plutôt que c'est l'heure du départ pour moi aussi.

— Mais non. Il se trouve justement que votre collaboration est l'une des raisons qui ont décidé mes acheteurs. Il s'agit d'un fabricant de vêtements extrêmement important, et comme toutes les grandes entreprises de nos jours, ils cherchent un domaine où se développer. Franchement, bien que ces messieurs aient été trop diplomates pour me le dire ouvertement, ils voudraient injecter du sang neuf dans la maison quand ils en prendront la direction. Et ce sang neuf, c'est vous, Hyacinthe.

Lina attendait une réaction, ses yeux noirs étincelant de plaisir.

Hyacinthe était stupéfaite.

— Vous ne pensez quand même pas que je suis qualifiée pour diriger cette maison !

— Vous ne serez pas prête lundi prochain, ni même dans six mois, bien sûr. Je resterai pour vous conseiller aussi longtemps que nécessaire. Vous garderez la même équipe, directeur des ventes, comptables, tout le monde, pour vous aider. Vous, vous continuerez à travailler comme par le passé, et si vous ne vous arrêtez pas sur votre lancée, vous finirez par vous asseoir dans mon fauteuil.

Hyacinthe avait l'impression d'être venue rencontrer Lina Libretti la veille seulement, et se revoyait entrer dans cette grande pièce imposante. C'était aussi hier qu'elle avait tristement dit au revoir à Moira sur le perron. Hier encore qu'elle avait assisté dans l'église à l'enterrement d'un pauvre homme.

— Je n'arrive pas à y croire, murmura-t-elle.

— J'ai eu aussi du mal à y croire quand ça m'est arrivé, oui.

Lina pencha sa chaise en arrière pour regarder le plafond comme si elle y voyait défiler sa vie. Puis, se redressant, elle reprit vivement la parole.

— Ce groupe qui me rachète est très important, comme je vous l'ai dit. Ils veulent développer leur marché en se lançant dans les produits de luxe comme la grande parfumerie, la bijouterie de fantaisie de qualité, les accessoires de maroquinerie… c'est ce qui marche. Quelqu'un de chez eux a vu votre robe du soir en Californie, vos jabots et vos couleurs florales éclatantes. Je suis certaine que c'est l'élément déterminant de leur décision. Ne l'oubliez pas, Hyacinthe.

— J'ai quand même l'impression de rêver.

— Non, vous êtes bien éveillée, et vous avez intérêt à le rester, parce qu'ils vont envoyer leurs directeurs pour discuter des modalités demain ou après-demain.

— Comme ta grand-mère aurait été heureuse ! s'exclama Francine.

C'était une jolie réaction de la part d'une femme qui n'avait pas eu de très bons rapports avec sa belle-mère. Elle s'empressa d'ailleurs de rectifier :

— Elle n'y a pas été pour grand-chose, finalement. Elle t'a appris la technique, il faut le reconnaître, mais elle avait un goût épouvantable. Elle n'aimait que le vert épinard et le lie-de-vin, comme des raisins en train de pourrir !

— Prends-toi un très bon conseiller juridique, recommanda Arnie qui avait appelé sous prétexte de lui donner des nouvelles d'Emma et de Jerry. On ne sait jamais ce qui peut se passer avec ces rachats d'entreprises et ces prises de contrôle. Il faut te protéger, Hya.

Elle repensait vaguement à ces deux réactions en entrant dans le bureau de Lina le lendemain matin. Il n'y avait qu'un homme dans la pièce, face à Lina et le dos à la porte. Au moment où Hyacinthe ouvrait, il se leva et se tourna vers elle. C'était Will Miller.

Elle fut d'abord frappée par l'éclair de malice qui marquait son expression. L'amusement éclairait tous ses traits, ses lèvres s'apprêtaient à rire et ses yeux pétillaient. Elle avait oublié qu'ils étaient si verts.

— Eh bien, dit-il, comme on se retrouve !

Lina ne cacha pas sa surprise.

— Vous vous connaissez ?

— Oui, ou du moins, nous nous sommes un peu vus, mais nous avons eu un petit malentendu la dernière fois, n'est-ce pas, Hyacinthe ?

Elle avait bien du mal à définir ce qu'elle éprouvait. Sa rancœur restait assez vive, car ne s'était-il pas montré plus méprisant que nécessaire ce jour-là ? N'aurait-elle pas dû aussi être un peu contente de le revoir ? Elle avait pensé à lui si souvent ! Dans le même temps, comme elle ne pouvait pas envisager de s'impliquer sérieusement avec quelqu'un, elle se disait que cette réapparition allait lui compliquer la vie. Et des complications, elle en avait suffisamment.

— Vous voyez que j'ai suivi vos conseils, dit-elle avec une froideur polie.

— Je n'avais pas la moindre idée, en vous parlant, que vous me donneriez si bien raison.

Ce court dialogue fut interrompu par l'arrivée de ceux qu'ils attendaient, et ne reprit qu'après midi, à la fin de la réunion.

— Vous voulez déjeuner ? demanda Will.

— Désolée, en général, je me fais apporter un sandwich. Nous sommes en pleine préparation de la collection d'été.

— Alors prenons un verre ce soir et dînons ensemble.

— Je suis navrée, mais je dois déjà dîner dehors.

— Bien, nous sommes vendredi, voyons-nous demain.

— Je reçois des invités. Des amis de ma mère, ajouta-t-elle très vite, de peur qu'il ne pense qu'elle ne l'incluait pas dans la soirée par hostilité.

— Alors, allons nous promener dans le parc dimanche après-midi. Vous ne vous en tirerez pas comme ça, Hyacinthe. N'oubliez pas, vous allez devenir une employée du groupe.

De nouveau, ce sourire malicieux. Répondant à son humour, elle répliqua :

— Ne me dites pas que c'est vous le propriétaire !

— Non, nous sommes plusieurs, vous ne savez pas ce que ça veut dire, un groupe ? Regardez dans le dictionnaire.

Elle le trouvait étonnant de se moquer d'elle ainsi, comme s'ils se connaissaient depuis des lustres. Ou comme s'ils étaient... intimes, intimes comme son père et Francine, qui s'étaient parlé de la même manière.

— D'accord, alors quel est votre statut, au juste ? demanda-t-elle.

— La R.J. Miller Company a cessé ses activités à la mort de mon père, peu de temps après notre dernière rencontre. Plus exactement, elle a été rachetée, et maintenant, je suis l'un des vice-présidents de la nouvelle société. Je vais vivre à New York.

Il enfonça la main dans sa poche et en tira une paire de lunettes en écaille qu'il se posa sur le nez.

— J'en ai acheté une nouvelle paire que j'utilise quand j'ai de nouveau envie de me vieillir. Vous vous souvenez que j'avais décidé de me rajeunir ? Peut-être que maintenant j'aurai plus de chances de vous impressionner si j'ai l'air plus âgé. Vous me respecterez davantage puisque, grâce à moi, vous êtes devenue une personnalité importante. Allez, Hya, un sourire. Je fais le clown, et vous, ça ne vous amuse même pas.

« Ça suffit, pensa-t-elle. Arrêtez, je ne veux pas de vous, je n'ai pas besoin de vous. Enfin, j'ai envie de vous voir, mais je ne peux pas, ça ne marcherait pas, vous ne savez rien de moi, ce ne serait pas juste pour vous, ça n'aurait aucun sens, laissez-moi tranquille. »

— Un brunch, dimanche, ça vous dirait ? demanda-t-il.

Des opales, pensa-t-elle. Ses yeux sont comme des opales. Et soudain, remarquant que les lunettes n'étaient qu'un gag, une monture vide sans verres, elle éclata de rire et fit oui de la tête.

— D'accord pour le brunch, puisque vous y tenez.

— Ne mangez pas de petit déjeuner avant, j'aime les femmes qui ont de l'appétit.

— Vous me donnez déjà des ordres ?

— Bien sûr. C'est moi le patron, le vice-président-directeur général qui vient de vous racheter, et au prix fort, qui plus est.

— Avril, c'est mon mois préféré, dit Will. Vous savez pourquoi ?

— Parce que mai est encore à venir, et qu'ensuite il reste tout l'été.

— Exactement ! Et septembre, vous aimez ?

— Je n'aime pas tellement l'automne en général. On dit que c'est une belle saison, avec le feuillage rouge et doré, et c'est sans doute vrai. Mais ça ne m'ôte pas l'impression que tout est en train de mourir. L'hiver en revanche me plaît beaucoup. En fait, j'adore ça. Vous savez pourquoi ?

— Facile. Parce que le printemps va arriver. Il neige, et on vend des jonquilles au supermarché. C'est ça ? C'est pareil pour vous ?

— Oui, exactement.

Ils marchaient lentement dans le parc. Ils avaient passé deux heures autour de leur brunch, en bavardant sans discontinuer, et maintenant, ils poursuivaient la discussion, échangeant tout ce qui leur passait par la tête, se trouvant des quantités de points communs au fil de réflexions en apparence décousues.

— Vous avez disparu. Je ne suis arrivé à trouver personne qui vous connaissait à part les employées du magasin, et elles ne savaient pas où vous étiez passée. Je vous ai cherchée partout. Vous n'avez même pas laissé d'adresse à la poste pour faire suivre votre courrier. Pourquoi ?

Il la contemplait avec une telle intensité qu'il semblait lire dans ses pensées. Il lui avait donné exactement la même impression la première fois qu'ils s'étaient vus.

— C'était à cause du divorce, expliqua-t-elle. Je me sentais trop mal. J'avais envie de disparaître, d'oublier tout et de ne plus avoir aucun contact avec les gens que je connaissais là-bas.

Sur ce point, au moins, elle disait la vérité.

— Je comprends, dit-il doucement. C'est drôle, Hyacinthe. J'avais une raison très spécifique de vouloir vous revoir. Deux raisons, en fait. Je voulais vous renouveler mes excuses pour la façon brutale dont je vous ai donné mon opinion ce jour-là. L'autre raison, c'est que, pendant mon voyage en Europe, je suis allé à une exposition de Dufy où j'ai appris qu'il avait fait des dessins de mode. Je n'en revenais pas, je ne sais pas pourquoi. Ses croquis sont de petits joyaux en eux-mêmes, à l'aquarelle et à l'encre, pour je ne sais plus quel célèbre couturier parisien avant la Première Guerre mondiale. J'ai tout de suite pensé à vous, et au rapport entre l'art et la haute couture.

— En fait, vous vous y connaissez beaucoup mieux en art que vous ne le prétendez.

— Pas du tout. Je ne sais pas grand-chose. J'apprends en regardant.

— Moi aussi.

Soudain, elle devint si intensément consciente de la présence de Will à ses côtés qu'elle ne trouva plus rien à dire. Puis, comme ils approchaient du musée, elle eut une inspiration.

— Vous voulez y faire un tour ?

— Une autre fois. Aujourd'hui, j'ai seulement envie de discuter. Parlez-moi de vous.

— Il n'y a pas grand-chose à dire. Je travaille beaucoup et j'adore ça. J'ai eu de la chance. Vous m'avez bien conseillée.

— Je ne voulais pas parler de votre travail, mais de vous. Vous vous sentez seule, maintenant que c'est terminé ? Si mal que se passe un mariage, j'ai souvent entendu dire qu'après un divorce, on se sentait seul au monde.

— Je ne me sens pas seule du tout, s'empressa-t-elle de répondre. J'ai des frères, et ma mère ne vit qu'à quelques heures d'ici. Elle est très occupée par des quantités d'activités bénévoles, et moi aussi je suis très prise, mais nous trouvons le temps de nous voir.

Il ne voulait pas non plus parler de sa famille, elle le savait très bien. De façon détournée, il lui demandait si elle avait un amant. Elle se doutait également que si elle prétendait en avoir un, à part quelques rencontres occasionnelles à son travail, elle ne le verrait plus.

— J'ai quelques amis, se contenta-t-elle de dire, mais personne de vraiment très proche. Je n'ai pas eu le temps.

— Personne de vraiment très proche ? Tant mieux. Non, c'est très égoïste comme réaction. Ce n'est pas ce que je voulais dire. Pas tout à fait.

Ils continuèrent leur promenade, longèrent une pièce d'eau et passèrent à travers une brume de bourgeons à peine verdissants. Approchant d'une allée cavalière, ils s'arrêtèrent au passage de quelques chevaux. Parmi les promeneurs se trouvaient des enfants, dont un petit qui montait un poney pas beaucoup plus grand qu'un jouet, et un autre, un peu plus âgé, perché sur sa selle, sérieux comme un pape.

— C'est beau, remarqua Will. Si on s'asseyait pour regarder les chevaux un moment ?

Ils trouvèrent un banc. Pendant une ou deux minutes, ils gardèrent le silence. Elle savait qu'il la regardait avec un sourire dans les yeux. Il avait un visage passionné. Un visage qui disait tout et ne cachait rien. Cette transparence lui fit paraître encore plus noir par contraste son secret, et, malgré sa peur, elle ne put s'empêcher de parler.

— J'ai deux enfants, avoua-t-elle d'une voix très basse qu'elle ne reconnut pas.

— Ah bon ? Mais pourquoi…

Il s'interrompit, stupéfait.

— Pourquoi je vous l'ai caché ? Je ne sais pas. Sans doute parce que je n'aime pas y penser. C'est très dur… le divorce… les enfants ne comprennent pas.

— Quel âge ont-ils ?

— Ils vont avoir onze ans et huit ans. Jerry est le grand frère, Emma a sept ans. C'est arrivé il y a un peu plus de trois ans.

Elle se souvint de la soirée de Noël, quand ils étaient montés ensemble dans la chambre des enfants et qu'ils avaient pleuré tous les trois.

— Le divorce a été terrible pour eux, expliqua-t-elle.

— Et aussi pour vous… Comment vont-ils, maintenant ?

— Ça se passe beaucoup mieux, autant que je puisse m'en rendre compte, seulement on ne peut pas deviner tout ce qui est refoulé.

— C'est vrai. Au moins, cela doit les aider d'avoir une mère solide comme vous, qui réussit à la force du poignet, comme aurait dit mon grand-père.

— Je ne sais pas si je suis aussi forte que ça, mais j'espère que oui.

La voix tremblante, elle continua malgré son émotion :

— Ce petit garçon à cheval m'a fait penser à Jerry. Il adore les chevaux, et j'en suis ravie. C'est bon d'avoir une passion. Cela veut dire qu'on a au moins une partie de soi qui est vraiment heureuse.

— Ils voient leur père ?

— Oh, oui, ils sont chez lui pour l'instant. Ce sont les vacances de printemps. Ils passent toutes les vacances avec lui.

Tout en parlant, elle se demandait : « Pourquoi est-ce que tu mens ? Tu n'es pourtant pas menteuse… Mais tu sais très bien pourquoi. C'est toujours pareil ; c'est parce qu'une mère qui n'a pas la garde de ses enfants est tout de suite considérée comme une mauvaise mère. On se dit qu'elle doit avoir une tare terrible, que ce n'est pas normal. Tout le monde pense ça. »

Ayant soudain besoin de faire quelque chose de « normal », elle ouvrit son sac et, maîtrisant sa voix, elle lui montra une photo de Jerry et d'Emma. Qu'il la considère comme une raseuse ordinaire, et qu'il la laisse tranquille.

— Je ne veux pas vous embêter, mais j'ai envie de vous les montrer.

Ils étaient en tenue d'équitation, devant la barrière de l'enclos, le jour de la première vraie leçon d'Emma. Arnie avait pris la photo.

Will l'examina avec intérêt, ou tout du moins fut assez poli pour le prétendre ; mais elle eut l'impression que cela l'intéressait vraiment.

— Vous ne m'ennuyez pas du tout. Ils sont très beaux tous les deux.

— Merci. Emma ressemble beaucoup à ma mère. Vous avez vu sa photo quand vous êtes venu chez moi.

— Oui, je m'en souviens. Je vous ai dit qu'elle était charmante mais que je vous trouvais beaucoup plus belle qu'elle.

Si Hyacinthe avait dû définir ses sentiments à cet instant, elle aurait été bien embarrassée pour répondre. De la confusion, c'était le plus approchant. Elle ne sut de nouveau plus que dire, et Will était devenu aussi muet qu'elle. Elle se demanda plus tard qui des deux aurait rompu en premier le silence si le vent, qui s'était levé, ne s'était pas soudain déchaîné en apportant une rafale de pluie glacée.

— Nous devrions rentrer avant qu'il ne pleuve davantage, dit-elle.

— Oui, c'est vrai.

Comme pour prolonger les adieux à la porte de l'immeuble, il s'attarda, s'étonnant de leur chance.

— Que de hasards, en ce bas monde. En vous apercevant ce jour-là dans le magasin, je me suis dit : « Elle est jolie avec ses cheveux longs, on dirait un rideau de soie, et j'aime la façon dont elle marche à grands pas, à la façon d'une fille de la campagne sur la route. » Et puis, je vous ai oubliée parce qu'on n'arrête pas de croiser des gens intéressants qu'on ne revoit jamais. Mais vous, je vous ai revue en train de traverser la place.

Elle savait qu'il attendait qu'elle l'invite à monter chez elle. Elle lui mentit encore, se disant une fois de plus que ce serait plus facile, que cela valait mieux.

— Ma mère est là avec des amis à elle, autrement…

— Une autre fois, alors.

Il la regarda comme si lui aussi avait perdu la voix en comprenant ce qui leur arrivait, sous le choc.

Dans l'ascenseur, elle se remémora l'histoire de leur rencontre, la reprenant là où il s'était arrêté. Elle avait laissé tomber le sac de la librairie. Il avait ramassé ses livres. Il avait cité Stephen Spender… Et s'il lui demandait de l'épouser ? C'était envisageable, mais il ne fallait surtout pas que cela arrive. Déjà, leurs relations étaient allées trop loin. Elle avait un lourd et dangereux passé, un passé secret, une boîte de Pandore qu'il ne fallait surtout pas ouvrir.

Il insistait pour la voir alors qu'elle essayait de le tenir à distance. Elle tâchait de se montrer réservée sans cesser d'être amicale et multipliait les excuses pour l'éconduire, vraies ou fausses, mais vraies pour la plupart. Ainsi, chaque fois qu'ils se rencontraient, elle s'employait à faire passer un message que tous les êtres humains, mais surtout les femmes, savent communiquer : « Vous êtes d'agréable compagnie, je vous apprécie beaucoup, mais seulement jusqu'à un certain point et pas plus, malgré ce qu'il a pu vous sembler percevoir. »

La plupart du temps, Hyacinthe en était certaine, la personne se décourageait et on n'en entendait plus parler. Will Miller, lui, ne semblait pas comprendre. Elle ne concevait pas qu'un homme aussi séduisant accepte de se satisfaire d'une promenade dans China-town, ou d'une soirée au cinéma suivie par un adieu amical à la porte de chez elle, et qu'il rappelle fidèlement quelques jours plus tard. S'il en avait eu envie, il aurait rempli son carnet d'adresses en un rien de temps avec autant de noms de jolies femmes qu'il voulait.

Qu'allaient-ils faire, se demandait-elle, quand ils auraient fini d'explorer la ville ? Question idiote. New York offrait des plaisirs infinis. Elle ne savait plus qu'inventer ; si seulement il avait pu déménager, aller travailler dans une autre région, très loin ! Mais non, il avait bien pris racine : ne lui avait-il pas montré avec fierté l'énorme trou où seraient coulées les fondations de la tour toute neuve de sa société ? N'avait-il pas parlé de son ambition de vivre dans un appartement doté d'une belle vue ?

Comme si la nature de leur relation le satisfaisait pleinement, il persévérait. On aurait cru qu'il avait oublié l'intimité de leur conversation dans le parc, qu'il ne lui avait pas avoué l'avoir cherchée partout, ni ne lui avait récité des poèmes. Il courtisait très probablement une quantité de femmes, en concluait-elle, et sans doute n'était-elle que l'une de ses nombreuses conquêtes. Pourtant, elle n'y croyait pas beaucoup.

Au milieu du mois de mai, quand Arnie arriva de Floride, elle fut sincèrement contente de le voir. Avec lui, on parlait facilement. Il n'y avait pas de longs silences qu'il fallait combler en trouvant des sujets neutres et sans danger. Leurs conversations, naturellement, tournaient surtout autour d'Emma et de Jerry. Arnie avait toujours des anecdotes à raconter sur sa vie, sur son nouveau cheval de course, Diamond, et sur ses affaires qui le conduisaient régulièrement de Portland, dans l'Oregon, à Portland dans le Maine. Et puis il lui posait des questions sur son nouveau travail. Elle trouvait touchant qu'il soit si fier de son succès, et si prêt à l'encourager. Elle se détendait avec lui, la seule personne au monde à connaître son secret.

Mais, même avec Arnie, tout n'était pas simple. Il ne cachait pas ce qu'il attendait d'elle.

— J'imagine que tu rencontres beaucoup d'hommes, maintenant que tu es célèbre.

— Pas tant que ça. Je suis à l'atelier Libretti toute la journée, et je travaille tard.

— Mais il y a d'autres stylistes, avec toi.

— Tu sais, il y en a beaucoup qui ne s'intéressent pas aux femmes.

Alors, sur le ton de la plaisanterie, mais sans plaisanter vraiment, il souriait et lui disait qu'il était toujours libre.

— Tu ferais bien de me prendre avant qu'une autre ne me mette le grappin dessus, Hya. Regarde-moi, je ne suis quand même pas mal !

En effet, le visage animé, le corps athlétique et puissant étaient très séduisants. Néanmoins, il lui manquait quelque chose. Et une petite douleur courait alors sous le front de Hyacinthe.

Le 1er juillet, Lina prit une décision : il était temps pour Hyacinthe de visiter les magasins de textiles français. Après ce premier voyage suivrait une expédition à Milan. Il lui faudrait, par la suite, aller voir les tweeds tissés main en Écosse, et les broderies en Inde.

— Quelle vie de rêve ! s'exclama Francine quand Hyacinthe lui annonça son départ. La France et ses fleurs, sa musique, ses restaurants, et bien sûr sa mode… Que tu as de la chance !

Elle s'extasiait. Puis son exubérance retomba, et elle ajouta plus gravement :

— Je suis vraiment contente pour toi, chérie. Tu l'as bien mérité.

Sous-entendu, évidemment, « après tous les ennuis dont tu refuses de me parler ».

Arnie, toujours aussi enthousiaste, se réjouit pour elle.

— Bravo. Si mon carnet de rendez-vous n'était pas plein un mois à l'avance à la clinique, je ferais ma valise pour t'accompagner. Amuse-toi bien. Les gosses sont entre de bonnes mains, et tu n'auras qu'à leur rendre visite à ton retour. En attendant, pars sans t'inquiéter et profites-en. Mais n'en profite quand même pas trop, si tu vois ce que je veux dire…

Dix jours plus tard, Hyacinthe s'installait à sa place dans l'avion côté hublot. Tandis qu'elle regardait l'activité se déployer sur la piste, ses pensées se tournèrent vers son dernier voyage en Europe. Les quatre années écoulées lui semblaient une éternité, mais ses souvenirs restaient si vifs qu'elle aurait aussi bien pu en être revenue la veille.

En classe affaires, on voyait le défilé des personnes qui embarquaient, avançant lentement vers l'arrière. Toujours curieuse de ce qui l'entourait, elle se demandait souvent ce que les visages reflétaient des personnalités. Elle observa donc les passagers qui la dépassaient un à un, s'interrogeant sur chacun d'eux, puis sur elle-même, jusqu'à ce que, peu à peu, elle parvienne à une conclusion : « Je suis beaucoup plus forte aujourd'hui que lors de mon dernier voyage à Paris. Je me sens davantage capable de surmonter les épreuves, parce que j'ai dû affronter de graves difficultés. Il n'y a pas d'autre moyen pour survivre que de savoir endurer le pire. »

Inconsciemment, elle se tint plus droite sur son siège. L'avion était confortable. Sur sa tablette, elle avait posé un livre, un guide Michelin et une boisson fraîche. Sous la manchette de son élégant tailleur bleu foncé, un des plus réussis de Lina, brillait le cercle d'or du bracelet offert par Francine. À ses pieds, elle avait posé le sac à main en lézard d'un goût parfait, assorti à ses chaussures, irréprochables elles aussi. Elle sourit, se souvenant des recommandations de Lina : « Maintenant, considérez que vous êtes une publicité ambulante pour la maison, ne l'oubliez jamais. » Un sentiment de bien-être qu'elle n'avait pas ressenti depuis longtemps l'envahit.

La place à côté d'elle était toujours libre. Elle espérait avoir la chance de pouvoir profiter pendant le voyage de cet espace supplémentaire, quand une voix s'exclama :

— Ça alors !

Levant les yeux, elle vit Will Miller qui s'apprêtait à s'asseoir à côté d'elle.

— Je n'avais pas la moindre idée que nous prenions le même avion, dit-il, et vous ?

Il jouait si mal la surprise, c'était tellement bête, que cela ne fit qu'amplifier sa colère et sa consternation.

— Non, je ne le savais pas, répliqua-t-elle sèchement. Et je suis sûre que Lina ne s'en doutait pas non plus.

— Maintenant, vous n'y pouvez plus grand-chose. Les portes d'embarquement sont fermées, vous allez devoir me supporter.

Elle se rendit alors compte qu'un changement s'était opéré en lui. Le comportement impersonnel et courtois des dernières semaines avait disparu. Il ne s'était replié sur cette tactique que pour réagir à sa froideur. Elle s'en doutait depuis le début sans vouloir l'admettre. Au lieu du personnage discret, elle retrouvait celui qu'elle avait rencontré, un homme déterminé et direct.

Elle aurait pourtant eu grand besoin de se retrouver seule…

— Vous avez tout fait pour m'éviter, remarqua-t-il.

Ne voulant pas débattre la question, elle essaya de l'apaiser.

— Mais non, pas du tout. Nous avons passé un très agréable après-midi à la bibliothèque Morgan, non ? En tout cas, moi oui.

— Il y a trois semaines ! Ne cherchez pas d'excuses oiseuses, Hyacinthe. Vous n'avez jamais un moment libre pour moi. Vous voulez me faire croire que vous êtes toujours prise, alors que je sais très bien que ce n'est pas le cas.

— Comment cela ? s'exclama-t-elle avec indignation, se collant au hublot pour s'éloigner de lui. Qu'est-ce qui vous fait prétendre une telle chose ?

— Le bon sens. Lina ne vous surmène pas à ce point. C'est elle qui me l'a dit.

— Elle ne sait pas ce que je fais en quittant l'atelier.

— Elle est plus fine que vous ne le pensez.

— Alors, c'est elle qui a tout manigancé ? Oui, je vois... puisque vous, vous étiez parti à l'improviste – bien sûr – à San Francisco ! De quoi se mêle-t-elle ? Elle n'a aucun droit sur ma vie privée !

— Ne nous disputons pas à cause de Lina. Ne nous disputons pas du tout, d'ailleurs. Tournez-vous et regardez plutôt la statue de la Liberté. Quand êtes-vous montée en haut pour la dernière fois ?

— Il y a longtemps.

— Moi, je n'y suis pas monté depuis mes dix ans. Nous irons dès notre retour.

— Comment ça, nous ?

— C'est clair, non ? Écoutez, Hyacinthe, vous me menez par le bout du nez, vous vous faites désirer. Inutile de le nier, ça se voit. C'est très féminin, et charmant, et désuet, et ça ne m'a pas gêné au début, mais maintenant, nous n'en sommes plus à ce stade. Nous avons franchi une étape décisive le jour où nous avons vu le petit garçon à cheval et que vous m'avez montré les photos d'Emma et de Jerry.

— Vous n'y comprenez rien, dit-elle très bas.

— Mais si, et vous savez que j'ai raison. Vous dites non avec la bouche, mais oui avec les yeux. Vous devriez voir votre regard, même maintenant.

C'était exaspérant, les larmes montaient, mais seulement parce qu'il s'était souvenu des prénoms de ses enfants. « Quel courage, Hyacinthe », ironisa-t-elle en se tournant vers la vitre par laquelle on voyait la ville rapetisser. Sur l'écran devant eux, une carte montrait la trajectoire qu'ils allaient suivre, vers le nord-est en passant par Boston, Halifax, le Groenland... des milliers de kilomètres et des heures entières coincée sur ce siège.

— Je ne vais pas vous déranger, dit Will brusquement. Lisez votre livre. J'en ai pris un aussi.

Elle s'était fait une joie de lire ce nouveau roman ; il était frais au toucher, comme les livres qui n'ont pas encore été ouverts, la jaquette glacée encore immaculée. Cela donnait envie d'en tourner les pages, assez nombreuses pour l'occuper jusqu'à l'extinction de la lumière, et pendant les deux nuits qu'elle passerait seule dans sa chambre d'hôtel. Maintenant, tout ce plaisir était gâché.

Ses yeux parcoururent la première phrase, mais son esprit ne l'enregistra pas, et elle dut la relire. Elle avait l'impression que son cerveau était devenu creux et vide, répétant sans fin le signe lumineux au-dessus de sa tête : « Attachez vos ceintures ». Elle le lut en français, puis en anglais, jusqu'à ce que cela devienne un refrain sans signification : « Attachez vos ceintures. » Alors, effrayée, elle essaya de se dominer. « Écoute, Hyacinthe. Écoute, tout va bien, ou du moins tout allait bien avant qu'il arrive. Réfléchis calmement : tu n'as besoin de personne, tu n'as pas besoin d'une épaule sur laquelle pleurer. Tu gagnes ta vie, tu te débrouilles très bien toute seule. Tu ne dois pas un centime maintenant que tu as convaincu Arnie d'accepter de se laisser rembourser. C'est vrai qu'il t'arrive de te sentir seule quand tu ne travailles pas – oui, terriblement seule –, mais ce ne sont que de mauvais moments à passer. »

Mais elle résistait : « Si tu pouvais trouver un amant qui accepte une liaison sans complication, ce serait très agréable. Il faudrait qu'il soit gentil, comme Arnie, mais beaucoup plus – ou seulement un petit peu plus – à ton goût. Cela sonne drôle, comme si on choisissait un melon ou un fauteuil. Will n'est en tout cas pas le genre d'homme qui t'offrira une liaison sans complication. Et c'est en partie ta faute, tu le sais. Il s'est présenté plusieurs occasions, tu t'en souviens très bien, où tu aurais pu t'arranger pour le décourager. Mais tu ne l'as pas fait. Tu n'en avais pas envie. Donc, tu l'as encouragé, et maintenant, de quoi as-tu l'air ? Au fond, tu n'as pas du tout envie de t'engager de nouveau. Alors, pour l'amour du ciel, reprends-toi, débarrasse-toi de lui sans ambiguïté à l'atterrissage, et passe à autre chose. »

L'hôtesse leur apporta le menu du dîner. Will lut le sien, elle fit de même, et ils commandèrent chacun de son côté sans se consulter. Il sembla à Hyacinthe que l'hôtesse les observait avec une certaine curiosité, comme si elle se demandait s'ils se connaissaient. Mais son opinion n'avait aucune importance.

« Pourquoi suis-je aussi gênée par ce que peuvent penser les autres ? se demanda-t-elle, retombant un instant dans la trop grande propension à l'analyse de l'adolescence. Je n'ai pas besoin de m'en préoccuper. Je suis qui je suis, et si on ne m'aime pas, je n'y peux rien. »

Ils avaient tous les deux commandé le même hors-d'œuvre. Ils l'avalèrent en silence, et burent l'apéritif qui l'accompagnait. Après quelques minutes, le silence commença à devenir pesant. Même deux inconnus, enfermés à quelques centimètres l'un de l'autre pour un long trajet, finissent par échanger quelques mots cordiaux.

— Délicieux, dit-elle en regardant Will. C'est étonnant d'être si bien servi en avion.

— C'est normal, sur une compagnie française.

— Ils sont vraiment bons cuisiniers, vous ne trouvez pas ?

Quelle banalité ! Finalement, il aurait peut-être mieux valu ne pas tenter de lui faire la conversation.

— Si je me souviens bien, ce n'est pas la première fois que vous allez en France, remarqua-t-il.

— Non, mais c'est la première pour mon travail.

— Ah ! oui, les tissus. Ce devrait être intéressant. Inspirant.

— Je m'en fais une grande joie.

Le silence retomba. Puis, au gré des mouvements de tête, des yeux qui, fatalement, se promènent, leurs regards se croisèrent. « On dirait des opales », songea Hyacinthe, frappée une nouvelle fois par leur étonnante couleur translucide.

— Allons, dit Will, c'est ridicule. D'abord c'est vous qui jouez la distance, et maintenant c'est moi. Les hommes en sont parfaitement capables, vous savez. Mais c'est vous qui avez commencé en inventant des prétextes pour m'éviter. Votre mère était toujours en ville avec la belle-sœur de la cousine de votre grand-tante. Est-ce que vous avez vraiment joué la comédie, ou est-ce que, finalement, vous étiez sincère ? Si vous voulez vous débarrasser de moi, dites-le simplement, je vous en prie. Dites : « Will Miller, je ne veux plus vous voir. Fichez-moi la paix. Disparaissez. » Vous n'avez qu'à le dire, j'obéirai.

Elle tourna les yeux vers le hublot. Il faisait nuit, et ils volaient si haut qu'on ne voyait plus aucune lumière sur terre. Le noir les entourait de toute part. Où était passée la force qui, si peu de temps auparavant, l'avait animée, elle, la femme courageuse qui réussissait sa carrière sans rien devoir à personne et qui portait sa tragédie sans se plaindre ? Sa gorge se serra au point de l'étouffer.

Will Miller attendait. Le temps passa, peut-être pas plus d'une ou deux minutes mais qui lui semblèrent durer des heures. Il reprit alors la parole avec douceur.

— Je crois que vous venez de me donner votre réponse, Hyacinthe.

Toujours incapable d'émettre un son, elle posa la main sur le bras de Will et l'y laissa. Il ne bougea pas jusqu'à ce qu'elle ait retrouvé la parole.

— Je ne veux pas que vous « disparaissiez », comme vous dites.

— C'est-à-dire ?

Homicide. Meurtre.

— Je ne sais pas.

— Moi, je crois que si, dit-il en baissant la voix. Je pense que vous avez peur de former un nouveau couple, et je le comprends, parce que votre mariage a été très douloureux. Je me trompe ?

— Douloureux, souffla-t-elle. Oh ! oui. Très douloureux.

— Je ne veux pas mettre la pression, mais il faut que ce soit clair entre nous. Nous nous comprenons, cette fois, nous savons où nous allons ?

Ses contradictions la déchiraient si fort qu'elle en éprouvait une torture physique. Elle était remplie de honte parce que son secret la forçait à travestir la vérité, à mentir. Et elle étouffait de rage d'être contrainte à jouer ce rôle, elle qui n'avait jamais voulu faire de mal à personne. L'homme qui était devant elle, si sensible, si perspicace, si intelligent, si fier, si bon, n'était pas l'objet d'une petite passion de collégienne, c'était, elle le savait, l'homme qui satisferait ses désirs de femme adulte, restés si longtemps inassouvis.

Alors, peut-être, après tout, ne lui causerait-elle pas trop de tort, de souffrance. Il y avait peu de chances pour qu'il apprenne la vérité. À moins, bien sûr, qu'un nouvel élément ne soit découvert dans l'enquête. Mais aurait-elle la force de laisser cette possibilité – ou même cette probabilité – gâcher le reste de son existence ? Et puis, s'ils étaient heureux ensemble, que ce soit pour peu de temps ou même pour longtemps, et que le désastre tant redouté survînt, Will pouvait très bien ne pas trop en souffrir. Alors, en disant oui, commettait-elle vraiment un si grand péché ?

— Nous sommes d'accord, nous savons où nous allons ? répéta-t-il.

Elle fit oui de la tête et il lui prit la main.

Ils dormirent d'un sommeil entrecoupé, comme il est fréquent dans les vols de nuit. Ouvrant les yeux de temps en temps, ils sentaient la chaleur de l'épaule de l'autre. Le contact était intime, comme s'ils partageaient le même lit depuis longtemps. Tandis que l'avion poursuivait sa course vers l'est, ils se réveillèrent, ensemble cette fois, et virent le soleil se lever devant eux.

— Regarde ! s'écria Hyacinthe. On dirait qu'il sort de la mer. Tous les jours, fidèle au poste. C'est un miracle.

— Oui, un miracle. Comme l'amour.

Lina, qui avait demandé un jour à Hyacinthe, l'air de rien, à quel hôtel elle était descendue lors de son dernier séjour à Paris, s'était arrangée avec tact pour lui réserver une chambre ailleurs.

— Tu ne lui en veux plus ? demanda Will en ajoutant malicieusement : Tu croyais qu'elle ne voyait rien, mais tu te trompais… C'est une fine mouche…

— C'est toi qui l'as poussée à organiser ce voyage, avoue ! Avec des chambres communicantes, en plus.

— Je n'irai pas jusqu'à prétendre que je suis totalement innocent. Mais les deux chambres, c'est pour sauver les apparences. Tu ne trouves pas ça préférable pour notre réputation, plus respectable ?

Les meubles des chambres étaient en merisier et les murs tendus de toile de Jouy, bleue dans celle de Will, rose dans celle de Hyacinthe, ce qui les fit rirc. Soudain, ils étaient d'humeur à rire de tout. Après une longue nuit assez inconfortable en avion, on a en général envie de se coucher pour faire au moins un petit somme ; euphoriques comme s'ils avaient respiré de l'oxygène, ils dévorèrent au contraire un copieux petit déjeuner et sortirent se promener par une belle journée fraîche mais ensoleillée. Ils se dirigèrent vers les Tuileries, marchant main dans la main jusqu'au bassin, puis continuèrent jusqu'à un marchand de glaces auquel, à dix heures et demie du matin, ils achetèrent deux cornets doubles. Ils ne purent s'empêcher de rire en se voyant dans une vitrine, deux touristes ridicules encombrés de leurs appareils photos, d'un plan de la ville, d'un guide, d'un pull supplémentaire, et de leurs glaces.

— J'ai l'impression d'avoir des ailes, dit Will.

« Oui, pensa-t-elle, moi aussi. Je pourrais faire le tour du monde, commencer à marcher, là, tout de suite, et continuer sans m'arrêter. Je me sens légère comme un oiseau. Je pourrais aller n'importe où avec lui, où le vent m'emporterait. Ne penser à rien, ne s'inquiéter de rien. »

— Qu'est-ce que tu as envie de faire, aujourd'hui ? demanda-t-il.

— Promenons-nous, simplement.

— Tu ne veux pas aller au musée ?

— Non, pas aujourd'hui.

— Tant mieux, moi non plus. C'est notre premier jour. Ce sera l'anniversaire de notre rencontre. Imprégnons-nous simplement de l'atmosphère.

Ainsi donc, ils allèrent à l'aventure. Ils traversèrent un pont et s'arrêtèrent longuement pour regarder les péniches. Ils passèrent devant des bouquinistes, s'attardèrent pour chercher des livres et en achetèrent deux.

— Ça permet d'entretenir son français, remarqua Will.

Ils entrèrent dans une église. Il leur sembla que leurs pieds s'arrêtaient ensemble, d'abord à l'entrée, puis à un banc où, sans un mot, ils s'assirent. Pendant une demi-heure, ils écoutèrent l'orgue jouer une fugue qui résonnait dans le silence de la haute voûte, puis, toujours sans se concerter, ils se levèrent et sortirent.

La musique les suivit jusque dans la rue.

— C'était du Bach ? demanda Hyacinthe.

— Non. Du César Franck.

Au hasard des rues, des passages et des places ombragées, ils continuèrent leur promenade. Leurs fous rires du matin avaient laissé place à une merveilleuse sérénité.

Quand ils s'arrêtaient devant la vitrine d'une galerie, ils avaient l'impression que, par un accord muet, ils mettaient le même temps pour regarder les tableaux et étaient prêts à repartir au même instant. À une table de café en terrasse, sous un parasol, ils firent une halte pour prendre un café, buvant lentement, ne parlant toujours que très peu, observant le spectacle qui les entourait : le magnifique étalage d'un marchand des quatre-saisons, une femme promenant trois caniches au bout de leurs laisses, et une voiture décorée de fleurs pour un mariage. Ils étaient si absorbés qu'ils n'avaient pas besoin de se parler. Au bout d'un moment, Will lui toucha le bras et lui demanda :

— Si on rentrait ? Tu ne penses pas que nous avons attendu assez longtemps ?

S'il avait pu entendre battre son cœur ! Si son cœur avait pu parler !

— Je ne veux pas te brusquer, ajouta-t-il.

Elle le regarda avec un sourire.

— Et si je veux que tu me brusques, moi ?

À travers les fentes des persiennes, la lumière de l'après-midi striait le tapis. Hyacinthe, silencieuse au milieu de la chambre, se laissa déshabiller. Il avait les mains fermes et décidées ; pourtant, elles étaient douces sur son corps. Ils se taisaient. Il l'embrassa, mais elle ne fit pas un geste, accueillant la douceur qui la parcourait, la traversait. Elle avait l'impression que personne ne l'avait jamais désirée ni aimée ; les sentiments passionnés étaient toujours venus d'elle. D'elle seule. Jusqu'à ce jour, avant cette chambre, elle n'avait pas su ce que c'était que d'être adorée. Cette ignorance ne l'avait pas rendue heureuse. C'était maintenant qu'elle connaissait la félicité.

Au bout de quelques jours, une fois qu'ils se furent tous deux occupés de leur travail, ils purent disposer de leur temps comme bon leur semblait.

— Nous n'avons pas besoin de nous précipiter pour rentrer. Je vais changer nos billets pour que nous puissions prendre quelques jours supplémentaires. C'est notre lune de miel.

Il avait déjà dressé une liste de lieux à visiter : un monastère, des menhirs en Bretagne, le Mont-Saint-Michel et les plages du débarquement en Normandie.

— Tu as quelque chose à ajouter, à modifier ?

Elle était d'accord sur tout, sauf sur le choix d'une auberge où elle avait passé une nuit pluvieuse, inquiète face à l'exaspération de Gerald.

— C'est du passé, lui dit Will quand elle lui en fit part. Tu vas oublier tout ça.

— Oui, je n'y pense déjà plus.

En sortant de Paris, ils prirent la route vers le nord, se relayant au volant. Quand il n'y avait pas de circulation, Will lui prenait la main pendant qu'il conduisait. Il semblait alors à Hyacinthe que leur force passait d'une main à l'autre, les unissant. Quelle merveille de si bien s'entendre ! Même après si peu de temps, ils connaissaient leurs manies, leurs habitudes ;

lui buvait ses boissons chaudes, presque brûlantes, alors qu'elle les préférait plus tièdes ; tous les deux aimaient lire le journal pendant le petit déjeuner sans parler ; il ne pouvait dormir que tourné du côté droit.

Ils passaient des nuits merveilleuses. Dans une auberge où on leur avait donné une chambre avec terrasse, ils restèrent une partie de la soirée allongés dans un hamac à se balancer sous les arbres jusqu'à ce que les étoiles apparaissent dans le ciel. Au Mont-Saint-Michel, ils entendirent par la fenêtre ouverte le grondement terrifiant de la marée montante qui s'engouffrait dans la baie. Leurs journées étaient tout aussi belles. En Bretagne, ils prirent des photos de femmes en coiffes de dentelle, goûtèrent de délicieuses crêpes et s'interrogèrent sur les mégalithes mystérieux qui s'alignaient dans les champs depuis si longtemps. Will voulut connaître leur datation et savoir s'ils étaient contemporains de Stonehenge. Tout l'intéressait, que ce soient des cygnes sur un lac ou une exposition dans une petite ville, ou des vieux messieurs qui jouaient aux boules.

À Omaha-Beach, il fut extrêmement touché.

— Mon grand-père est mort ici le 6 juin 1944, expliqua-t-il. C'est la deuxième fois que je viens.

Du sommet de l'incroyable falaise, ils contemplèrent le sable et les vagues, puis se tournèrent vers les bunkers nazis et s'éloignèrent en silence. Au cimetière américain, à côté, ils regardèrent les croix blanches qui s'étendaient à perte de vue et ne trouvèrent aucun commentaire ; l'expression de Will disait tout. Hyacinthe, mue par un élan amoureux, le prit dans ses bras.

De temps en temps, ils se laissaient aller à des moments d'émotion, mais le plus souvent ils étaient d'humeur calme et joyeuse. Leur intimité venait naturellement. Comme s'ils avaient vécu ensemble pendant des années, ils avaient pris leurs petites habitudes : il lui brossait les cheveux, elle lui massait le dos. Parfois, ils se demandaient avec un certain étonnement comment tout cela avait pu leur arriver.

Le dernier soir de leur périple, dans le décor élégant d'un manoir transformé en hôtel, ils se changèrent pour le dîner. Hyacinthe portait une robe avec des manches courtes de dentelle noire.

— Je n'avais rien prévu pour le soir, confia-t-elle. Je pensais que je dînerais tous les jours dans ma chambre en peignoir, mais Lina y a tenu.

— Évidemment. Je te l'ai dit, elle est très fine. Elle pensait bien que j'aurais gain de cause.

— Mais moi ? Elle ne pouvait pas vraiment connaître mes sentiments. Je ne lui ai jamais parlé de toi.

Will sourit. Il allait quitter la chambre et avait déjà la main sur la poignée quand il s'arrêta pour la contempler.

— Attends une seconde, ne bouge pas, reste comme ça. Tu veux bien me promettre quelque chose ? Ne te fais jamais couper les cheveux. Promis ?

— Je n'en avais pas l'intention, mais pourquoi ?

— Parce que. J'adore les sentir sur l'oreiller.

— Entendu, répondit-elle avec bonheur. C'est une excellente raison.

Pourtant, l'avant-dernier jour, son insouciance fut ternie par un léger voile. Elle s'était autorisée, ou plutôt s'était forcée, à oublier pendant cette semaine enchantée que son bonheur cachait une faille profonde. Coïncidence incroyable, Will choisit justement ce moment d'angoisse pour lui parler de ses enfants.

Ils étaient à table quand il remarqua :

— Tu ne parles presque jamais d'Emma et de Jerry.

— Non ? Je ne m'en rendais pas compte. Sans doute que je ne veux pas t'ennuyer. J'ai peur d'être comme ces femmes qui se vantent constamment de leurs petits génies, de ce qu'a dit l'institutrice et des compliments de l'entraîneur de base-ball.

— Je m'ennuie rarement quand on me parle, et sûrement pas quand il s'agit de tes enfants. Tu vas les voir avant la rentrée des classes de septembre ?

— Je vais parfois leur rendre visite en Floride, et ma mère aussi. Il nous arrive de descendre ensemble.

— Cette garde partagée ne les perturbe pas ? J'imagine que c'est plus juste pour les parents, mais ce n'est pas évident pour les enfants…

— Je ne sais pas, les miens ont l'air de bien se porter. Je pense qu'on ne saura que plus tard, quand ils auront grandi, s'ils en gardent des séquelles.

Le cœur de Hyacinthe s'était mis à battre à tout rompre. Son expression avait dû changer aussi, car Will, toujours très observateur, s'excusa tout de suite.

— Je suis désolé. Je ne voulais pas te parler d'un sujet douloureux alors que tu ne peux rien y changer. Contentons-nous d'apprécier notre bonheur. Buvons à nous deux, dit-il en levant son verre pour toucher le sien. À nous. À toi et à moi pour la vie.

Elle l'observa par-dessus le bord de son verre. Si tendre, si tenace, si plein de sagesse, si bon ! Et soudain, elle fut de nouveau envahie par une crainte terrible.

— Que se passe-t-il ? demanda-t-il. À quoi penses-tu ?

— Je me dis seulement que c'est notre avant-dernier jour.

— Et alors ? Nous avons toute la vie devant nous… – il attendit avec un sourire interrogateur. Tu ne dis rien ?

— C'est le champagne. Ça me monte toujours à la tête. Je t'aime, Will, ajouta-t-elle en tendant la main pour le toucher.

— J'espère bien, que tu m'aimes. Viens, dînons vite pour monter nous coucher tôt.

Pour répondre à son ton joyeux, elle essaya de plaisanter à son tour.

— C'est drôle, tu es toujours pressé d'aller au lit…

— Il n'y a rien de mieux, non ?

Sans que Will s'en doute, Hyacinthe était déjà rentrée à New York en pensée longtemps avant qu'ils aient regagné leur hôtel parisien. Elle ne fut donc pas très surprise de trouver un Fax d'Amérique qui l'attendait. Quand on frappa à leur porte pour le lui apporter, Will le prit, demandant aussitôt :

— Tu veux que je te le lise ?

— Oui, s'il te plaît.

— Ce n'est pas grave, chérie, il n'y a pas de catastrophe. « Joyeux anniversaire. Mieux vaut tard que jamais. Les enfants et moi nous t'embrassons. On se retrouve pour dîner comme d'habitude ? Arnie. »

— C'est tout ? Ouf !

— Tu ne m'avais pas dit que c'était ton anniversaire. Quel jour était-ce ?

— Attends, il faut que je compte. Ça devait être… oui, mardi dernier. Je ne m'en souviendrais jamais si ma famille ne me le souhaitait pas.

— Comment, tu ne le fêtes pas ? Eh bien, à partir de maintenant, nous allons fêter tous les anniversaires.

Le mien tombe le 14 janvier, et je veux un vrai gâteau. Tout le tralala. Arnie, qui est-ce ?

— L'associé de mon ex-mari. Nous sommes très amis.

— Ça m'en a tout l'air. Vous avez l'habitude de dîner ensemble ?

— Il vient à New York presque tous les mois pour ses affaires, et je vais souvent dîner à son hôtel avec lui. Il est très gentil, merveilleux avec Emma et Jerry, je l'aime beaucoup.

— Ah, c'est bien, ça. Si on allait se promener pour se dégourdir les jambes avant de prendre l'avion demain ?

Elle était ravie que les nouvelles d'Arnie ne soient arrivées qu'aujourd'hui, à la fin de la semaine, et non pas plus tôt pour tout gâcher. Pendant leur promenade, ils passèrent devant la boutique dans laquelle elle avait vu la fameuse robe aux roses qui avait été à l'origine de tant de bouleversements. C'était bien le même endroit, et elle ne put résister à l'envie de la montrer à Will.

— Si je n'avais pas vu cette robe, je ne serais pas ici avec toi. Je ne t'aurais jamais rencontré.

Jamais. Les murs, le trottoir, le ciel, même, qui se ternissait à présent d'un gris mélancolique, répétaient ce mot : Jamais.

— Et tu ne serais pas devenue créatrice de mode. C'est drôle, quelqu'un m'a dit que tu n'avais pas l'air d'une styliste… Ce qui ne veut pas dire grand-chose. Ça partait d'un bon sentiment, et en fait j'ai bien compris ce qu'il essayait d'exprimer, parce que je te vois aussi très bien pousser un landau dans une rue de banlieue.

— Ça m'est déjà arrivé.

— Eh bien, tu peux recommencer, si tu veux. Nous pourrions faire un enfant extraordinaire. Intelligent, beau, sportif, artiste, équilibré, premier de sa classe…

— Et modeste, tu oublies, acheva-t-elle en essayant de rire.

— Très juste. Je suis sérieux, tiens-toi prête, il va falloir qu'on en discute.

— Pas tout de suite, je t'en prie.

— Non, mais bientôt. Je vais sans doute un peu vite, mais ce n'est pas étonnant. Nous nous connaissons déjà à fond, et le temps passe vite.

14

L'été à New York fut long et étouffant. Le pays subissait la pire vague de chaleur depuis quinze ans, mais Hyacinthe travaillait sans beaucoup en souffrir grâce à l'air conditionné, et elle était d'ailleurs trop absorbée par ses propres problèmes pour s'en préoccuper.

Libretti préparait sa collection de printemps, mettant un accent tout particulier sur la griffe *Hyacinthe*. L'atelier était en ébullition, avec les achats, les ventes, les présentations, les essayages et les séances de photo. Hyacinthe devait partir en tournée pendant deux semaines pour des défilés régionaux qui se termineraient en apothéose dans la Cinquième Avenue.

— C'est votre travail le plus abouti, remarqua Lina. Un nouveau style. Discret, sobre et très sensuel à la fois. L'amour a l'air de vous réussir… Mais je suis peut-être indiscrète, ajouta-t-elle comme Hyacinthe ne répondait pas.

— Non, ça ne me dérange pas, Lina.

— Vous ne m'avez encore rien dit, mais Will Miller m'a appris ce qui se passait.

— Je me suis tellement cloîtrée dans les salons d'essayage que je n'ai pas eu une minute en dehors du travail.

La réponse, maladroite, ressemblait trop à une esquive.

Elle essayait autant qu'elle le pouvait de ne pas penser à l'avenir. Cette fois, Will était réellement parti en Californie pour participer aux négociations laborieuses qui entouraient un projet de fusion. Il lui manquait terriblement. Le matin même, elle avait reçu une nouvelle lettre de lui, qu'elle avait déjà sortie deux fois de son sac en l'espace de quelques heures pour la relire.

Mon amour,

Tu es tout pour moi, tu le sais ? Où que je me trouve, seul ou non, je suis avec toi en esprit. J'entends ta jolie voix aussi clairement que si tu étais à côté de moi. La nuit, je vois tes yeux si courageux, et la courbe de tes lèvres qui se relève davantage d'un côté quand tu ris. Nous n'avons eu que peu de temps tous les deux, quelques mois seulement, et pourtant, j'ai l'impression de t'avoir connue toute ma vie. Je te fais une confiance absolue, et j'espère que c'est réciproque. C'est à toi que je pense en m'endormant, et tu es ma première pensée à mon réveil.

Will

« Une confiance absolue »... La culpabilité, un coup en plein cœur, un battement sous les tempes, un sursaut dans la nuit.

« Que faire ? » se demanda-t-elle pour la centième, la millième fois.

Ce n'était pas son seul souci. Malgré les assurances d'Arnie qui prétendait au téléphone qu'Emma et Jerry étaient « heureux comme des coqs en pâte », elle avait des doutes. Plusieurs fois, elle les avait entendus derrière lui qui se chamaillaient en pleurant et en poussant des cris stridents ; il leur arrivait aussi de se montrer boudeurs quand ils lui parlaient, et de lui répondre sèchement, ce qui la peinait tant qu'elle pleurait ensuite.

Mais elle ne pouvait se permettre de laisser ses inquiétudes nuire à son travail, et elle continuait à progresser sur le plan professionnel.

— Je n'en reviens toujours pas, lui murmura Francine pendant l'installation du grand défilé de mode dans la boutique de la Cinquième Avenue. Qui l'eût cru ! Toi et tes sempiternels jeans et tes T-shirts, toi qui te fichais complètement de la mode, c'est fou que tu t'y connaisses à ce point.

— Je te dis que c'est comme la peinture.

N'empêche, elle-même s'étonnait quand une cliente lui demandait quelles chaussures porter avec tel ou tel tailleur, ou voulait savoir si une robe se classait strictement dans les robes du soir, ou si elle convenait pour un mariage en milieu de journée. Elle s'émerveillait en regardant les mannequins avancer de leur démarche fluide sur le podium, portant des vêtements qui, si peu de temps auparavant, n'étaient encore que des esquisses griffonnées au dos de vieilles enveloppes. Les top models déambulaient, présentant une robe de velours blanc de neige avec des chaussures écarlates, un pantalon à la turque jaune, associé à une veste brodée de perles, une robe de taffetas noir, dos nu, portée courte sur une combinaison longue bleu ciel.

L'une après l'autre, elles se succédaient dans ce ballet bien réglé.

Lina était aux anges.

— Vous savez qui est là ? murmurait-elle à tout bout de champ à l'oreille de Hyacinthe. Là-bas, au dernier rang, un grand détaillant du Texas. La prochaine fois que vous irez, il faudra absolument passer par sa boutique… Et elle, vous la connaissez ? Mais enfin, c'est notre meilleure cliente… Ah ! lui, il vient toujours avec sa femme et lui achète une demi-douzaine de modèles pour la saison… Vous ne la reconnaissez pas ? Elle va faire la couverture d'un grand magazine le mois prochain… Et la petite femme à gauche est la plus connue des créatrices de chaussures européennes… Ce défilé a un succès fou, ma petite Hyacinthe.

À la fin, Hyacinthe se trouva entourée par une foule qui se pressait pour avoir le privilège de lui parler. On l'interpellait de toute part. Elle eut soudain une pensée qui la surprit : Tiens, pour la première fois de ma vie, je n'ai plus honte de mon prénom. Il n'est pas aussi ridicule que je le pensais. Il faudra que je le dise à Francine.

— Hyacinthe, tu te souviens de moi ?

Comment aurait-elle pu oublier Moira ! Elles se téléphonaient presque toutes les semaines, mais rien ne remplaçait une présence physique, un baiser et la vue du gentil visage généreux. On ne se sentait jamais si bien qu'avec une vieille amie qui ne vous mettait jamais dans l'embarras en vous posant des questions indiscrètes et qui se gardait bien de faire allusion à vos ennuis.

— Que tu es belle, Hyacinthe ! Je suis vraiment contente pour toi. Un de ces jours, je vais me prendre un week-end pour venir à New York. Peut-être même que je m'offrirai une de tes robes. Tu as des modèles habillés pour les grosses dondons ?

Moira n'avait pas perdu son humour en parlant d'elle-même.

— Hyacinthe, tu te souviens de moi ?

Martha, l'ennemie jurée de son enfance !

— Mais bien sûr. Qu'est-ce qui t'amène ?

— Ta mère m'a parlé du défilé. Nous sommes toujours voisines, tu sais, et nous nous croisons de temps en temps. Tu es splendide.

La politesse aurait voulu qu'elle lui retourne le compliment, mais elle n'y parvint pas, se contentant de la remercier aimablement.

— Merci, c'est très gentil.

— J'ai souvent pensé à toi depuis que tu es partie. Je sais que je n'ai pas toujours été très agréable avec toi à l'école. À la fac non plus, je le reconnais. J'imagine que tu t'en souviens, mais pas trop, j'espère.

Ah ! des excuses, à présent… Martha choisissait un drôle de moment. Que répondre ? Elle aurait pu lancer froidement une réplique du style : « Bien sûr que je m'en souviens, mais ça ne m'a jamais beaucoup perturbée. » Seulement, comme Martha avait l'air plutôt abattue, elle se montra clémente.

— De l'eau a coulé sous les ponts. Et toi, que deviens-tu ?

— Pas grand-chose. Je ne me suis pas mariée, je vis toujours chez mes parents. J'ai trouvé du travail pas loin.

Martha ne faisait pas mine de vouloir partir et aurait prolongé la conversation si Lina n'était arrivée en hâte avec un message.

— C'est pour la robe en velours. Quelqu'un veut savoir si vous accepteriez de la décliner en noir.

— Je te dérange, dit Martha. Je voudrais bien acheter une de tes robes. Elles sont très belles, mais je n'en ai pas les moyens.

Pendant qu'elle s'éloignait, Hyacinthe l'observa un instant. Où était passé le regard aguicheur, la tête bouclée au port fier et insolent ? « Martha semble autant surprise de ma réussite que je le suis de ce qu'elle est devenue. C'est à n'y rien comprendre. Quel mystère, la destinée ! »

— Tu as préparé tout le dîner toi-même ? s'étonna Will. Poulet en sauce, soufflé de légumes, et un dessert délicieux ! Tu n'achètes jamais de plats préparés, maintenant que tu vis à New York ?

— Ça te surprend ? Pourtant, tu sais que j'aime cuisiner. Tu as réagi de la même manière le jour où tu as déjeuné chez moi la première fois, juste avant de me briser le cœur.

— Je ne sais pas pourquoi, mais oui, ça me surprend.

Personne ne s'y habituait ; d'abord on s'était étonné qu'une intellectuelle comme elle passe tant de temps dans sa cuisine, et maintenant, on n'en revenait pas que, étoile montante de la mode et femme d'affaires, elle continue sur cette lancée. Les stéréotypes avaient la vie dure.

Ces dernières vingt-quatre heures avaient été exténuantes, d'autant qu'à ce stress s'étaient mêlés d'autres soucis. Pendant qu'elle courait dans tous les sens pour résoudre des problèmes de dernière minute, Emma et Jerry lui avaient été expédiés sans préavis pour quelques jours de vacances. Elle, qui les voyait si peu, n'avait eu d'autre choix que de les envoyer chez Francine pour passer une partie de la semaine. Leur père avait trouvé pratique de s'en débarrasser sans même lui demander si le moment lui convenait.

Mais elle avait eu le cœur en fête quand, la veille au soir, Will avait appelé pour dire qu'il rentrait par l'avion de nuit. À ses fourneaux dans la petite cuisine ultramoderne, elle avait rêvé d'une maison avec une salle à manger où tous les visages aimés seraient rassemblés, Will en tête de table. Puis, à mesure que l'heure de son arrivée approchait, elle avait été prise de panique, au point d'en trembler de peur. Cette fois, il allait la contraindre à prendre une décision, c'était certain. Elle avait l'intuition que, ce soir, il allait vouloir lui parler très sérieusement. Il avait remis la discussion à plus tard, attendant la fin de la course folle du défilé et son retour de Californie, mais le moment était venu.

Cachées sous sa serviette, ses mains se nouaient d'angoisse, si fort que sa bague en or lui rentrait dans la paume.

— Le défilé a fait un triomphe, paraît-il. J'aurais voulu pouvoir rentrer à temps pour y assister, mais il y a eu des retards de dernière minute, des montagnes de paperasseries… Tu m'as beaucoup manqué, reprit-il après un temps d'arrêt. Terriblement.

— À moi aussi, tu m'as manqué, répondit-elle d'une voix pâle.

Elle avait les yeux fixés sur la chaise tapissée de bleu marine, avec des nuages de taches blanches.

— Je veux qu'on se marie, Hyacinthe. Je te laisse choisir la date.

Elle tenta une plaisanterie qu'elle regretta aussitôt.

— Vous ne croyez pas que nous avons besoin de nous connaître un peu mieux avant, monsieur Miller ?

Il la contempla avec stupéfaction.

— Arrête. Ne joue pas les coquettes, je t'en prie. Ne me fais pas marcher.

— Désolée, ça m'a échappé.

— Alors, quand veux-tu ?

— Tu sais que je t'aime, Will. Mais il faut que je... que je me prépare... il y a l'appartement... ce n'est pas si simple. Je ne peux pas me précipiter.

Elle avait beau essayer de rester naturelle, elle s'entendait prendre un ton presque implorant.

— Nous avons été tellement heureux, cet été, on ne pourrait pas continuer un petit peu comme ça jusqu'à ce que... ?

— Non. Je ne vois pas ce qui t'affole. Il y a assez de place ici pour les enfants et moi jusqu'à ce que nous trouvions un appartement plus grand. Je m'en charge. Donne-moi quelques semaines, pas plus. Je sais que tu veux être assez proche de leur école, j'en tiendrai compte. Où vont-ils en classe ?

Elle soupira.

— Il va sans doute falloir que je les change d'école, ça ne simplifie pas les choses.

— C'est toi qui t'inventes des complications. Je crois que je comprends ce qui ne va pas. Tu te rappelles la première fois, toutes tes craintes de jeune mariée qui ont fini par se révéler si justes. L'idée d'un nouveau mariage te fait peur. Ça t'angoisse, je me trompe ?

Pendant une longue minute, Will se tut. Sentant son regard sur elle, elle baissa les yeux et se mit à jouer avec son verre à eau.

— Je sais que tu m'aimes, Hyacinthe. Alors fais-moi confiance. Ferme les yeux et saute le pas. Nous n'aurons qu'à nous contenter d'une petite cérémonie rapide. Rien qu'à la mairie, si tu veux. Dix minutes, pas plus. Tu ne le sentiras pas passer, une formalité.

— Alors, à quoi bon ? Nous pouvons très bien aller tout de suite nous installer dans la chambre à côté, ce sera merveilleux, avec ou sans…

— Non.

Maintenant, elle était assez habituée à ses « non » catégoriques pour savoir sans le regarder que ses lèvres s'étaient refermées sur ses dents régulières, façon pour lui de clore la discussion. Il ne reviendrait pas sur sa décision.

— Je veux t'épouser, ça ne me suffit pas de vivre avec toi. Je ne suis pas aussi moderne que j'ai voulu le croire. J'en ai assez des liaisons de passage. Je suis prêt à vivre une relation permanente, publique, je veux un enfant à moi. J'ai aussi envie d'accueillir tes enfants. Tu n'as pas à t'inquiéter pour ça. Je sais que ça doit te préoccuper un peu. Mais je vais les aimer, parce qu'ils sont à toi. Quand est-ce que je vais les voir ?

— Bientôt.

— Tu dois les récupérer début septembre, pour le Labor Day, je crois.

— Pour l'instant, ils sont chez ma mère. J'y vais demain pour quelques jours.

— Bien, dès ton retour, nous mettrons tout cela au point.

Il se leva et, l'attirant contre lui, il l'enlaça et lui embrassa les mains, les bras, la gorge, la bouche.

Si seulement nous pouvions être seuls au Mont-Saint-Michel, pensa-t-elle dans ses bras. Avec la marée qui monte au galop, les désirs qui galopent aussi, et aucun souci, aucun...

— Je vais m'occuper de tout, Hyacinthe. Repose-toi sur moi. Maintenant, aide-moi à défaire ces boutons, je n'y arrive pas...

La sonnette retentit.

— Flûte ! s'écria-t-il. Qui ça peut bien être ?

— Pas la moindre idée.

Elle entendit à l'Interphone que c'était Arnie et qu'il était déjà en train de monter. Une minute plus tard, il frappait à la porte.

— Ouvre, femme célèbre, c'est moi, Arnie. Tu te souviens de moi ? Ce n'est pas la peine de prendre cet air terrorisé, ajouta-t-il en entrant. Tout va bien. Je passe deux jours à New York pour discuter avec un type dans le quartier, et j'ai eu envie de faire un saut pour voir si tu étais là.

Il n'était jamais venu à l'improviste. Avec une légère froideur, elle répondit :

— Tu m'as surprise. Je ne m'attendais pas à te voir. Will Miller, Dr Arnold Ritter.

Les deux hommes se saluèrent, et il ne resta plus qu'à s'asseoir et à trouver des sujets de conversation.

Hyacinthe commença.

— Nous venons de dîner. Tu as faim ? Tu veux une part de tarte ?

— Non, merci. Je sors du restaurant, j'étais avec le type en question. Vous avez dû vous régaler, ajouta-t-il à l'adresse de Will. Cette jeune dame sait accueillir ses invités. J'en ai dégusté, des bons petits plats, à sa table.

Will répondit quelque chose, mais Hyacinthe était dans un tel état qu'elle entendait à peine ce qu'il disait. Une angoisse épouvantable l'assaillait ; elle mourait de peur. Que se passerait-il si Arnie, au hasard de la conversation, parlait de la garde de Jerry et d'Emma ? Il fallait à tout prix que ce soit elle qui rétablisse la vérité le moment venu, et surtout pas que Will soit mis au courant par Arnie. Elle aurait dû lui expliquer la situation depuis longtemps, mais elle avait tellement redouté les questions qui ne manqueraient pas de pleuvoir qu'elle n'en avait pas eu le courage.

— J'espérais avoir un peu moins chaud en montant vers le nord, dit Arnie. Mais c'est la canicule ici comme en Floride.

— J'arrive de Californie. J'ai l'impression que cet été, ils vont échapper au pire, là-bas. On ne sait jamais le temps qu'il va faire, c'est tellement aléatoire.

Excellent sujet de conversation, songea Hyacinthe, la pluie et le beau temps, terrain neutre par excellence en cas de situation tendue.

— En janvier, quand les rues seront verglacées, vous regretterez bien la chaleur d'aujourd'hui, intervint-elle sans grande inspiration.

Les deux hommes approuvèrent. Hyacinthe priait en silence : Arnie, lève-toi et va-t'en, mais celui-ci tira une enveloppe de sa poche et la lui tendit.

— Tiens, regarde ça, dit-il avec un grand sourire. Je les ai prises la semaine dernière au concours annuel du centre équestre. Emma a tout de suite été à son aise à cheval.

On voyait les enfants côte à côte dans leurs belles tenues d'équitation, sur leurs magnifiques montures, dignes de la couverture d'un magazine. Ses bébés à elle…

— En fait, je crois même qu'Emma va finir par dépasser son frère, tu vas voir, ajouta-t-il avec une fierté presque paternelle.

Elle fut bien obligée de passer les photos à Will. Il les étudia assez longuement, puis, après les lui avoir rendues, il remarqua que lui aussi avait des photos dans sa poche.

— Je voulais te les donner avant, mais je les ai emportées en Californie par erreur.

Cette fois, elle se vit avec Will à Paris, l'obélisque à l'arrière-plan, à Deauville, en Bretagne, devant le Louvre, dans un jardin près d'un lac avec des cygnes. Vêtue d'un jean et d'un T-shirt, selon son habitude, elle était photographiée les cheveux au vent. Élégante aussi, avec sa robe aux manches de dentelle. Le dernier cliché la montrait sur la plage, portant le bikini que Will lui avait apporté, parce qu'il se doutait qu'elle n'en avait pas mis dans sa valise. Quand ils étaient photographiés ensemble, Will avait le bras passé autour de sa taille, dans un geste amoureux sans ambiguïté, démontrant qu'il ne s'agissait pas de deux amis en excursion mais bien de deux amants.

— Voyons, dit Arnie, la main tendue.

Il regarda tout le paquet lentement, puis le rendit, remarquant aimablement qu'ils avaient l'air de s'être bien amusés en France.

— Nous y étions pour notre travail, expliqua Hyacinthe. Lina voulait que j'aille voir les tissus français, et l'entreprise de Will a racheté Libretti, donc nous sommes beaucoup ensemble, maintenant.

Elle connaissait si bien les deux hommes qu'elle devinait parfaitement ce qu'ils pensaient. Will, bien sûr, était ennuyé d'avoir été dérangé le soir de leurs retrouvailles, et Arnie était tout bonnement jaloux.

Bizarre, songea-t-elle, c'était la première fois qu'elle se trouvait dans une pièce avec deux hommes qui la désiraient.

Will rompit un silence gêné.

— Vous vivez toute l'année en Floride, monsieur Ritter ?

— Oui, j'y ai mes habitudes. J'exerce dans ma clinique. Je suis chirurgien.

— Ah ! Vous êtes natif de là-bas, alors, un vrai de vrai, dit Will plaisamment.

— Non, répondit Arnie en riant. On émigre toujours en Floride sur le tard. Avant, j'avais une clinique dans la ville où vit Hyacinthe. Ou, plutôt, où elle vivait avant. C'est là que nous nous sommes rencontrés. Nous sommes de vieux amis.

— Nous aussi, nous nous sommes rencontrés là-bas. Ma famille était propriétaire du grand magasin, R.J. Miller, sur la place.

— Tiens ! J'y allais tout le temps. J'y achetais mes cravates, mes pulls, tout. De la bonne qualité. Vous y êtes toujours ?

— Non, nous avons vendu. Le magasin a été démoli pour construire à la place un immeuble de bureaux de neuf étages. La ville se développe vite. Quand je pense au prix que mon arrière-grand-père avait payé pour le terrain, il y a cent ans, et à la somme que nous en avons tirée… C'est incroyable.

Maintenant qu'ils s'étaient trouvé un intérêt commun, Arnie allait s'incruster, se dit Hyacinthe avec inquiétude.

— Oui, il m'est arrivé la même chose. J'ai fait construire ma clinique en… voyons… Ça fait dix-sept ans, et la différence de prix est aussi fabuleuse. J'avais un ravissant petit bâtiment blanc qui valait une fortune en pierre de taille, pas très haut, un étage seulement, mais à un emplacement excellent. À trois rues de la place.

— Ce n'est pas la clinique qui a brûlé ?

— Si, c'est ça.

Arnie regarda vaguement Hyacinthe avec une expression très neutre, puis il toussota.

Pas plus de trois secondes s'écoulèrent avant que Will continue poliment la conversation.

— J'avais beaucoup de travail, ce jour-là, et je suis arrivé en ville peu de temps après l'aube, ce qui fait que je suis tombé en plein sur l'incendie. Il n'était pas encore maîtrisé. C'était terrifiant, avec les voitures de pompiers, la grande échelle, le verre brisé, les badauds, les flammes, la fumée, on se serait cru en pleine guerre. L'odeur du feu et de la chair humaine… c'est une terreur vieille comme le monde.

— Exact, commenta Arnie. C'était dur.

Comme dans tous ses moments de détresse, Hyacinthe se tordait les mains sur ses genoux. Puis, ne voulant pas montrer sa nervosité, elle les plaça sur les bras de son fauteuil.

— J'ai entendu dire que l'incendie était dû à la malveillance, ajouta Will.

— On dit beaucoup de choses, commenta Arnie avec un haussement d'épaules.

Will approuva, puis continua en expliquant pourquoi il s'intéressait à l'événement.

— Il y a environ vingt ans, nous avons eu un gros problème de ce genre dans un de nos magasins. Je me souviens qu'on ne parlait plus que de ça tous les soirs à table. Il y a eu une grande enquête. Je crois qu'on a rameuté tous les services de police possibles, sauf le FBI ! Finalement, la piste s'est resserrée sur un employé qui a nié obstinément, mais qui a fini par reconnaître qu'il avait fumé dans les locaux et avait dû mal éteindre sa cigarette. Mon père n'a jamais voulu le croire. Le type avait eu un conflit avec l'entreprise et voulait se venger, tout le monde le savait. Le mobile était clair.

— Et que s'est-il passé ? demanda Arnie avec intérêt.

— Je ne me souviens pas des détails parce que je suis parti à l'université à cette époque, mais je sais qu'il a été jugé et qu'il a fait deux ou trois ans de prison.

— Il y avait eu des victimes ? demanda Arnie.

— Non, heureusement pas, mais c'est un miracle. C'était une vraie fournaise.

— Il aurait été condamné à une peine beaucoup plus lourde s'il avait causé un décès, remarqua Arnie. Incendie criminel avec homicide involontaire…

Hyacinthe évitait de le regarder. Pourquoi prolongeait-il la conversation ? Pourquoi lui faisait-il endurer cette torture ? Il aurait pu facilement changer de sujet, parler des prix de l'immobilier ou demander à quelle université Will était allé.

— On se demande comment les gens peuvent laisser leur rancœur dégénérer en une telle rage meurtrière, poursuivit Will. On se pose des questions après ça, on se demande à qui on peut faire confiance. Mon père disait que l'incendiaire avait l'air totalement innocent, le genre de type qu'on ne songerait jamais à soupçonner.

C'était insupportable. Elle se sentait l'âme, le cœur à découvert. Elle aurait aussi bien pu être toute nue devant eux. Espérant que son visage n'était pas aussi écarlate qu'elle le redoutait, elle se leva et s'approcha de la télévision en remarquant qu'il était l'heure du journal de vingt-trois heures.

Arnie se leva d'un bond.

— Il est déjà onze heures ? J'ai une journée tuante devant moi demain. Je me sauve, Hya. À bientôt. Dites, Will – ça ne vous dérange pas que je vous appelle par votre prénom ? –, vous voulez partager un taxi ? On n'en trouve pas facilement dans le quartier à cette heure, et nous aurons déjà de la chance d'en dénicher un.

Il n'y avait pas le choix. Elle dut les raccompagner tous les deux à la porte. Arnie avait manœuvré pour obliger Will à partir ! Mais cela valait mieux, car elle ne se sentait plus du tout d'humeur à reprendre leur nuit d'amour interrompue.

« On se pose des questions après ça, on se demande à qui on peut faire confiance. »

« Comment le lui dire ? Il va se demander pourquoi je lui ai caché la vérité pendant si longtemps. Dans le meilleur des cas, il aura quand même des doutes, et au pire, il va me mépriser. Si j'étais lui, je réagirais comme ça. »

Elle était à moitié paralysée, mentalement figée par la terreur. Elle traversa le salon, le retraversa en sens inverse, et continua à marcher de long en large jusqu'à minuit, heure où elle se coucha, glacée et brûlante à la fois, trop assommée pour pleurer. La nuit finit par s'écouler.

Le matin, le téléphone sonna deux fois ; le premier appel venait de Will.

— Ton ami a un peu cassé l'ambiance, hier, hein ?

— En effet ! C'est drôle, il n'était jamais passé me voir sans appeler d'abord.

— Parle-moi de lui. C'est un drôle de personnage…

Elle sentait au ton de Will qu'il n'était pas content, ce qui la surprit car il n'était pas du genre à se laisser perturber.

— Il n'y a pas grand-chose à en dire. Il n'a pas d'enfants, mais il les adore. Il s'est beaucoup attaché aux miens quand… quand ils sont en Floride. Il adore les chevaux, et il leur a communiqué sa passion. C'est très bon pour eux.

Elle se rendit compte qu'elle parlait trop nerveusement.

— Et voilà, c'est tout, conclut-elle.

— Il est jaloux, Hya. Les photos de nous en France ne lui ont pas plu du tout et il l'a bien montré, comme s'il se fichait complètement d'être impoli, surtout avec toi.

— Mais non. Arnie ne s'intéresse pas à moi. Je n'ai rien à lui apporter. Il a des maîtresses partout, des chanteuses, des stars, des femmes qui portent des sandalettes dorées pendant la journée et des tonnes de maquillage. Des beautés fatales, pas du tout mon genre.

— Je ne suis pas d'accord. Les hommes se comprennent mieux entre eux. Il a envie de toi, Hyacinthe, et s'il était ton type d'homme, j'aurais des raisons d'être jaloux. Mais, comme de toute évidence, il ne peut pas te plaire, je le plains, et bon débarras, sans rancœur, même s'il nous a gâché notre soirée.

— D'accord, mais c'est quelqu'un de bien, tu sais.

— Si tu le dis… Et notre discussion importante ? Tu es d'accord pour la reprendre ce soir ?

Elle ne se sentait pas prête du tout. Il lui fallait du temps pour réfléchir, pour trouver comment aborder le sujet, parler du divorce, des enfants, de l'incendie... C'était aussi dur que d'escalader une montagne.

— Tu oublies que je vais chez ma mère pour quelques jours et que je pars cet après-midi.

— Bon, mais alors reviens vite, d'accord ?

— Bien sûr, tu sais que je me dépêcherai autant que possible.

— Pendant ton absence, je vais commencer à chercher un appartement. Je te parie que je vais trouver l'endroit idéal en une semaine. Amuse-toi bien. Tu diras bonjour à ta mère de ma part et à Emma et Jerry. J'ai hâte de les rencontrer.

Arnie appela moins de cinq minutes plus tard. Il attaqua brutalement.

— Je veux te voir ce soir, Hya.

Elle n'en avait aucune envie et essaya de le lui dire, mais il insista.

— Ce soir, Hya. C'est important. Au restaurant de mon hôtel à neuf heures.

— Arnie, tu m'inquiètes. Ça ne va pas ?

— Oui et non. Il faut que je te parle.

Au moins, elle ne se faisait pas de souci pour les enfants qui étaient chez Francine. Il ne pouvait s'agir que de Will.

Elle arriva au rendez-vous bien décidée à lui reprocher tout de suite son comportement de la veille, mais elle changea d'avis en constatant qu'il était dans tous ses états. Sa toison argentée, toujours si bien ondulée, était en désordre, et sa cravate de soie peinte était nouée de travers.

— Je n'ai pas dormi de la nuit, annonça-t-il en prenant place de l'autre côté de la table. J'ai passé une des pires nuits de ma vie, je te prie de me croire.

Il chassa d'un geste de la main le serveur qui apportait le menu et la carte des vins.

— Commande ce que tu veux, je ferai comme toi. Je n'ai pas faim, de toute façon. Je n'ai rien avalé de la journée à part du café.

— Moi non plus, je ne me sentais pas très en forme, Arnie. Avant tout, je voudrais que tu m'expliques pourquoi tu as tant insisté sur l'incendie, hier soir. Tu devais te douter que ça me serait pénible. Quand tu as parlé d'homicide… Je n'arrive pas à comprendre pourquoi tu as fait ça.

— Et toi, tu n'as pas pensé à ce que j'ai ressenti quand ton petit ami a montré vos photos ? Ça m'a rendu fou de rage. Je n'ai pas pu m'en empêcher, je suis désolé, Hya.

Il se pencha en avant, et, à quelques centimètres d'elle, les yeux si familiers d'Arnie, ses yeux gentils, devinrent durs comme des pierres cuivrées.

— C'est ton amant, hein ? Dis-moi la vérité.

— Nous nous aimons, répondit-elle en toute simplicité.

Il se recula avec un sifflement étouffé.

— Dire que c'est arrivé sous mon nez ! Je t'attendais, Hyacinthe. Tu le savais bien ! Je croyais que nous… que nous avions un accord. Une relation, je ne sais pas comment appeler ça.

La lumière éclairait une goutte de sueur sur son front. Comme il n'était pas le genre d'homme qu'on associait facilement à la souffrance, elle s'étonna qu'il puisse ressentir des émotions aussi fortes. Alors, honteuse de l'avoir jugé superficiel, elle éprouva de la pitié pour lui.

— Moi aussi, je suis désolée, répondit-elle avec un tremblement dans la voix. Je croyais que nous étions juste de très, très bons amis. Je ne voulais pas ça, je ne t'aurais jamais donné de faux espoirs.

— Tu savais très bien que nous étions plus que de bons amis ! Tu ne me feras jamais croire ça.

Au quatrième étage, au-dessus d'eux, il y avait la chambre. Un souvenir lui revint en un éclair : un lit dont la tête, tapissée d'un motif trop chargé à dominante crème, était appuyée à un papier mural à rayures, et une paire de lampes de chevet avec des abat-jour roses. Il s'en était fallu de peu qu'elle ne s'y allonge. Ils avaient été serrés l'un contre l'autre, corps chauds, pleins de désir, elle les seins déjà découverts. Bien sûr qu'elle avait su !

— Tu ne me l'as jamais dit vraiment explicitement, balbutia-t-elle.

— Je voyais bien que tu ne savais plus où tu en étais, et j'ai voulu te donner le temps de reprendre tes marques. Il y avait les enfants, ton travail, et tes autres ennuis qui t'empoisonnaient.

« Tes autres ennuis. »

Au piano, de l'autre côté de la pièce, un jeune homme interprétait une vieille chanson d'amour des années 1930. Quelqu'un, à la table voisine, la fredonnait en même temps. On entendit sauter un bouchon. Au milieu de tout ce luxe feutré, des « ennuis » de ce genre pouvaient-ils seulement se concevoir ? Elle ne pensait déjà plus à Arnie. Elle se força à se concentrer de nouveau sur lui, et répéta :

— Je suis désolée. Je ne voulais pas te donner de faux espoirs, je te le jure.

Quand on leur apporta leurs plats, il prit une bouchée, puis reposa sa fourchette.

— En fait, déclara-t-il, quand ton ami a mis le sujet sur le tapis hier soir, j'ai continué d'en parler exprès. Je me demandais comment il réagirait s'il apprenait ce qui t'était arrivé. J'espère pour toi qu'il n'en saura jamais rien.

— Tu crois ? Mais je suis obligée de le lui dire. Ce qui est dur, c'est que je n'en trouve pas l'occasion, et puis, je n'en ai pas le courage.

— Tu veux vraiment l'épouser ?

— Oui ! Oh, oui !

— Je n'en reviens pas, je ne trouve rien d'autre à dire. C'est dur, je n'arrive pas à m'y faire. Nous étions si proches, et les gosses… Je sais bien que je ne suis pas comme lui. Il est bien physiquement, pas que je sois mal fichu, mais il a ton âge, et… Oui, je vois bien le genre… un intellectuel qui aime la musique classique, les livres, et le reste. Mais moi, je m'intéresserais à tout ça aussi pour te faire plaisir. Tu parles que ça en vaudrait la peine ! Et avec moi… eh bien, tu n'as rien à me cacher. Tu comprends ? Tu as la frousse de lui dire ce qui s'est passé, et tu as bien raison. Tu n'as pas intérêt à le lui apprendre, Hya.

Cette affirmation véhémente l'effraya.

— Que veux-tu dire ? s'écria-t-elle.

— Je veux dire, répondit-il en baissant la voix en confidence, que ça ne va pas lui plaire du tout. Tu l'as entendu parler de l'incendie dans leur magasin. Il va se poser des questions, ou peut-être qu'il va avoir la frousse et te planter là. Et il a de la famille, non ? Il en discutera avec quelqu'un en qui il a confiance. Il voudra se faire conseiller, et ça ne va pas traîner. Je t'assure que des bons conseils, on va lui en donner, les gens ne se gênent pas. Crois-moi, Hya. Les gens, je les connais, je ne connais même que ça. Je ne me fais plus la moindre illusion.

C'était vrai, Arnie était un homme très expérimenté, il connaissait la vie. Cela n'empêcha pas Hyacinthe de lui répondre bravement :

— Dans ce cas, je vais l'épouser sans rien lui dire.

Arnie fronça les sourcils.

— Ah, non ! Si tu fais ça, tu ne tiendras pas plus de deux semaines. On ne peut pas vivre avec quelqu'un en gardant un tel secret. Ça t'étoufferait. Chaque fois que tu regarderais Will, que tu le toucherais au lit, tu aurais envie de le lui dire. Et que se passerait-il si tu parlais ? À qui crois-tu que ça plairait de se faire refiler ce genre de cadeau juste après t'avoir passé la bague au doigt ? Il deviendrait quoi, ton mariage ? Je vois d'ici les dégâts. Tu as envie de divorcer encore une fois ? Par-dessus le marché, tout le monde saurait la vérité. Une fois que ce genre de scandale éclate, plus moyen de s'en tirer, je te le garantis. Et pouf, tu perds tout : ton bon boulot, ta réputation, tes enfants, tout. Non, tu es mieux maintenant, Hya. Je t'assure. Je ne suis pas né de la dernière pluie. Ton ami Will non plus. Il veut réussir, et il n'a aucune envie de s'embarrasser de tes problèmes et de se mettre un boulet au pied.

— Arrête ! Je ne me doutais pas que tu pouvais être aussi méchant !

Pourtant, quand elle prit son mouchoir pour s'essuyer les yeux, il détourna la tête. Pour un homme cruel, il faisait preuve d'une discrétion peu commune.

— *« Pourquoi je t'aime ? Pourquoi tu m'aimes ? »* chantonnait leur voisin de table.

Des rires fusaient dans la salle. Elle prit un peu de purée sur sa fourchette. Elle aurait voulu rentrer chez elle, se mettre au lit dans le noir avec ses couvertures sur la tête. Elle avait besoin d'être avec Will. Mais ce n'était pas possible tout de suite, en tout cas pas avant qu'il y ait une lueur d'espoir au bout du tunnel. Des pensées tumultueuses se livraient bataille en elle.

— Quoi que tu décides, ce ne sera pas facile, reprit Arnie.

Elle ne comprit pas où il voulait en venir avant d'entendre la suite.

— Ça me désole de te dire ça, mais tu devrais avoir d'autres préoccupations que l'amour pour l'instant. Les gosses ne vont pas bien. La situation a changé.

— Changé comment ?

— Gerald a reçu une invitée tout l'été, une de ses chanteuses, une pin-up, je ne sais pas comment tu appellerais ça. Elle ne s'entend pas avec les enfants. Peut-être qu'au départ c'est eux qui l'ont mal accueillie. Elle monopolise Gerald – quand il ne travaille pas –, ce qui veut dire qu'il a beaucoup moins de temps pour eux. Il joue au tennis avec elle, par exemple, au lieu de faire des parties avec Jerry. Entre autres. Bon, je ne suis pas psy, mais je crois que c'est pour ça. Il y a deux semaines, une scène terrible a éclaté à cause de Charlie, le chien. Elle l'a battu, et Emma est devenue comme folle et elle a donné un coup à la fille. Elle s'appelle Eareen… un nom bizarre qu'elle a dû s'inventer… non, Arveen… Donc, ensuite, Arveen a donné une claque à Emma, et Jerry s'est jeté sur elle. Une histoire infernale. La nourrice m'a tout raconté. Elle a donné sa démission. Ça devenait trop dur pour elle, c'est ce qu'elle a dit.

— Arnie, pourquoi ne m'as-tu pas avertie plus tôt ?

— À quoi ça aurait servi ? Qu'est-ce que tu y peux ? Ce n'est pas de la maltraitance, tu ne peux pas faire intervenir la police.

Et Gerald avait la garde. Elle avait renoncé à ses droits, maintenant, elle était réduite à l'impuissance, muette et désarmée pendant qu'il s'amusait en Floride.

— J'ai conseillé à Gerald de trouver une nouvelle nourrice. L'ancienne était barbante, mais elle s'occupait bien d'eux. Les enfants voudraient qu'elle revienne, seulement elle s'est déjà trouvé un autre poste. J'ai l'impression que la pin-up n'est pas près de partir. Gerald s'est attaché à elle comme une femme s'entiche d'un bijou et le porte tous les jours, même à la plage, ajouta Arnie avec un rire indulgent. Je le comprends, j'étais comme lui à son âge. Maintenant, j'ai plus d'expérience, je recherche la qualité chez les femmes, je ne m'arrête pas au clinquant.

Hyacinthe pensait déjà à des solutions. Sa colère contre Arnie s'était évanouie.

— Arnie, dit-elle d'un ton implorant, tu as été tellement formidable avec eux, un vrai père. Tu ne pourrais pas appeler une agence dès que tu seras rentré pour leur trouver une autre nounou ? Tu sauras très bien la choisir. Ça ne t'embêterait pas ?

— Ce n'est pas d'une nouvelle nounou qu'ils ont besoin, tu sais, c'est de toi, tout simplement. Ils ont besoin de leur mère. Je le sais parce qu'ils me le disent. Quand nous sortons à cheval, nous parlons pendant la promenade. Ça m'ennuie de te faire de la peine, mais il vaut mieux que tu le saches.

— Qu'est-ce que je peux faire ? gémit-elle d'un ton si déchirant qu'elle fit sursauter le serveur qui était venu remplir leurs tasses à café.

— Je ne sais pas. Tu as trop de soucis, c'est clair. Je peux quand même te dire une chose. Si tu venais vivre en Floride avec moi, je pourrais probablement influencer Gerald. En fait, je suis même sûr que je pourrais lui mettre un peu la pression. Nous nous entendons bien, évidemment, mais quand il y a de l'argent en jeu… des contrats, des propriétés, des hypothèques communes… tu vois comment je pourrais m'y prendre.

Ce qu'elle vit, c'était le long chemin qui la menait à Will et à ses enfants. Un sentier tortueux et sombre, bouché par des obstacles. Ne voyant aucun moyen de les contourner, elle resta là, face à Arnie, sans rien trouver à dire.

Il finit par reprendre la parole.

— Tu vas chez Francine, cette semaine ?

— Je n'avais pas prévu de partir avant jeudi, mais j'ai besoin d'y aller le plus vite possible. Je prendrais la route dès ce soir s'il n'était pas déjà si tard.

— Pourquoi ne te confies-tu pas à ta mère ? Elle te donnerait peut-être de bons conseils.

Elle secoua la tête.

— Non, elle a déjà assez souffert de la mort de papa. Elle a suffisamment de soucis comme ça. Je ne veux pas lui imposer ce poids supplémentaire.

— Je ne te parlais pas de l'incendie. Tu n'as quand même pas pensé ça, j'espère ?

— Non, bien sûr.

— Je voulais dire pour les enfants. Et pour toi et Will. Demande-lui ce qu'elle en pense.

Aucun doute, Arnie comptait sur Francine pour plaider sa cause. Elle lui prit la main et, la serrant fort dans la sienne, lui parla du fond du cœur.

— Je ne pourrai jamais te remercier assez pour tout ce que tu fais pour moi.

— Tu me remercies beaucoup trop, Hya. Le principal, c'est que tu n'oublies pas que je suis là et que je ferai tout pour te sauver s'il t'arrive malheur.

Arnie ne s'était pas trompé pour les enfants. Une fois arrivée chez Francine, Hyacinthe s'en rendit très vite compte. Le chien Charlie était du voyage, et ils s'empressèrent de lui raconter le jour où Arveen l'avait battu.

— Maman ! Elle a voulu tuer Charlie, s'écria Emma. Tu sais ce que je ferais si elle le tuait ? Je la tuerais aussi ! J'achèterais un grand fusil, et je lui ferais sauter la tête, comme les garçons de l'école qu'on a vus à la télé.

Le visage d'Emma, plein de fureur, avait encore changé. « Chaque fois que je la revois, se dit Hyacinthe, j'ai du mal à la reconnaître, et ce n'est pas seulement parce qu'elle grandit. L'expérience, les émotions laissent leur trace. Là, elle a la tête qu'elle pourrait avoir d'ici quatre ou cinq ans ; vindicative, les lèvres serrées, le regard résolu. Elle a les poings tout crispés de colère. »

Pour essayer de la calmer, elle expliqua :

— Je suis sûre qu'elle ne voulait pas faire de mal à Charlie, et elle a dû regretter tout de suite de l'avoir frappé. Parfois, les gens perdent leur calme et ensuite ils se rendent compte qu'ils ont eu tort.

— Non, elle n'a rien regretté du tout. Tu ne la connais même pas, pourquoi tu dis ça ?

— C'est une salope, clama Jerry.

— Jerry ! s'écria Francine. Je t'ai demandé cent fois cette semaine de ne plus dire ce mot !

— Tout le monde dit ça. T'es ringarde, c'est tout. Les grands-mères, c'est toujours ringard, et tout le monde dit salope.

Jerry éclata de rire, si fier de l'effet produit qu'il se leva d'un bond de sa chaise, bousculant son puzzle par accident.

— Merde, merde, merde ! s'exclama-t-il. Putain de merde ! Ça fait des jours que je travaille à ce foutu truc et j'ai tout fichu en l'air.

Francine se tut, par déférence pour la mère des enfants qui était stupéfaite. Comment Gerald, si à cheval sur les principes, acceptait-il ce vocabulaire ? Obligée d'utiliser les deux mots qu'elle évitait le plus possible, Hyacinthe demanda calmement à Jerry s'il osait parler ainsi devant « son père ».

Jerry éclata de rire.

— Il ne peut pas nous en empêcher. Arveen dit plein de gros mots, et des pires, maman, et il ne peut pas l'en empêcher non plus. C'est Arveen qui commande.

Une fois lancé, ravi d'être au centre de l'attention générale, il continua.

— Et vous savez pourquoi ? C'est parce qu'elle a du monde au balcon !

— Comment ?

— Oui, elle a du monde au balcon, répéta-t-il avec un regard déplaisant et le geste arrondi qui accompagne ce genre d'affirmation.

Il y avait un gros problème. Les deux femmes se regardèrent, atterrées, ne sachant comment réagir.

Peut-être ne fallait-il pas relever, faire comme si de

rien n'était pour l'instant ? On ne pouvait pas préserver indéfiniment l'innocence d'un garçon de son âge. En grandissant, il serait conduit à évoluer dans un monde où on entendait et voyait des choses peu plaisantes. Il fallait s'y attendre, et plus que jamais à notre époque. D'un autre côté, devait-on se laisser envahir chez soi par le monde extérieur ? « Je ne vois pas pourquoi Arveen, même si je ne la connais pas, devrait servir de modèle à mes enfants », se dit Hyacinthe. Cet argument se répéta dans sa tête avec une colère fracassante.

Le chien se leva, s'ébroua, et retourna se coucher aux pieds d'Emma. La douceur du petit animal, masse de poils soyeuse sur une ossature fragile, émut Hyacinthe. Il était si innocent, si confiant, si vulnérable à la méchanceté. Il lui faisait penser à Emma.

— Nous n'avons pas encore promené Charlie aujourd'hui, vous voulez y aller tous les trois ? suggéra Francine.

Si toute la semaine s'était passée de cette façon, elle devait être exténuée, même si sa mère ne le reconnaîtrait jamais, pensa Hyacinthe. Les souvenirs affluaient dans cette maison où elle avait grandi : la voix réconfortante de Francine qui rétablissait l'ordre dans une pièce remplie de garçons bruyants, ses trois fils ainsi que ceux des voisins ; la bonne odeur chaude de grillade qui montait, tandis que, de la pièce du fond, montait le son de la musique qu'écoutait Jim. Quelle belle enfance elle avait eue, dans ce cocon d'amour ! Évidemment, à l'époque, elle n'en avait pas eu conscience.

— Allez, on y va. Mettez sa laisse à Charlie, nous allons descendre jusqu'à la forêt. C'est très joli.

Il fallait à tout prix susciter leur intérêt.

— Il y a une petite mare où j'adorais aller regarder les grenouilles, acheva-t-elle.

Les enfants coururent en avant, débordant d'énergie. La forêt, en effet, était charmante, silencieuse et sombre, avec des taches de soleil et un grand cercle de lumière autour de la fameuse mare où Hyacinthe avait eu l'habitude de venir s'asseoir sur un tronc d'arbre couché.

— Asseyez-vous et ne bougez surtout plus, leur recommanda-t-elle. Nous en verrons peut-être.

Après une ou deux minutes, quand aucune grenouille n'eut daigné paraître, elle comprit qu'elle allait devoir trouver un autre moyen de retenir leur attention, car, déçus, ils commençaient à donner des signes d'impatience. Elle avait tellement besoin de passer ce moment seule avec eux, de communiquer, de sentir leur proximité physique.

— Vous savez d'où viennent les grenouilles ? commença-t-elle.

Ne recevant pas de réponse, elle continua avec enthousiasme.

— Elles naissent dans des œufs, comme les poussins.

Sa voix paraissait trop haute, trop nerveuse, trop artificielle. Elle avait un tel besoin qu'ils s'amusent en sa compagnie, qu'ils gardent des souvenirs dans lesquels ils pourraient puiser un jour pour dire : « Nous sommes allés nous promener dans la forêt avec maman, et elle nous a tout expliqué sur les grenouilles… »

— Oui, c'est comme les poussins, poursuivit-elle, mais pas tout à fait, parce que les œufs sont tout petits, on dirait des perles qui s'accrochent à des brindilles ou à des feuilles dans l'eau. La ponte a lieu au printemps.

Comme ils ne commentaient ni l'un ni l'autre, elle ajouta un détail qui risquait de les intéresser davantage.

— Vous saviez que certaines grenouilles savent monter aux arbres ?

— C'est pas vrai, grommela Jerry.

— Si, c'est vrai. Même qu'on les appelle les grenouilles arboricoles, ça veut dire qu'elles vivent dans les arbres et les buissons. Au printemps, on les entend coasser très fort, c'est très joli et ça permet de savoir que l'hiver est vraiment terminé.

— On s'en fiche.

Décidant qu'il valait sans doute mieux ignorer ce commentaire, Hyacinthe continua.

— Vous ne trouvez pas ça bizarre qu'elles puissent monter aux arbres ? Vous ne vous demandez pas comment elles se débrouillent ? Eh bien, elles ont des petites ventouses sous les pattes qui leur permettent de s'accrocher. Les autres grenouilles n'ont pas de ventouses.

Emma déclara qu'elle en avait assez d'être assise, et Hyacinthe se leva pour reprendre le chemin du retour. Leurs pas bruissaient sur l'épais tapis de feuilles du sous-bois, ponctuant un silence lourd de reproches.

— Regardez ! s'écria Emma. Charlie a attrapé quelque chose. Ça va le rendre malade.

— Mais non, ce n'est qu'un gland, chérie, il ne va pas le manger. C'est les écureuils qui en mangent, pas les chiens. Laisse-le jouer avec.

Obstinée, elle tenta une fois de plus de détendre l'atmosphère en remarquant plaisamment :

— Vous imaginez ? Il suffit de planter un gland dans la terre, et un jour ça donne un grand chêne comme celui là-bas, haut comme deux maisons.

Jerry marmonna un commentaire, qui, même inaudible, n'en avait pas moins la sonorité d'un juron. Cette fois, il était vraiment allé trop loin, et elle ne savait plus à quel saint se vouer. Mais Jerry était peut-être aussi désemparé qu'elle. Il eut beau résister, elle l'attira pour le prendre dans ses bras.

— Dis-moi ce qui se passe, dit-elle doucement. Dis-moi pourquoi tu es si malheureux, aujourd'hui.

— Moi aussi, je suis malheureuse ! s'écria Emma en commençant à renifler.

Ils sentirent tous les trois la solennité de ce moment fort ; il y avait comme un tremblement dans l'atmosphère qui traduisait des sentiments profonds, authentiques, difficiles à exprimer.

— C'est à cause d'Arveen et de Charlie ? demanda Hyacinthe, sachant très bien que ce n'était qu'une toute petite partie du problème.

— On n'aime plus du tout la Floride, lâcha Emma. Et Tessie dit que tu es une mauvaise mère, et c'est vrai. Tu n'as pas voulu qu'on reste avec toi dans notre maison, et moi j'aime ma chambre et ma maison de poupée.

Comment leur expliquer ? C'était tellement compliqué... La maison de poupée avait été intégrée à la chambre, on ne pouvait pas la déplacer, et il ne fallait pas croire Tessie. Ce revêche personnage devait être une excellente cuisinière, pensa Hyacinthe, ou alors Gerald, qui aimait à s'entourer de beauté, n'aurait jamais gardé cette femme au visage fermé. Oui, c'était trop compliqué, par où commencer ?

En grand frère, Jerry contredisait déjà Emma.

— Maman a vendu la maison. Tu ne te souviens pas où elle vit, maintenant ? C'est à New York, là où on est allés dans l'appartement. Tu sais, elle nous a emmenés voir les dinosaures, et j'ai mangé du homard pour le dîner et plein de bonnes choses.

— Bon, ben c'est là que je veux vivre tout le temps, gémit Emma. Je veux vivre là !

Avec précaution, Hyacinthe essaya d'aborder le cœur du problème par une voie détournée.

— Vous n'aimez plus votre école ? demanda-t-elle, voulant dire en fait : Vous n'aimez plus, ou vous ne vous entendez plus avec votre père ?

— On va changer d'école, répondit Jerry. On n'y est encore jamais allés. Il va falloir qu'on y reste toute la journée jusqu'au dîner. Et puis, ce sera Tessie qui couchera Emma parce que Nanny est partie. Moi, je me couche tout seul et je n'ai plus besoin de nounou. Je suis trop grand.

Cela faisait presque quatre ans. Le temps passait à une allure si vertigineuse qu'on n'avait pas l'impression de bouger.

— Vous n'allez pas avoir une nouvelle nounou ?

— Papa va trouver quelqu'un pour nous garder le samedi et le dimanche, pour nous conduire en voiture et s'occuper de nous. Papa est tout le temps occupé.

Hyacinthe ne résista pas l'envie de poser la question qui s'imposait.

— Il passe tout son temps avec Arveen ?

— Ouais. Avec elle et avec tout un tas de gens. Il sort tout le temps quand il ne travaille pas. Il va à des fêtes avec des filles, il fait du bateau, tout ça, c'est Bruce qui l'a dit.

— Qui est-ce ?

— Bruce, c'est mon copain. Tu ne te rappelles jamais le nom de mes copains ! Son jardin est à côté du nôtre, mais lui, il vit avec sa mère, pas comme nous. Son père est pourri. Il déteste son père.

— C'est dommage, s'empressa de répondre Hyacinthe. C'est important d'avoir un papa et une maman. Il ne faut pas l'imiter. J'espère bien que vous ne détestez pas votre père.

— Non, mais on ne s'amuse plus comme avant. Et ça ne me plaît pas d'être le seul qui ne vit pas avec sa mère. Enfin, je ne suis pas tout à fait le seul. Il y en a un autre, c'est Donny, mais ce n'est pas pareil pour lui, parce que sa maman à lui, elle est morte. Toi, tu n'es pas morte.

— Alors pourquoi on ne vit pas avec toi ? demanda Emma. Tu pourrais venir chez nous, il y a plein de place.

— Mais non, idiote, elle ne peut pas ! s'écria Jerry, exaspéré. Papa vit déjà avec une femme, tu sais bien. Qu'est-ce que tu crois, qu'il veut deux femmes ? Remarque, il en a peut-être envie, mais ce ne serait pas maman. Tu ne regardes pas le câble, conclut-il en riant, ou tu serais au courant.

Essayant de ne pas l'effaroucher, Hyacinthe lui demanda quand il regardait le câble.

— Des fois, je me lève le soir, quand papa est sorti et que Tessie est dans sa chambre. C'est marrant.

Il fallait absolument qu'elle évite d'élever la voix. Elle demanderait à Arnie d'intervenir. Il arriverait certainement à faire en sorte que cela cesse.

— Ce n'est pas bon pour toi, Jerry, dit-elle toujours doucement. Je ne veux vraiment plus que tu le fasses, d'accord ?

— Je ne vis pas avec toi, je n'ai pas à t'obéir.

— Ce n'est pas gentil de dire ça.

— Non, c'est pas vrai. C'est toi qui es méchante. Pourquoi tu ne veux pas nous laisser vivre dans ton appartement à New York ? On pourrait retourner voir les dinosaures et aller faire du patin, et plein d'autres trucs.

Il la tenait. Ce ne serait pas facile de se justifier.

— Je dois travailler. Pour l'instant, en tout cas.

Emma fit une grimace boudeuse.

— T'es pas obligée de faire des robes.

Puis, sans lien logique, elle lança une autre accusation.

— Tu ne fais même pas de cheval avec nous.

— Je ne sais pas monter à cheval, expliqua Hyacinthe d'un ton coupable.

— Oncle Arnie peut t'apprendre. Il dit toujours qu'il en a envie.

— D'accord, la prochaine fois que je viendrai vous voir, je prendrai ma première leçon.

— C'est promis ?

— Oui.

— Et tu promets de venir vivre avec nous en Floride dans notre maison ?

— Je t'ai dit qu'elle ne pouvait pas..., commença à crier Jerry.

Hyacinthe lui coupa la parole.

— J'ai fait assez de promesses pour aujourd'hui. D'abord, j'irai faire du cheval avec vous, et ensuite...

Emma éclata en sanglots.

— Tu ne m'aimes pas ! Je sais bien que non !

Ils étaient revenus à la mare aux grenouilles. Hyacinthe s'assit sur un tronc et leur tendit les bras.

— Venez là, asseyez-vous près de moi, un de chaque côté. Je veux vous dire comme je vous aime. Après, on se sentira tous mieux.

— Toi aussi, tu pleures ? demanda Jerry. On dirait.

— Oui, un petit peu.

— Pas moi. Les garçons, ça ne pleure jamais, expliqua-t-il avec un tremblement dans la voix.

— Qui t'a dit ça ?

— Papa.

C'était bien de Gerald, cette volonté d'imposer à Jerry son idéal de perfection !

— Papa a tort, affirma-t-elle avec conviction. Bien sûr que les garçons peuvent pleurer, eux aussi en ont besoin.

— Je n'en aurais pas besoin si tu nous disais que tu vas venir vivre avec nous.

— Je vais essayer. Bon, maintenant, si on rentrait et qu'on faisait un gâteau pour le dîner ?

Tenace, à son habitude, Emma protesta :

— Tu n'as rien promis du tout. Tu as seulement dit que tu essaierais.

— Si, je te jure.

Même si cela ne voulait rien dire, les enfants ne s'en rendirent pas compte, et ils prirent le chemin du retour. Que le ciel lui pardonne d'avoir menti, mais elle n'avait pas eu le choix.

— Donc, tu vois, conclut Francine, la semaine a été plutôt rude.

Elles prenaient le café après que Jerry et Emma étaient allés se coucher.

— Je suis désolée de n'avoir pas pu passer plus de temps avec toi, mais j'ai été débordée.

— Je ne me plains pas, Hyacinthe. Je voulais seulement dire que c'était dur pour les enfants. Ils ont changé d'une façon qui m'inquiète. J'ai essayé de leur tirer les vers du nez, mais je n'ai pas pu découvrir grand-chose.

Il valait mieux ne pas donner à Francine les quelques éléments d'explication qu'elle avait en sa possession. Cela ne servirait qu'à réveiller de vieux démons ; depuis le succès éclatant de son premier défilé, elle n'avait plus entendu Francine mentionner une seule fois les honteuses conditions de son divorce qui l'indignaient depuis si longtemps. C'était presque comme si le triomphe inattendu de sa fille l'intimidait.

Mais ce soir, Francine, qui n'en pouvait plus, n'avait aucune intention de la ménager.

— Les enfants ne sont pas du tout en forme. Ils sont renfermés, boudeurs, impertinents parfois, même s'ils le regrettent tout de suite après. Bref, il faut s'occuper d'eux.

— Je t'assure que je vais faire de mon mieux.

— J'ai de bonnes raisons d'en douter, rétorqua Francine. Depuis quatre ans, tu me tiens dans une ignorance totale. C'est monstrueux. Tu ne me fais pas confiance ? À moi, ta mère ? Tu ne sais pas que je suis prête à me battre pour toi, ou pour mes fils, ou pour mes petits-enfants ? Je me battrais jusqu'à la dernière goutte de mon sang, Hyacinthe.

— Je le sais bien.

— Alors, tu vois ! Gerald a agi de façon ignoble, il est encore pire que je ne l'avais supposé, et tu sais que je me suis méfiée dès que j'ai posé les yeux sur lui. Pour l'amour de Dieu, dis-moi ce qui se passe, et je te prendrai le meilleur avocat des États-Unis. Je te l'ai proposé au moins cent fois. Tu ne le feras jamais toute seule. Tu es trop timide. Tu es née comme ça, ce n'est pas ta faute. Je ne te reproche rien…

Hyacinthe leva la main pour l'interrompre.

— Arrête, je t'en prie, murmura-t-elle.

Mais Francine était lancée.

— Je suis tellement fière de toi, de ton succès. Mais je n'y comprends rien, je ne comprends rien du tout à cet aspect de ta personnalité…

Le téléphone sonna dans la pièce voisine. Quand Francine revint après avoir répondu et lui apprit que Will voulait lui parler, Hyacinthe ressentit aussitôt une vive appréhension. Trop de soucis pesaient sur ses épaules. Lorsqu'elle prit le combiné, la voix joyeuse de Will déclencha presque en elle un accès de panique. Il lui apprit qu'il avait accompli un miracle, réussi sa mission : il avait trouvé l'appartement idéal à New York. D'accord, il était cher, mais ils le garderaient toute leur vie, et à eux deux, ils arriveraient bien à payer le crédit. Naturellement, il attendait qu'elle le visite et donne son aval, mais il était certain qu'elle serait enchantée parce qu'il n'était situé qu'à deux rues du parc, ce qui serait idéal pour les enfants. À ce propos, avait-elle décidé où elle les mettrait à l'école ? Il était plus que temps. Il espérait même que ce ne serait pas trop tard.

Pendant que ce flot de paroles se déversait dans ses oreilles, la tête de Hyacinthe bourdonnait, remplie par une question terrifiante qui se répétait à l'infini : « Que faire ? »

— Qui est-ce ? demanda Francine plus tard. J'ai été surprise. Il a eu l'air aussi étonné que moi. Il voulait savoir si tu m'avais parlé de lui. Quand je lui ai répondu que non, il a ajouté : « Eh bien, demandez-le-lui tout de suite, elle vous dira à quel point je suis charmant. »

Si on lui avait posé la question pendant leurs vacances idylliques en Normandie, sa réponse serait venue toute seule, pleine de joie et de bonheur. À présent, elle ne ressentait que du malaise. Étouffant un soupir, elle lui raconta néanmoins l'histoire de sa rencontre avec Will, les débuts de leur amour, puis le voyage en France qui leur avait révélé, sans l'ombre d'un doute, qu'ils s'aimaient vraiment. Elle le lui décrivit : bien physiquement sans être d'une beauté régulière, mais séduisant et solide ; ses opinions et ses goûts : raffinés et très sûrs ; son caractère : direct, d'une grande droiture ; son attitude, courtoise, quoique parfois un peu dogmatique, ajouta-t-elle avec un sourire.

Naturellement, Francine l'écouta avec la plus extrême attention. Quand Hyacinthe eut terminé, elle lui demanda :

— Et que va-t-il être pour toi ? Un mari ou un compagnon d'un moment ?

— Le terme « compagnon » me gêne un peu, mais je ne verrais pas d'inconvénient à me passer de mariage. C'est Will qui y tient. Il veut absolument qu'on se marie.

— Et toi, tu ne veux pas ?

— Ce n'est pas que je ne veuille pas… C'est seulement… un peu compliqué. J'ai des journées très chargées.

— Tu as beau ne pas en parler, j'imagine que tu te fais du souci pour Emma et Jerry et que tu te demandes ce qu'ils deviendraient si tu te remariais.

La gorge de Hyacinthe était si contractée qu'elle ne parvint pas à répondre tout de suite. Elle dut faire un gros effort pour retrouver la voix.

— Ça ne poserait pas de problème. Will adore les enfants.

— Est-ce qu'il sait que tu n'en as pas la garde ?

— Non.

Elle croisa le regard de Francine qui la fixait avec une telle intensité qu'elle se sentit transparente, exposée à ses yeux perçants jusque dans la moindre de ses pensées.

— Depuis le temps que tu le connais, tu ne lui as toujours rien dit ? Mais bon sang, quand comptes-tu te décider ? D'ailleurs, comment penses-tu justifier ça ?

— Je n'en sais encore rien. Il faut que je réfléchisse.

Francine serra les lèvres, pleine de réprobation. Elle trouvait la situation lamentable, dit-elle, épouvantable.

— Je ne vois pas à quoi tu veux réfléchir. Tu ne peux quand même pas envisager d'épouser un homme sans tout lui avoir dit de toi. Voyons, tu viens juste de le décrire comme quelqu'un de très moral. Réponds-moi, reprit-elle avec de plus en plus de colère dans la voix. Tu sais bien que c'est impossible !

Arnie avait dit la même chose...

Hyacinthe se leva.

— Il faut que j'aille me coucher. La journée a été dure, dit-elle, aussi abrupte que Francine. Nous en reparlerons demain, ou peut-être après-demain, si j'en ai la force.

Le lendemain, elles n'eurent pas le temps de poursuivre cette conversation, car, peu après midi, Lina lança un appel au secours. Un gros détaillant du Midwest avait épuisé son stock, des clientes importantes réclamaient des modèles de toute urgence, et trois travailleuses essentielles de l'équipe Libretti étaient en congé de maladie. Hyacinthe pouvait-elle rentrer au plus vite ?

— Je dois repartir par le premier train, expliqua-t-elle à Francine. C'est un SOS, et je ne peux pas prendre Jerry et Emma avec moi. Je ne sais pas ce que je ferais d'eux pendant que je travaille… À moins que tu ne veuilles les accompagner.

— Je ne peux pas partir avant que les couvreurs aient terminé de réparer le toit. Ils devraient avoir fini vendredi, nous te rejoindrons dès que possible.

— Je suis désolée de devoir te les laisser pendant qu'ils sont si difficiles.

— Quand on aime les gens, on supporte leur mauvaise humeur. D'ailleurs, ces deux chéris sont des amours la plupart du temps. Ils n'y comprennent rien, c'est tout, ajouta-t-elle avec un soupir. Et Dieu sait qu'il y a de quoi !

De peur de redémarrer la dispute de la veille au soir, Hyacinthe ne répondit rien, embrassa tout le monde, y compris Charlie, le chien adoré des enfants, et partit.

Dans le train, et pendant deux journées très pleines et des nuits sans sommeil, elle tourna le problème en tous sens dans sa tête. Finalement, sans être pleinement convaincue, elle prit une décision difficile : elle dirait à Will qu'elle n'avait pas la garde des enfants. Il n'y avait pas d'autre solution.

Mais cela ne résolvait que la moitié du problème. Comment répondre au « pourquoi » inévitable ? Au pire, il ne la croirait pas, et au mieux, quoi qu'il en dise, il douterait quand même d'elle. En un instant, elle changerait irrémédiablement à ses yeux. Gerald, après tout, était un homme responsable, un médecin respecté. Un homme comme lui se serait-il conduit de cette façon sans de bonnes raisons ?

Le troisième jour, quand Will appela, elle était encore très perturbée et peu sûre d'elle. Il était fâché.

Non, même franchement en colère. Francine lui avait dit qu'elle était rentrée en ville, et il ne comprenait pas pourquoi Hyacinthe ne l'avait pas averti de son retour. La surcharge de travail semblait une bien piètre excuse pour ne pas avoir téléphoné. Elle essaya de se racheter en reconnaissant ses torts et en lui présentant des excuses tout en répétant beaucoup qu'elle l'aimait. Elle s'inventa même une maladie qui n'était peut-être pas totalement imaginaire car, par moments, elle avait réellement le souffle court.

Finalement, Will lui pardonna, lui demanda de ne plus jamais l'inquiéter de cette façon, et l'assura qu'il l'aimait comme un fou, qu'elle lui avait manqué, et annonça qu'il viendrait chez elle le lendemain soir pour lui parler de l'achat de l'appartement et fixer des dates précises.

Hyacinthe était tellement inquiète en pensant à Will et aux enfants qu'elle décida de se contenter d'essayer de passer une bonne nuit, de rester optimiste, et de laisser venir les événements.

Le jeudi, elle sortit de son travail une heure plus tôt que prévu dans l'intention de se détendre en prenant un bon bain et de passer la tenue qui plaisait à Will : une robe d'intérieur à fleurs, avec presque rien en dessous. Elle se sentait beaucoup plus d'attaque que la veille. Quand on se désirait aussi fort et qu'on se comprenait aussi bien que Will et elle, même les problèmes les plus terribles devaient pouvoir être surmontés.

Ce fut dans cet état d'esprit plutôt positif qu'elle tourna la clé dans la serrure et entra chez elle. Là, installés dans le salon, elle trouva Emma, Jerry et Francine.

— Maman ! Maman ! s'écria Emma. On est venus en voiture parce que Charlie n'avait pas le droit de monter dans le train.

Hyacinthe était catastrophée.

— Mais tu avais dit... tu avais dit que vous ne viendriez que vendredi, bégaya-t-elle.

— Les couvreurs ont terminé plus tôt que prévu, expliqua Francine, et il n'y avait plus de raisons de rester chez moi. Jerry et Emma ont très envie de se promener dans New York.

La colère qui paralysait Hyacinthe la rendait incapable de réagir. Le chien lui sautait dans les jambes, Jerry expliquait qu'il voulait faire le tour de New York en bateau le lendemain, et Will devait arriver dans deux heures. Elle qui avait prévu une explication calme et mesurée pour lui présenter la situation avec ménagement... il allait tomber en pleine réunion familiale. Elle avait envie de hurler.

Francine ne comprenait pas.

— Que se passe-t-il ? demanda-t-elle.

— Rien, j'avais des projets pour ce soir, et j'essaie de voir comment m'arranger.

— On a apporté plein de bonnes choses pour le dîner, annonça Jerry. On s'est dit que tu n'aurais peut-être pas de quoi nous faire à manger, alors on est allés dans la boutique près d'ici. On a du poulet grillé... le vendeur m'a laissé goûter la sauce barbecue, elle est super bonne. Et puis, des crevettes, surtout pour moi parce que je suis le seul qui en voulait. Et puis, les petits pains noirs avec des raisins secs. J'adore ça. Et toi, maman ?

Apparemment, Jerry devenait un véritable épicurien.

— Quand on habitera ici, je pourrai aller dans cette boutique tant que je voudrai, hein maman ?

« Oh non, pitié ! songea-t-elle, ne revenons pas là-dessus maintenant, ce n'est pas le moment. »

Ignorant sa question, elle alla téléphoner de sa chambre.

— Attendez-moi, dit-elle en les laissant, je dois appeler quelqu'un.

Cette fois, Will serait vraiment en colère, et il aurait de bonnes raisons, mais il allait bien falloir qu'elle prenne le risque de trouver une excuse ; la plus plausible serait une grippe soudaine apparue dans l'après-midi, des symptômes de rhume avec de la fièvre. Ainsi, elle pourrait ne pas aller travailler le lendemain et finir de se « remettre » le jour suivant, ce qui coïnciderait avec le départ de Jerry et d'Emma. Tandis que ce plan se formait dans son esprit, une horrible culpabilité la rongeait.

La secrétaire de Will lui apprit qu'il venait de partir. Elle essaya de le joindre chez lui, tomba sur le répondeur et laissa un message :

— Appelle-moi dès que tu rentres. Je ne me sens pas bien. Une petite grippe.

Elle s'était rarement trouvée dans une situation aussi difficile. Il n'était plus question de retarder la discussion d'une semaine ni d'un seul jour ; il fallait régler la question tout de suite. Mais comment pouvait-elle s'expliquer, ou même simplement parler à Will devant Francine et les enfants ?

Francine apparut sur le pas de la porte, inquiète, et Hyacinthe dut s'expliquer.

— J'attends Will, chuchota-t-elle. Ça n'aurait pas pu être pire. J'avais prévu de lui parler de la situation et… je ne vois pas comment c'est possible devant des témoins. Tu comprends ?

— Bon, mais il est au courant de leur existence, non ? Ne t'affole pas. Moi, je veux bien te laisser le champ libre si tu as envie que je parte. Je n'ai qu'à aller au cinéma, ça ne me dérange pas.

— Non, non, ça n'a rien à voir avec toi. C'est trop compliqué. Je lui ai laissé un message. J'espère qu'il va le trouver !

— Bien, alors dînons tout de suite et couchons les enfants vite, parce qu'ils doivent se lever tôt pour leur promenade en bateau. Dis-leur que tu attends de la visite et qu'ils doivent rester dans leur chambre. Allez, viens.

Francine avait déjà mis la table. Les différents plats étaient joliment présentés, et la cafetière chauffait sur la cuisinière. La prévenance de Francine était touchante. « Je suis trop sensible, pensa Hyacinthe, un rien me démonte, une petite gentillesse ou une parole trop dure. »

Heureusement pour elle, elle n'eut à faire aucun effort pendant le repas. Les enfants étaient d'excellente humeur car Francine les avait autorisés à se relayer sur le siège avant de la voiture pendant le trajet et qu'ils s'étaient arrêtés à midi pour manger de la pizza. Leur discussion passait par-dessus la tête de Hyacinthe, pas plus gênante que des murmures éloignés, tant elle avait l'oreille tendue vers le téléphone. Il ne restait plus qu'une heure, et Will n'avait toujours pas rappelé.

— Je vais faire la vaisselle pendant que tu parles aux enfants, proposa Francine. Dis-leur simplement de venir le saluer gentiment, et puis d'aller lire ou regarder la petite télé dans leur chambre. De toute façon, ton ami ne viendra peut-être même pas.

Mais son « ami » ne manqua pas le rendez-vous, et un instant, il eut l'air complètement éberlué de trouver là Francine et les deux enfants.

— Une visite à l'improviste, ils arrivent de la campagne, expliqua Hyacinthe en faisant les présentations.

Espérant que Will comprendrait qu'il s'agissait d'une soirée familiale et qu'il abrégerait sa visite pour préserver leur intimité, elle expliqua qu'ils ne se voyaient pas très souvent, et que le moindre instant partagé était un rare plaisir.

Will ne sembla pas comprendre l'allusion car il entama aussitôt une conversation amicale qui menaçait d'être longue.

— Je suis sûr que vous avez entendu parler de moi, parce que moi, j'ai beaucoup entendu parler de vous, et j'avais très envie de vous rencontrer, dit-il en se tournant vers les enfants.

Ils étaient bien sagement assis, dans leurs jolies robes de chambre, sur des chaises pour laisser les fauteuils confortables aux adultes.

— Vous savez comment j'ai rencontré votre mère ? Elle montrait une belle robe qu'elle avait cousue pour toi, Emma. Une avec des roses. J'espère qu'elle t'a plu.

— Oui, beaucoup, répondit Emma très sérieusement, mais maintenant je ne l'aime plus, parce qu'elle est trop petite.

— C'est parce que tu as grandi, bravo. Je parie que si tu le lui demandais, elle t'en ferait une autre.

— Mais bien sûr, s'empressa de dire Hyacinthe.

Vite, il fallait remplir les blancs, car s'ils duraient plus de quelques secondes, l'atmosphère deviendrait lourde.

Francine, toujours vive et sensible, intervint avec grâce, lançant une remarque sur le talent que Hyacinthe avait ignoré si longtemps.

— C'est extraordinaire. Elle n'avait pas fait une robe de sa vie avant celle d'Emma. Et maintenant, voilà qu'elle a sa propre griffe.

— C'est vrai, approuva Will, et je suis très fier d'elle. Je voudrais seulement qu'elle soit un peu moins prise par ses activités.

— Je ne travaille pas tant que ça, protesta Hyacinthe. Ces derniers jours ont été exceptionnels, mais tu sais ce que c'est, dans tous les métiers c'est pareil, il y a toujours des moments plus durs, des coups de collier à donner de temps en temps. C'est ce qui s'est passé cette semaine. Ce sont des choses qui arrivent.

— J'ai l'impression que tu es un peu surmenée, ces temps-ci, en effet. Ce n'est pas étonnant, le stress new-yorkais est bien connu.

— Non, protesta Hyacinthe une nouvelle fois. Je vais très bien.

Soudain, elle se rappela avec horreur le message qu'elle avait laissé sur le répondeur de Will.

— Mais puisque tu le fais remarquer, se reprit-elle, je veux bien admettre que j'ai un peu de fièvre. Je dois avoir attrapé quelque chose, je ne sais pas. J'ai laissé un message sur ton répondeur.

— Dans ce cas, tu devrais être au lit, conseilla Will. Il vaut mieux ne pas trop sortir quand on a de la fièvre.

Francine eut un rire affectueux.

— C'est que vous ne la connaissez pas encore bien. Elle est infatigable, c'est un vrai bourreau de travail.

Très gênée de se retrouver au centre de la conversation, Hyacinthe attendit passivement, un sourire figé aux lèvres. Son esprit, en revanche, fonctionnait à cent à l'heure. Le lendemain, ou le surlendemain, après le départ des enfants, elle ne pourrait plus retarder l'échéance. Elle devrait se jeter à l'eau ; il faudrait lui avouer qu'ils vivaient avec leur père.

Si tout le monde voulait bien se taire, Will rentrerait chez lui, et elle pourrait enfin s'allonger, seule dans sa chambre. Là, dans le silence, elle parviendrait sûrement à trouver une explication plausible.

— Ma famille s'est toujours moquée de moi, avouait Francine, et je sais bien que c'est un peu idiot de ma part, mais j'adore tout ce qui est français. Tout et n'importe quoi. Il me semble que les Français savent vraiment vivre. Donc, je suis tout à fait d'accord avec vous.

De toute évidence, Will avait commencé à raconter leur séjour en France. Se dépêchant d'intervenir dans la conversation pour donner le change, Hyacinthe remarqua que, oui, elle aussi avait beaucoup aimé la Bretagne.

— Mais nous étions en train de parler du Midi, des chevaux sauvages en Camargue, répondit Will avec surprise.

— Je sais bien ! Je voulais dire que c'est fascinant, certainement, mais que moi je préfère la Bretagne pardessus tout.

Se demandant si cet impair avait semblé vraiment très étrange, elle jeta un coup d'œil furtif à Will. Il paraissait passer un bon moment, ce qui n'avait rien de surprenant ; Francine était intéressante, élégante, sûre d'elle. Sa mère devait aussi prendre plaisir à parler avec Will qui avait beaucoup de choses à dire. Si, pensa-t-elle, elle avait eu l'esprit plus libre, elle aurait été heureuse de les écouter discuter, et se serait réjouie de les voir s'apprécier autant.

Pendant tout ce temps, Jerry et Emma étaient restés sagement sur leurs chaises. Eux aussi devaient faire excellente impression à Will. S'il avait redouté l'apparition de deux enfants dans sa vie, il devait être rassuré. Touchée par leur bonne conduite, elle leur sourit avec un clin d'œil.

— Tu crois que M. Miller voudrait des bonbons ? demanda Emma. Tu veux que j'aille les chercher, maman ?

Francine se mit à rire.

— C'est vraiment très gentil, Emma. Mais dis-moi, ajouta-t-elle, taquine, tu n'en as pas envie, toi aussi ?

— Si. C'est des caramels mous au chocolat, c'est mes préférés.

— Tiens, c'est drôle, intervint Will, moi aussi, c'est ceux que je préfère.

— Vous avez peut-être aussi envie d'un petit pain aux raisins secs, s'empressa de proposer Jerry. Nous avons déjà dîné, mais ça fait longtemps. On pourrait en reprendre si vous en voulez, monsieur Miller.

— C'est vraiment très gentil, Jerry.

Francine lui offrit du café.

— Ça vous dirait, Will ? Vous voulez bien que je vous appelle Will, au moins ?

— Oui pour le café, et oui pour Will. Bien sûr, je tiens à ce que vous m'appeliez par mon prénom. Et le café ira très bien avec un des petits pains de Jerry. J'ai l'impression que tu dois avoir un bon coup de fourchette, Jerry. Tu fais beaucoup de sport ?

— Je suis assez bon en tennis, et tout le monde joue au foot et au base-ball, mais ce que je préfère, c'est l'équitation. J'ai un poney hyperbien. Il est grand, et il s'appelle King Charles, comme notre chien.

Charlie, qui dormait dans un coin, se réveilla quand tout le monde passa au coin-repas. Il suivit le mouvement et se coucha sous la table.

Assez solennellement, les enfants placèrent le plat de petits pains et un bol en argent rempli de bonbons devant Will. Il eut l'air de s'en amuser. Quand son regard croisa celui de Hyacinthe, ses yeux pétillaient de joie, comme pour dire : « Tu vois ? Je m'entends déjà bien avec tes enfants, et pas seulement parce que tu es leur mère, mais parce qu'ils sont vraiment mignons et bien élevés. »

Ainsi, pendant que le petit groupe passait un agréable moment à table, un bien-être nouveau commença à s'infiltrer dans le cœur de Hyacinthe. Et avec cette chaleur apparut, miraculeusement, la solution à son terrible problème.

Rien de plus simple ! se dit-elle. Elle n'avait qu'à prétendre que c'étaient les enfants eux-mêmes qui avaient choisi de vivre avec leur père ; ils adoraient la maison de Floride, la plage et la liberté que leur laissait leur vie là-bas. Étant donné ses longues journées de travail, cela tombait plutôt bien, même si, en même temps, cela lui brisait le cœur. Mais elle n'aurait pas voulu les empêcher de vivre là où ils le souhaitaient.

On pouvait ajouter à cela, pensa-t-elle encore, qu'elle n'aurait pas été la seule femme qui, à cause de sa carrière, confiait ses enfants à son ex-mari. L'explication ne lui plaisait pas beaucoup, mais elle avait au moins le mérite d'être plausible.

— Je trouve qu'on devrait aussi donner quelque chose à Charlie, déclara Emma.

Hyacinthe lui rappela qu'il avait déjà dîné, mais sa fille insista.

— Il a envie d'une douceur. Rien qu'un petit morceau, maman. Tu as vu comment il me regarde ?

Will se tourna vers Hyacinthe.

— Rien qu'une petite bouchée, et puis ce sera tout.

Il avait sans doute été touché par l'expression suppliante d'Emma, et, ravie de sa réaction, Hyacinthe accepta. Will arracha donc un morceau de pain, enleva avec soin les raisins secs, et le donna à Charlie. « Nous allons être heureux, songea-t-elle en remerciant le ciel. Oui, très heureux. »

— Alors comme ça, vous aimez tous les deux l'équitation, reprit Will amicalement. Votre mère m'a montré de belles photos de vous à cheval. Tu devrais les faire agrandir et les encadrer, Hyacinthe.

— Oncle Arnie a dit qu'il le ferait, intervint Jerry. C'est lui qui a pris les photos. Des fois, on part même avec lui en promenade, mais il monte mieux que nous. Lui, il sait sauter les obstacles, pas nous.

— Alors, il va falloir que je me mette aussi à l'équitation pour pouvoir vous accompagner, remarqua Will. Toi aussi, tu devrais t'y mettre, Hyacinthe.

— Oncle Arnie n'arrête pas de le lui dire, remarqua Jerry. Il a même voulu lui offrir une jument très calme pour son anniversaire.

— Eh bien, en voilà un beau cadeau !

La conversation devenait trop personnelle. Rien de grave n'avait échappé aux enfants, et Jerry était vraiment mignon, mais Hyacinthe ne se sentait pas tranquille. Une fois démarrée, il était presque impossible de prévoir où la conversation allait mener et ce que

Jerry risquait de révéler en toute innocence. Donc, remarquant qu'il se faisait tard, elle lui demanda de dire bonsoir et d'aller se coucher avec Emma afin d'être en forme le lendemain pour leur excursion en bateau autour de Manhattan. Obéissants, toujours sages comme des images, ils se levèrent.

— Oui, et puis, il faut que vous repreniez l'habitude de vous réveiller tôt pour recommencer l'école, dit Will d'un ton un peu paternel.

— On ne sera pas obligés de se lever aussi tôt que l'année dernière, répliqua Jerry. On change d'école.

Hyacinthe eut soudain très peur.

— Allez, filez au lit, tout de suite ! ordonna-t-elle.

Mais Emma, qui était déjà à la porte, avait encore son mot à dire.

— Moi, je ne veux pas changer d'école. Tous mes amis sont dans l'autre, mais c'est papa qui nous oblige. Dans la nouvelle école, on nous fait rester jusqu'à cinq heures tous les jours, ça ne me plaît pas. J'entre en neuvième et je suis assez grande pour choisir où je veux aller.

Ses griefs remontaient à la surface, et elle dit ce qu'elle avait sur le cœur.

— Je veux habiter ici. Je ne veux plus vivre en Floride. Je veux rester ici avec maman, mais elle ne veut pas.

Une pause étrange eut lieu, un à-coup dans un mouvement régulier, comme une machine ou un organisme qui s'interrompt brusquement. Trois regards filèrent dans la pièce ; chacun des trois adultes rencontra le regard des autres, puis s'en détacha aussi vite.

Hyacinthe, qui avait eu un sursaut d'horreur, prit la parole la première.

— Ça suffit, Emma. Nous en avons assez. Je t'ai dit d'aller te coucher tout de suite.

Heureusement, Francine quitta son fauteuil pour les accompagner, laissant Hyacinthe seule avec Will. Ils s'étaient levés tous les deux et se regardaient, debout l'un devant l'autre, elle le visage brûlant, et lui sous le choc. Elle ne se rendait pas bien compte s'il était aussi en colère. Au bout d'un instant, il prit la parole.

— Tu ne te sens pas bien. Je ne veux pas te fatiguer maintenant. Va t'occuper de tes enfants. Je suis content de les avoir rencontrés.

En le suivant jusqu'à la porte et jusqu'aux ascenseurs, Hyacinthe bredouilla de vagues explications.

— Tu ne peux pas comprendre. C'est compliqué. Je voulais t'expliquer la situation ce soir, mais ils sont arrivés, et… C'est une histoire un peu longue… enfin pas très longue, mais je te raconterai, tu verras que…

— Oui, interrompit-il calmement. Il faut que nous discutions, il me semble que c'est très nécessaire.

Quand l'ascenseur s'arrêta, Will lui souhaita bonne nuit. Il entra dans la cabine et dans un ronronnement sourd descendit.

Francine demanda anxieusement :

— Qu'a-t-il dit ?

— Rien. Mais enfin, pourquoi les as-tu amenés sans m'avertir ?

— Je suis vraiment désolée, je ne me suis même pas posé la question. Il n'y a rien d'extraordinaire à emmener les enfants de sa fille chez elle. J'ai la clé, nous sommes venus, c'est tout.

— Mais vu les circonstances…

— Quelles circonstances ? Je vois bien que c'est une catastrophe, il n'y a qu'à te regarder. Ça me désole, et je suis navrée d'être obligée de te le dire, mais voilà ce que tu as gagné avec tes secrets insensés, cette situation anormale, complètement tordue, et… Je ne sais vraiment pas quoi penser, Hyacinthe ! Et Will, dans tout ça ? Que va-t-il se passer ? Tu penses vraiment pouvoir continuer à vivre de cette façon ? Tu y crois ?

— Non. Mais je préfère ne pas en parler maintenant. Il faut que je passe une bonne journée demain avec les enfants avant leur départ, et je ne veux pas avoir les yeux tout rouges d'avoir trop pleuré. J'ai vraiment besoin d'aller me coucher.

— Comme tu voudras, chérie, dit Francine dont la contrariété, en retombant, avait laissé place à la tristesse. Va te coucher et repose-toi.

Une nuit de plus s'écoula.

— Tout le monde est parti ? demanda Will en entrant.

— Oui, ma mère est retournée à la campagne et les enfants sont…

— … retournés chez leur père ?

— Oui, mais, écoute, je vais t'expliquer, tu vas comprendre.

— J'ai déjà compris. Je n'ai pu penser à rien d'autre depuis que j'ai quitté l'appartement, avant-hier soir. Je me rends compte que tu m'as menti depuis le début. Ce que je ne comprends pas, c'est pourquoi.

Son regard incisif et douloureux mettait Hyacinthe au défi de lui répondre. Ne sachant pas le moins du monde comment débuter son explication, elle s'empêtra.

— Je n'ai pas vraiment menti. J'admets que j'ai évité de te dire toute la vérité, Will, et…

— Et sur mon répondeur, ce n'est pas un mensonge pur et simple que tu as laissé ? Je l'ai trouvé en rentrant. Tu as dit que tu avais la grippe.

— J'ai été obligée de le faire parce qu'ils étaient arrivés à l'improviste et que je voulais te voir seul.

— Je pense que tu avais peur que les enfants ne disent la vérité, ce qu'ils ont d'ailleurs fini par faire.

— Ce n'est pas si simple. Un divorce, ce n'est jamais simple. Tu ne peux pas savoir, ni même imaginer ce qui peut se passer.

— Eh bien, explique-moi, j'écoute.

— Nous étions très en colère. Du moins, moi, je l'étais. Je t'ai dit qu'il avait une maîtresse. Alors tu comprends, quand il a voulu prendre les enfants et qu'ils ont dit…

— Non, tu es mal partie, tout est à l'envers. Recommence.

— Moi, je voulais garder les enfants, bien entendu, mais eux ils ont voulu vivre chez lui, mes parents les avaient emmenés une fois en Floride et ils avaient adoré la plage, ils s'en souvenaient, et ils ont voulu aller chez lui. Ce ne sont que des enfants, et ça avait l'air tellement important pour eux que je n'ai pas voulu les en priver, ça leur aurait fait du mal de les forcer, alors je…

Elle s'arrêta. C'était ridicule. Comment pouvait-elle s'être imaginé qu'il allait croire cette absurdité ?

Will la regardait toujours avec une immense tristesse.

— Aujourd'hui, ils ne veulent plus vivre là-bas, remarqua-t-il.

— Je sais, c'est ça le plus terrible. J'ai signé un papier, je n'ai pas réalisé ce que je faisais, j'étais trop perdue, trop malheureuse. Maintenant, c'est signé, et je ne peux plus rien faire.

Elle s'arrêta de nouveau, sa dernière phrase résonnant encore à ses oreilles. Une phrase idiote, indigne d'une femme assez intelligente pour avoir gagné un demi-million de dollars au cours de l'année écoulée.

— Tu dois bien savoir qu'un accord de divorce signé dans de telles circonstances de bouleversement émotionnel peut être révisé. À moins qu'il ne s'agisse d'une décision de justice.

— Non, nous avons décidé ça à l'amiable, Gerald et moi.

— Tu peux demander un arbitrage, faire un procès.

Elle était au pied du mur, un mur de pierre infranchissable. Il se dressait au-dessus d'elle, immense et menaçant. Acculée, elle s'interrompit, joignit le bout des doigts, tâcha de se calmer et de s'exprimer de façon raisonnable et mesurée.

— Ça ne marcherait pas, je me suis renseignée. Il faudrait que je prouve que j'étais irresponsable au moment où j'ai accepté de lui laisser la garde. Personne ne voudrait me croire, vu ma réussite professionnelle. D'ailleurs, c'est une des raisons qui me font penser que les enfants sont mieux avec leur père. Je travaille très tard le soir, comme tu le sais.

Will ne répondit rien. Sans le regarder, elle sentait qu'il l'observait. Par peur de paraître irresponsable en portant l'habituelle robe d'intérieur de soie avec sa promesse d'une longue nuit d'amour, elle s'était vêtue avec un soin calculé. Ses pieds, chaussés de talons hauts, étaient croisés à la cheville, et ses petits diamants brillaient à ses oreilles. L'esprit subtil et analytique de Will ne pouvait pas ignorer ces détails. Elle le connaissait bien.

Mais peut-être pas assez… Il se mit à tapoter le bois du bras de son fauteuil tout en parlant.

— L'explication n'est pas suffisante, Hyacinthe. Je n'y crois pas. Il y a sûrement un autre facteur qui lui a permis de t'imposer sa volonté. De quoi t'a-t-il menacée ?

— Il ne m'a pas menacée du tout ! Il adore les enfants, et eux voulaient vivre avec lui, c'est tout simple. Il faut croire qu'ils aiment plus la maison à la plage qu'ils ne m'aiment moi, remarqua-t-elle d'un air piteux, pour ajouter aussitôt avec un sourire : ce n'est pas vraiment ce que je veux dire, mais ce ne sont que des enfants, et ils s'amusent plus là-bas qu'ici. Alors, même si ça m'a fait de la peine et si c'est encore très dur, je préfère choisir ce qui est meilleur pour eux.

— Comme c'est beau, cet esprit de sacrifice maternel ! C'est très touchant.

— Ne fais pas d'ironie, Will, je t'en prie. Figure-toi que je te dis la vérité.

— Non, Hyacinthe. Je sais que ce n'est pas vrai, et ne l'a sans doute jamais été. Tu devrais inventer autre chose. Tu as entendu Emma comme moi. Ils ont envie de vivre avec toi. Pourquoi leur refuses-tu ça ?

Elle ne savait plus que dire. Il la faisait tourner en rond, et elle protesta.

— Tu m'obliges à te répéter toujours la même chose. Tu sais que je travaille beaucoup et que je dois parfois partir en déplacement. Je viens de te le dire.

Will secoua la tête.

— Non, il y a trop de trous dans ton histoire. C'est vraiment triste, cette situation… Je n'arrive pas à croire que je suis obligé d'écouter ça, et obligé de réagir comme je le fais. Il y a tant de choses que… Et puis, d'ailleurs, qui est ce type, cet Arnie ? Je ne l'aime pas. À l'entendre parler, on dirait que c'est le père de tes enfants. Pourquoi dînez-vous si souvent ensemble ? Et les cadeaux somptueux, comme la jument ? Un petit rien, peut-être ? Ce n'est quand même pas comme donner des bonbons à quelqu'un.

— D'abord, je n'ai pas accepté la jument. Et je t'ai parlé de lui depuis longtemps, ça remonte même à notre voyage à Paris. Ne me dis pas que tu me fais cette scène parce que tu es jaloux d'Arnie !

À la seconde, elle comprit qu'elle venait de commettre une erreur car il avait deviné sa tactique.

— Ça ne marche pas ! Tu veux m'embrouiller, me lancer sur une fausse piste pour tourner ma colère dans une autre direction. Oui, ton soi-disant ami Arnie fait partie de tes mensonges, et tant que tu ne me diras pas toute la vérité, nous ne pourrons jamais...

Il se leva pour s'approcher de la fenêtre, et elle le suivit. En bas, la rue grouillait de monde ; une ambulance, sirène en marche, se faufilait dans la circulation ; les autobus, pareils à d'énormes bêtes, avançaient pesamment le long du trottoir, et les piétons couraient pour traverser avant que le feu ne repasse au vert. Personne dans la rue ne savait ce qui arrivait dans ce salon – et qui s'en serait soucié ? En bas, on ignorait que son cœur allait se briser, et celui de Will aussi, sans aucun doute. Une peur terrible lui courut dans les veines, comme si elle était perdue en plein océan ou qu'elle ne trouvait plus son chemin dans la jungle.

Elle l'entendait respirer. Elle posa la tête sur l'épaule de Will.

— Je t'aime, dit-elle d'une voix suppliante. Et tu m'aimes aussi. Rien d'autre ne compte.

Il ne bougea pas, ne l'enlaça pas, et répondit sans se

tourner, comme s'il parlait dans le vide ou s'adressait à la rue à leurs pieds.

— Tu te souviens, j'ai mentionné une fois une femme mariée avec laquelle j'avais eu une liaison ? Je ne t'ai pas raconté cette histoire pour te donner l'impression que j'étais un saint, Dieu sait que ce n'est pas le cas, mais parce que je voulais tout te dire, ne rien te cacher de moi, ne pas garder de secrets. Nous ne pouvons pas vivre ensemble dans une demeure dont les placards sont fermés à double tour et dont tu es la seule à détenir les clés.

Puis, s'écartant, il inclina le visage vers elle pour la regarder droit dans les yeux.

— Maintenant, je comprends pourquoi tu ne me parlais jamais de tes enfants. Je trouvais ça bizarre, mais dès que tu me fournissais la plus mince des explications, je te croyais. Seulement, tu me caches trop de choses. Même ton mensonge de l'autre jour, ajouta-t-il avec un soudain mépris, quand tu m'as fait croire que tu avais la grippe. Tu voulais rendre les enfants heureux, alors tu as laissé ton mari les garder. Tu penses vraiment que je vais croire une énormité pareille ?

Il n'avait pas fait un geste, mais elle eut un mouvement de recul. Elle était impuissante devant sa force, elle avait la langue paralysée.

— Ton mari – ton ex-mari – est médecin. Il a une situation respectable. Cela n'empêche qu'il peut très bien n'avoir aucun scrupule, c'est fort possible, à cela près qu'il n'aurait jamais exigé cette condition s'il n'avait pas été sûr de son fait et s'il n'avait pas su que tu ne pouvais rien pour l'en empêcher. Que me caches-tu, Hyacinthe ? conclut-il en élevant le ton.

Il semblait à Hyacinthe qu'il mesurait trois mètres de haut et que ses yeux lançaient des éclairs. Toujours incapable de répondre, elle détourna la tête.

— Que me caches-tu ? répéta-t-il.

— Rien, parvint-elle à murmurer, si bas que Will dut se pencher pour l'entendre. Rien. Je t'ai dit tout ce que je pouvais, et tu ne veux pas me croire.

Aucune nuance ne lui échappait.

— Tu m'as dit ce que tu pouvais… Alors il y a des choses que tu ne peux pas me dire ?

Au secours, pensa-t-elle, et elle supplia dans un murmure :

— Je t'en prie, arrête.

Elle eut l'impression qu'il avait les yeux humides, mais comme elle-même avait la vue troublée par les larmes, elle n'en fut pas sûre.

— Tu ne comprends pas que nous ne pouvons pas continuer comme ça ? Qu'il n'y a aucun espoir de vie commune pour deux personnes qui ne sont pas honnêtes l'une envers l'autre dès le début ?

Elle entrouvrit les lèvres, mais aucun son n'en sortit.

— Tu ne veux plus rien dire ? demanda Will.

— Je t'en prie, répéta-t-elle.

Pétrifiée, anéantie, elle sentit vaguement qu'il partait, que la porte se refermait, et que le silence revenait. Après un long moment, elle retourna à la fenêtre et regarda en bas. Les lampadaires s'étaient allumés et le ciel, étouffante couverture, pesait sur la ville. Elle avait besoin de respirer. Elle eut envie d'ouvrir la fenêtre et de se glisser dans l'air, de se laisser tomber. Combien de secondes lui faudrait-il pour atteindre la rue ? Ah ! plonger simplement dans la nuit et ne plus rien sentir…

Mais alors elle ressentit une douleur : Jerry ! Emma ! Se détournant de la fenêtre, elle retourna dans sa chambre pour s'allonger seule, dans le noir.

15

Chère Hyacinthe,

Rien ne m'a jamais autant fait de mal que d'écrire cette lettre. C'est l'expérience la plus triste de toute ma vie. Je me suis demandé si tu éprouvais la même chose, et je suis obligé de penser que non, car si tu souffrais autant que moi, tu m'aurais donné il y a plusieurs semaines la seule preuve d'amour que je te demande. Tu m'aurais dit la vérité sur ton passé. Je t'ai déjà écrit, nous nous sommes parlé deux fois au téléphone, et tu persistes à refuser de t'expliquer, pourtant je t'ai dit clairement que, sans une honnêteté totale, nous ne pouvions pas continuer à construire notre vie ensemble. Tu dois bien comprendre pourquoi.

Aujourd'hui, je suis obligé de baisser les bras. Je vais devoir te dire ce que j'ai tant redouté, un mot que j'ai toujours cru impossible entre nous : au revoir. J'essaie de trouver en moi la force de retrouver la paix, et j'espère de tout mon cœur que tu y parviendras aussi.

Will

Tracées d'une écriture droite et noire, ces quelques phrases dévastatrices barraient la page qui tremblait entre les mains de Hyacinthe.

Dans la chambre faiblement éclairée, la nuit solitaire envahissait l'appartement, se répandait dans la rue, sur le monde. La lumière, le bonheur, l'espoir, l'amour, le soleil… tout s'était éteint. Que restait-il ? Les enfants, qui, en toute honnêteté, n'étaient plus vraiment les siens ? La brillante carrière à présent dépourvue pour elle du moindre attrait ?

— Travaille, lui avait conseillé Francine. Le travail est le meilleur antidote contre les chagrins d'amour.

Sa mère lui téléphonait presque tous les jours depuis le soir où Will avait rencontré les enfants et où tout s'était effondré. Très vite, Francine avait arrêté de poser des questions, ce qui était tout à son honneur. D'ailleurs, songeait Hyacinthe, elle n'en avait guère besoin ; ce n'était pas très difficile de prédire la suite des événements. Francine s'était contentée de proposer son aide (mais il n'y avait rien à faire) et de lui recommander de s'occuper, comme on le fait toujours dans ces cas-là. Elle-même mettait cette méthode en application depuis longtemps : elle hébergeait trois étudiantes boursières ; d'abord parce qu'elle aimait rendre service, et ensuite parce que, disait-elle, les jeunes filles étaient d'agréable compagnie. Francine avait de grandes ressources intérieures et savait s'adapter aux circonstances.

Arnie non plus n'avait pas été avare de bons conseils. Quand, après avoir essayé de l'appeler plusieurs jours d'affilée, il n'avait pas obtenu de réponse, il s'était inquiété et avait téléphoné à Francine qui l'avait mis au courant. Si Hyacinthe ne s'était pas sentie aussi triste, elle se serait amusée de le voir cacher si mal une certaine satisfaction derrière ses paroles de réconfort.

Il était minuit. Songeant que le lendemain elle avait une journée de travail très chargée et qu'elle avait déjà été absente trop souvent, elle reposa la lettre et éteignit.

— Ça n'a pas l'air d'aller du tout, remarqua Lina.

Voilà plusieurs semaines qu'elle observait Hyacinthe, et glissait des commentaires pour attirer ses confidences.

Tout comme Francine et Arnie, ses interventions partaient d'un bon sentiment, pensa Hyacinthe, mais cela ne servait à rien.

Malheureusement, Lina insista.

— Je suis vraiment navrée, Hyacinthe. Je trouvais que vous alliez si bien ensemble, vous étiez faits l'un pour l'autre.

Hyacinthe se demanda si Lina s'attendait à ce qu'elle approuve ou à ce qu'elle proteste. Elle ne fit ni l'un ni l'autre et la laissa continuer.

— C'est une chance qu'il ne vienne plus que très rarement à l'atelier. En fait, il n'a plus guère de raisons de passer, puisque nous devons nous retrouver une ou deux fois par an dans les bureaux de la compagnie. Vous ne serez donc pas obligée de le rencontrer ici, ce sera moins désagréable pour vous.

De toute évidence, elle avait envie que Hyacinthe lui raconte ce qui était arrivé ; elle se demandait sans doute qui avait été à l'origine de la rupture et pourquoi. Mais comme Hyacinte ne répondait pas et regardait fixement le ciel gris par la fenêtre, elle changea de conversation, se tournant vers des questions plus professionnelles.

— Vous savez que vous avez été citée dans quasiment tous les périodiques ? Vous avez même fait l'objet de trois portraits dans de grands magazines. Vous rendez-vous compte de ce que vous avez accompli ?

« Je ne vois pas l'intérêt, pensa Hyacinthe. Ça ne veut rien dire. Je me sens mal. Je n'ai plus d'énergie. »

— Je ne vous sers plus à grand-chose maintenant, remarqua-t-elle. Je me suis même demandé si vous vouliez que je reste.

Lina ouvrit de grands yeux en s'exclamant avec effarement :

— Vous pensez que je ne veux plus de vous ? Mais quelle petite idiote ! Vous pouvez aller n'importe où, toutes les portes vous sont ouvertes ! Vous ne comprenez pas ça ? En une heure, vous trouverez un prêt suffisant pour partir et vous installer à votre compte. À la seconde où vous voudrez !

— Il n'en est pas question, Lina. Jamais je ne ferai ça. C'est vous qui m'avez donné ma chance, ce serait vraiment de la traîtrise.

La vieille femme la contempla avec un sourire un peu triste.

— Tout le monde n'est pas aussi loyal, ma chérie. Plus à notre époque. Vous êtes d'une autre génération, d'une autre culture. Ce n'est pas un reproche, bien au contraire. Votre innocence est une qualité, vous conservez une charmante naïveté malgré votre talent.

— Je sais, c'est ce qu'on dit toujours à mon sujet, reconnut Hyacinthe avec un rire un peu honteux.

Les journées d'automne amorcèrent leur retraite comme une armée en déroute. D'abord, l'été finissant brûla les rues à travers un voile de pollution étouffant, puis des pluies diluviennes s'abattirent sur New York, qui transpercèrent la ville jusqu'au centre de ses pierres, accentuant l'impression de défaite de Hyacinthe.

Elle se mit alors à travailler plus que jamais, toute la journée et la moitié de la nuit, battant le rappel de ses dernières forces défaillantes. Il ne lui restait rien d'autre.

Un jour, elle reçut un coup de téléphone d'Arnie. Il n'était pas venu à New York depuis le soir de sa rencontre avec Will. Elle n'aurait jamais pensé ressentir un tel soulagement, un tel bonheur à entendre le son de sa voix.

— Bonjour, Hya. Je suis en ville. Si on dînait ensemble ? Au même endroit que d'habitude, à la même heure ?

C'était un ami intime, enthousiaste, et qui avait envie de la voir. Elle se réjouit en imaginant la scène : les lumières, la chaleur, la musique, et quelqu'un, une personne en chair et en os, qui appréciait réellement sa compagnie !

— Je passerai te prendre à ton travail, et si tu veux, nous irons à pied à l'hôtel. D'accord ?

— Oui, avec grand plaisir. Sept heures moins le quart ?

— Tu travailles tard !

— Oh ! C'est tôt pour moi. Nous préparons le défilé de la collection de printemps.

Elle était assise à son bureau quand Arnie arriva. Un instant, il resta sur le pas de la porte pour inspecter la pièce. Il haussa les sourcils avec une surprise non dissimulée. Sans doute ne s'était-il pas attendu à ce genre de décor : bien que plus petit que celui de Lina et plus simplement meublé, son domaine devait néanmoins paraître assez impressionnant, avec ses piles de papiers sur le bureau, et le panneau de liège entièrement couvert de photographies et de coupures de presse.

Il l'embrassa affectueusement sur les joues, puis, jetant un regard rapide autour de lui, remarqua avec sa vivacité habituelle :

— Eh bien ! J'étais loin de me douter… Mais il faut dire que je ne connais rien à la mode, sauf que certaines femmes sont assez bêtes pour dépenser des fortunes en chiffons. Sans vouloir te vexer, ajouta-t-il avec un rire. Si tu peux gagner des millions en vendant des bouts de tissu, fonce. Dis donc, c'est quoi, ça ? C'est toi !

Il avait repéré une photo d'elle sur le dessus d'une pile. À la rubrique mode d'un magazine, des visages souriaient : un Anglais qui avait du succès, une femme du Middle West spécialisée dans le tricot, et Hyacinthe.

— Regarde comme tu es belle ! Tes yeux, tes cheveux. Je te jure, on dirait de la soie.

« Un rideau de soie, avait dit Will. *J'adore les sentir sur l'oreiller. »*

— La photo ne te rend pas justice, Hya. Tu es de plus en plus belle à chaque fois que je te vois. Comment tu fais ? Tu prends des vitamines, ou quoi ?

— Ce doit être les vertus du travail, répondit-elle avec un rire forcé.

— Jusqu'au Canada, en plus… C'est une revue canadienne.

— Nous vendons beaucoup, là-bas.

— J'ai du mal à y croire. Je te revois encore le jour où tu es revenue du Texas. Jerry sortait tout juste de ses couches, et toi, tu étais encore une gamine.

— J'avais vingt-six ans.

— C'est très jeune. Et tu as encore l'air d'une toute jeune fille, en mieux habillée, ajouta-t-il avec un sourire.

Il fit un geste admiratif qui englobait non seulement la pièce mais aussi la superbe vue. Les tours de pierre où scintillaient déjà quelques lumières s'étendaient jusqu'à l'Hudson, et plus loin encore.

— Comment tu as réussi ça ?

Hyacinthe haussa les épaules. À quoi bon revenir là-dessus ? D'abord, il y avait eu Granny qui lui avait appris à coudre. À sa disparition, son exemple lui avait laissé le goût de la persévérance. Ensuite, Will lui avait soufflé l'idée... mais mieux valait ne pas y songer.

— Je meurs de faim, et toi ? demanda Arnie. Allons-y, si tu es prête.

— Oui, je te suis.

Pas de doute possible, on était bien en automne, avec les couleurs de moisson jaune et prune qui envahissaient les rues et annonçaient l'approche de la fin de l'année. Les vitrines étaient décorées de gerbes de blé blondes et de chrysanthèmes. Tout en marchant et en prêtant une oreille distraite aux observations d'Arnie, Hyacinthe réfléchissait. Elle retrouvait des images du passé : d'abord Halloween et les citrouilles creusées devant la maison ; puis Thanksgiving (pas de dindes dans les magasins, dans ce quartier) ; puis Noël, tout de rouge, de vert et de guirlandes argentées... Tiens, un étalage devançait Noël avec des bas de laine et des boules. On pressait les saisons, on hâtait le temps, comme s'il ne passait pas assez vite ! Combien d'années s'étaient-elles écoulées ? Presque quatre...

Et dire qu'elle s'était réjouie de cette soirée ! À présent, si elle avait pu trouver une excuse pour quitter Arnie et rentrer seule chez elle, elle n'aurait pas hésité. Mais il était trop tard.

— C'est vrai que tu es superbe, répéta-t-il en dépliant sa serviette. Commandons, ensuite, je te parlerai des gosses. Ce n'est pas facile de donner des détails par téléphone.

— Je prendrai comme toi, dit-elle aussitôt, soudain inquiète et tendue. Ça m'est égal. Il s'est passé quelque chose de particulier ? Des changements ? Parfois, ils ont l'air d'aller bien quand je les appelle, mais ils continuent de réclamer l'impossible.

— Rien n'a changé, sauf qu'Arveen est partie et qu'elle a été remplacée par quelqu'un d'autre du nom de Buddy.

— Buddy ? C'est un garçon ?

— Non, fit Arnie avec un rire. Tout de même pas. Buddy mesure un mètre soixante-dix. Elle pourrait être top model, mais elle est chanteuse. Une vraie blonde qui n'aimait pas son nez. Il le lui a refait, et elle est tombée amoureuse de lui. Du moins, c'est ce qu'il raconte. Elles se choisissent de drôles de noms, ces filles. Buddy ! N'importe quoi.

Hyacinthe eut l'impression qu'une masse de plomb lui écrasait la poitrine, si lourde qu'elle retomba contre son dossier. Que de vulgarité... de mauvais goût ! Il n'avait donc aucun scrupule devant ses enfants ?

— Mais elle est plutôt gentille, et les enfants s'entendent bien avec elle. Donc, tu n'as pas à t'en faire.

Il y eut un silence pendant lequel Arnie évita de la regarder. Il se mit à beurrer un petit pain pour se donner une contenance puis reprit la parole.

— Comme je te le dis toujours, il ne faut pas que tu penses que Gerald les néglige. Il les aime toujours autant, mais il est trop occupé par… par ses autres activités. Et puis, ils ne sont plus aussi mignons qu'avant. Les femmes ne se pâment plus devant Emma, ni devant Jerry comme au temps où on l'habillait encore en enfant modèle avec ses culottes courtes de flanelle grise. Ils prennent de l'indépendance, ils sont insolents, comme tous les gosses. C'est beaucoup moins drôle.

Elle ne pouvait plus dire un mot. Le remarquant, Arnie continua à parler seul pour faire diversion.

— Il n'y a pas grand-chose de neuf depuis la dernière fois que je t'ai vue. J'ai fait courir Diamond dans deux ou trois courses hors de Floride, et il est en forme. C'est un cheval magnifique. Il a de l'avenir. Major va bien aussi, je le monte régulièrement, et très souvent je vais en promenade avec les petits. Mais tu sais tout ça. Voyons… Quoi d'autre ? Ah oui. Je suis allé voir des terrains. J'en ai par-dessus la tête de vivre en appartement, alors je pense à faire construire. Pourquoi pas ?

Il lui signifiait qu'elle n'avait qu'un mot à dire, mais, avec sa prévenance habituelle, il s'abstenait de faire pression car il sentait qu'elle n'était pas en état. Comme pour confirmer ce qu'elle devinait, il lui posa avec délicatesse l'inévitable question :

— Tu l'as revu depuis notre dernier coup de fil ?

Ne voulant pas s'appesantir sur les pénibles détails, elle répondit simplement :

— C'est fini. Sans espoir. Il voulait une explication que je ne pouvais pas lui donner. C'est tout.

Arnie poussa un sifflement.

— Je m'en doutais. Je te l'avais dit, non ?

— C'est vrai.

— Alors, où en es-tu ?

— Comme tu vois.

— Il n'y a aucune chance que ça reprenne ?

— Comment veux-tu ? Je ne suis pas encore tirée d'affaire. Tu crois qu'un jour je serai tranquille ?

— Je ne vais pas te mentir, on ne peut jamais savoir. Bien entendu, plus le temps passe, plus tu as de chances de t'en sortir. Mais il suffit de lire les journaux pour se rendre compte que des affaires qu'on croyait enterrées depuis longtemps peuvent remonter à la surface. Et il s'est à peine écoulé quatre ans.

— Je sais. Question idiote.

— Je suis désolé. Je voudrais vraiment que tu sois sortie d'affaire. Ça me fait beaucoup de peine de te voir dans cet état. Si je pouvais t'empêcher de souffrir, je déplacerais des montagnes.

— Ma mère pense que tu es un type vraiment bien, dit-elle, très touchée, et je suis d'accord avec elle.

— Comment va-t-elle ? Où en est-elle ?

— Toujours aussi active. Et puis, elle vient de rencontrer un homme très bien. Ça me fait plaisir pour elle, même si, du coup, je la vois moins. Mais nous descendrons ensemble voir Jerry et Emma pour Thanksgiving… Que se passe-t-il ?

Le visage d'Arnie s'était assombri.

— Je ne voulais pas te gâcher le dîner en te parlant de ça tout de suite, mais Gerald veut les prendre le week-end de Thanksgiving parce qu'il a été invité sur un yacht, et il les emmène ailleurs pour Noël et pour le jour de l'an. À Acapulco, je crois.

Hyacinthe laissa tomber sa fourchette dans son assiette.

— Je n'y crois pas ! s'écria-t-elle. Il n'a pas le droit !

— Il en a pourtant la ferme intention. J'ai essayé de l'en dissuader, mais il a déjà tout prévu. Il te fait dire qu'il te laisse les vacances scolaires de février, il l'a promis.

— Je les connais, ses promesses ! Il m'oblige à mendier, à me contenter des miettes qu'il me jette ! Et s'il décidait de dire : « Pas de miettes aujourd'hui, madame, il ne reste rien pour vous » ? Je deviendrais quoi ?

— Chut, Hya, ça n'arrivera pas, chuchota Arnie car, dans son indignation, elle avait élevé la voix.

— Tu peux me le garantir, peut-être ?

— On ne peut jamais rien garantir, mais je ne pense pas que ça en viendra là. Il ne l'a jamais fait…

— Ça ne me rassure pas.

— Mange quelque chose. Tu n'as pas avalé une bouchée.

Arnie lui faisait les gros yeux parce qu'elle ne touchait pas à sa fourchette. Voyant qu'elle ne la reprenait pas, il lança d'un ton jovial :

— Il faut manger. Les hommes n'aiment pas les squelettes.

— Les hommes, je m'en fiche !

— Tu as peur et tu es en colère. Ce n'est pas étonnant. Je sais que c'est horrible, mais il n'y a rien à faire. Gerald regrette déjà probablement la situation sans vouloir l'admettre. Prends les dix jours qu'il te propose en février. Descends en Floride, vous vous amuserez bien.

Le sourire d'Arnie se voulait encourageant, et son regard était presque implorant. Il la réconfortait, lui apportait de la chaleur humaine. Par-dessus tout, il était là quand elle avait besoin de lui. Tout cela valait bien qu'elle lui facilite un peu la tâche pour le remercier.

— D'accord. Je me contenterai de février. Inutile de me cogner la tête contre un mur de brique.

— Exactement, c'est la meilleure façon de voir les choses. Il faut en faire ton deuil. Tu t'en remettras, tu verras.

Il ne suffisait pas de prendre une décision courageuse, encore fallait-il s'y tenir ; pendant la journée, au travail, elle devait se concentrer, garder le sourire, alors que chez elle, seule, ses idées noires l'obsédaient. Les nombreuses erreurs du passé lui revenaient en mémoire et, se mélangeant avec les incertitudes présentes et un avenir dénué de tout espoir, formaient une potion bien amère.

Pour Thanksgiving, elle avait accepté à contrecœur d'aller à la réception très mondaine que donnait Lina dans son splendide hôtel particulier de l'East Side. La veille, elle oublia pourtant ses bonnes résolutions... Francine aurait voulu qu'elle l'accompagne dans l'Ouest pour passer les fêtes en famille, mais à tout prendre, elle préférait encore aller chez Lina. Francine devait donc partir seule et, comme son avion partait de New York, elle avait prévu de passer la nuit chez Hyacinthe ; inévitablement, la discussion tournerait autour de Gerald, de sa cruauté, de ses exigences honteuses, du mystère qui entourait la séparation, et l'habituelle question reviendrait : « Pourquoi, au nom du ciel, ne veux-tu pas me dire ce qui s'est passé ? »

N'y tenant plus, elle se leva d'un bond, si brusquement qu'elle faillit renverser son siège, courut au téléphone et composa le numéro de Gerald.

— Oui, c'est bien moi, lança-t-elle. Alors, ça t'amuse ? Ça te plaît de me torturer ? Tu sais que tu es un monstre ?

La voix profonde et mélodieuse qui l'avait tant séduite autrefois lui répondit.

— Un monstre ? Je ne sais pas. C'est une question de point de vue.

Il était toujours aussi courtois, et légèrement ironique. S'ils avaient été dans la même pièce, elle l'aurait giflé.

— Ça te fait plaisir d'empêcher les enfants de me voir ? Ils sont à moi, tu m'entends ? C'est moi qui les ai mis au monde. Je les ai nourris et toi… toi…

Elle ne parvint pas à achever.

Un grand soupir lui parvint. Elle connaissait bien ce soupir ; il exprimait une profonde exaspération couplée à une patience d'homme du monde.

— Hyacinthe, comme je te l'ai dit souvent, tu ne sais pas te contrôler, tu es hystérique. Je ne t'empêche pas de voir les enfants. Tu n'as pas de quoi te plaindre. Tu dis que je te torture, mais pourquoi ? Parce qu'il y a eu un petit changement dans les projets de vacances ?

— Il n'y a pas que ça, et de loin. Tu vis avec des femmes épouvantables qui…

— Épouvantables ? Qui t'a dit ça ?

Elle n'avait aucune intention de trahir Arnie, son bienfaiteur, sa seule planche de salut.

— Emma et Jerry, dit-elle, surtout Jerry. Est-ce que tu sais, mais sans doute t'en moques-tu, qu'il regarde des films pornographiques sur le câble tard le soir ? Tu le savais ?

— Non, et je vais prendre des mesures immédiates. Tu sais bien que je suis très occupé à la clinique et que je ne peux pas être partout à la fois.

— Moi aussi, je suis très occupée, mais…

— Oui, interrompit-il, j'ai entendu parler de ton succès, et je suis très impressionné, seulement…

Elle lui coupa la parole à son tour.

— Succès ou pas, moi, je trouverais le moyen de surveiller mes enfants. Je veux qu'ils vivent avec moi.

— Les enfants ne souffrent pas, Hyacinthe. Ils sont en parfaite santé et on s'occupe bien d'eux. Ça se voit, tout le monde peut s'en rendre compte.

— Si, ils souffrent, Gerald. Je le sais. Ils veulent vivre avec leur mère, comme tous les enfants.

— Eh bien, c'est différent pour eux, et ça ne sert à rien de remettre ça sur le tapis. Tu as signé un accord de ton plein gré, c'est le prix que tu as payé pour mon silence. Tu devrais m'être reconnaissante, continua-t-il, d'une voix devenue inflexible. Je n'étais pas obligé de t'épargner. J'aurais très bien pu donner à la police les preuves que j'ai trouvées sur la pelouse au lieu de te les rendre.

— Tu ne sais pas ce que c'est que la miséricorde, la compréhension ? hurla-t-elle. Il doit bien y avoir un moyen, quelqu'un qui pourrait te forcer à…

Il ne la laissa pas finir, jetant sa réplique avec une puissance presque physique.

— Me forcer ? Essaie de m'attaquer en justice, pour voir. Tu sais ce qui t'arrivera.

Hyacinthe ne sut pas qui raccrocha d'abord. Sa tête explosait d'une rage si terrible qu'elle aurait pu avoir une attaque. Le visage inondé d'un torrent de larmes, elle se jeta sur son lit.

Quand, plusieurs heures plus tard, la sonnette retentit, elle était toujours couchée dans la même position. Elle ne pleurait plus mais était épuisée. Ce ne fut qu'après plusieurs coups insistants qu'elle se souvint que Francine devait passer la nuit chez elle. Elle se leva et se précipita pour lui ouvrir.

Elle trouva sa mère à la porte, en tailleur de voyage impeccable, sa valise élégante à la main, qui lui jetait un regard épouvanté.

— Mais que se passe-t-il ?

— Rien, j'ai pleuré.

— Je le vois bien ! Que s'est-il passé ? Regarde dans quel état tu t'es mise !

Dans le miroir de l'entrée, elle vit un visage défait et pâle encadré par de longues mèches emmêlées.

— Je viens de téléphoner à Gerald.

— Alors ?

— Je veux récupérer mes enfants et il ne veut rien entendre, répondit-elle, trop fatiguée pour parler. C'est tout. Je t'en prie, ne me pose pas de questions. C'est comme d'habitude, tu sais.

Francine alla porter sa valise dans la chambre qu'elle occupait habituellement, où, toujours soigneuse, elle enleva sa veste et arrangea ses affaires pour la nuit. Quand elle reparut quelques minutes plus tard, Hyacinthe s'était allongée sur le canapé et regardait fixement le plafond. Francine s'assit à côté d'elle et l'observa, le regard inquiet.

— J'imagine que ça ne servirait à rien de te demander pour la millième fois de m'expliquer ce mystère ?

Hyacinthe leva les yeux vers elle. La pitié qu'elle vit dans ce regard déclencha une nouvelle crise de larmes. « Si Emma était aussi triste que moi, je ne le supporterais pas, songea-t-elle. Je ferais n'importe quoi pour que ma fille ne souffre plus. Et c'est pareil pour ma mère. Elle a mal pour moi et me supplie de lui parler. »

Mais non, c'était impossible…

— Tu as mal à la tête ? demanda Francine.

— Oui, j'ai l'impression qu'elle a doublé de volume.

— C'est la tension nerveuse. Redresse-toi un peu, je vais te masser le cou.

Ses doigts étaient frais et vigoureux. Pendant que Hyacinthe se détendait, des pensées bizarres envahirent son esprit fatigué : « Autrefois, elle m'agaçait, elle n'était pas assez sérieuse, je trouvais qu'elle disait des bêtises. J'aimais beaucoup plus Granny, Francine devait le sentir… Oui, elle le savait, et elle m'a pardonné. J'étais arrogante et un peu immature pour mon âge. Elle seule avait deviné comment Gerald finirait par me traiter. Mais non, elle n'avait pas tout deviné finalement. »

« Essaie de m'attaquer en justice, pour voir. Tu sais ce qui t'arrivera. »

Meurtre, homicide involontaire.

Des larmes roulèrent sur ses joues jusque sous son col.

— Mais qu'est-ce qu'il y a ? s'écria Francine. Je n'en peux plus ! Tu m'entends ? Je suis à bout.

Et Hyacinthe céda. Se laissant retomber sur les oreillers, elle ferma les yeux et murmura :

— Ne me regarde pas. Écoute-moi, je vais tout te dire.

Il était presque minuit, et elles étaient encore en train de parler. Francine, le visage décomposé, regardait droit devant elle.

— Maintenant, je suis soulagée, et c'est toi qui vas plus mal, remarqua Hyacinthe.

— C'est vrai. Je me sentirais mieux si je pouvais trouver une façon d'arranger ça, mais je ne vois rien.

— C'est normal, il n'y a rien à faire.

— Tu ne pouvais pas dire à Will ce qui est arrivé, murmura Francine, comme si elle pensait à voix haute.

— Bien sûr que non. Tu imagines la belle dot !… Cette épée de Damoclès qui me pend au-dessus de la tête.

— Oui…, finit par concéder Francine à contre-cœur. Oui, même s'il était prêt à tous les efforts, aucun homme, même un homme amoureux, aucun homme intelligent, aucun homme que tu respecterais, ne voudrait endosser ce fardeau. Oui, c'est vrai.

Puis, après un silence, elle reprit brusquement.

— Aucun homme sauf Arnie. Te rends-tu compte à quel point il est exceptionnel ?

— Bien sûr. Je lui exprime ma gratitude constamment.

— Il attend plus que de la gratitude.

— Oui, ça aussi, je le sais.

— Tu ne veux pas lui donner une chance ?

— Je comprends que tu veuilles que ta fille se stabilise, répondit Hyacinthe avec un sourire triste. C'est naturel.

— Alors tu penses toujours à Will.

— Si j'y pense ? Tout le temps. Il me manque. L'autre jour, dans l'ascenseur, j'ai entendu sa voix, et je n'ai plus osé bouger jusqu'à ce que je m'aperçoive que ce n'était pas lui. Chaque fois que le téléphone sonne, mes mains tremblent quand je décroche, et pourtant je sais bien que ça ne peut pas être lui.

— Je suis triste pour toi. Tu as besoin de retrouver ta tranquillité d'esprit.

— J'ai surtout besoin de dormir. J'ai envie de me coucher.

À tort ou à raison, elle avait révélé la vérité ; elle avait tout dit à Francine, et maintenant il était trop tard pour revenir en arrière. Comme une vague, une fatigue immense la submergea.

16

À la table du déjeuner, sur la terrasse de l'hôtel, Hyacinthe vit en regardant ses enfants qu'ils avaient retrouvé meilleur visage. Ces quelques jours ensemble sous le soleil de Floride leur avaient fait un bien souverain.

L'attente jusqu'au mois de février avait été interminable, les journées s'étaient de plus en plus traînées en longueur. Les enfants aussi avaient été impatients de la voir. Ils ne la quittaient pas d'un pouce et, à son grand désespoir, n'arrêtaient pas de demander quand elle allait les prendre avec elle.

Mais, en cet instant précis, tout allait bien. Emma était fascinée par les breloques du bracelet de Francine, et Jerry parlait de base-ball avec Arnie qui était venu déjeuner avec eux ; la voix tonitruante et les attitudes de matamore de Jerry semblaient l'amuser.

« Le bonheur n'est qu'une atmosphère fabriquée par l'esprit, pensa-t-elle. L'herbe est drue, le ciel bleu pastel ; les fruits dans le compotier brillent comme de la porcelaine ; les rires éclatent. » En croisant le regard de Francine, elle vit qu'une journée comme celle-ci valait dix fois le voyage à Londres auquel sa mère avait renoncé pour rendre visite à ses petits-enfants.

Il ne restait que deux jours avant leur retour en classe, et la collection de printemps la rappelait à New York. Elle ne voulait pas y penser. Il valait mieux rester dans le présent. Elle avait enfin commencé à apprendre à monter à cheval, à la grande joie des enfants. Ensemble, ils avaient joué au ballon sur la plage, étaient allés pêcher en haute mer, avaient nagé dans la piscine et dévoré des repas somptueux ; pas une minute n'avait été perdue.

— On fait quoi, cet après-midi ? demanda Jerry. Tu viens monter à cheval avec nous, maman ?

Hyacinthe allait dire oui quand Arnie intervint.

— Je voulais te demander un petit service, Hya. Peut-être qu'à un moment dans l'après-midi, pendant que les autres vont au centre équestre par exemple, tu pourrais m'accorder une ou deux heures pour visiter avec moi une propriété à vendre. Je voudrais que tu me donnes ton avis… ça t'ennuierait ?

— Je n'y connais rien en immobilier.

— Ce n'est pas grave, je te fais confiance. D'ailleurs, tu n'as encore jamais vu cette partie de la Floride. Ça t'intéressera. Il n'y a ni plages ni touristes.

Sans aucun doute, Arnie pensait à une escapade plus intime qu'une visite de terrain. Il s'agissait clairement d'un prétexte. Les sourcils expressifs de Francine se levaient, exprimant une heureuse surprise. Elle aussi avait des réactions très transparentes.

— Je veux venir avec vous ! clama Emma.

— Non, pas aujourd'hui, chérie, répondit Arnie. Une autre fois.

La gentillesse de sa réponse ainsi que la facilité avec laquelle sa fille lui obéissait impressionnèrent

Hyacinthe. Il était vraiment paternel. Quel dommage pour lui qu'il n'ait pas eu d'enfants.

— Je cours dans ma chambre chercher mon chapeau et mes lunettes et je te rejoins, dit-elle à Arnie.

Habituée aux routes encombrées de la côte et aux palmiers qui se dressaient devant une mer d'azur, Hyacinthe fut surprise par le paysage. Les champs de canne à sucre s'étendaient à perte de vue, plats comme la main ; il n'y avait pas un arbre à l'horizon et pas un souffle de vent pour agiter l'air chaud. À intervalles réguliers, des canaux d'irrigation divisaient les champs et, de loin en loin, aux carrefours, on tombait sur des hameaux délabrés, aux maisons de bois brut rassemblées autour d'une pompe à essence et d'une buvette.

Arnie faisait le guide.

— Ces champs continuent sur des kilomètres. C'est une des plus grandes régions de culture de canne à sucre du pays. Je parie que tu ne savais pas ça.

Ces considérations d'ordre général lui ressemblaient si peu que Hyacinthe se demanda combien de temps il lui faudrait pour aborder la véritable raison de leur expédition. Cela ne prit pas très longtemps, car, avisant une buvette au bord de la route, il s'arrêta.

— J'ai envie d'un Coca, et toi ?

— Oui, merci.

Le propriétaire, après avoir encaissé son argent, rentra dans la maison en claquant la porte, les laissant sous un arbre maigrichon et solitaire, à boire leurs Coca en silence. Hyacinthe était si tendue qu'elle chercha quelque chose à dire, n'importe quoi.

— Je serais très surprise que tu t'intéresses à des propriétés par ici, Arnie.

— C'est vrai. Je voulais seulement passer un peu de temps seul avec toi, sans rien pour nous distraire.

Au lieu de la regarder, il fixait le bout de la route déserte et noire. S'autorisant alors à le contempler, elle vit la silhouette familière, soignée, assurée. Pourtant, aujourd'hui, on y devinait autre chose ; sa position, ou l'angle de sa tête, lui rappelèrent avec un serrement de cœur le fameux soir dans la chambre d'hôtel, et le lit qu'elle avait vu ouvert pour la nuit de l'autre côté d'une porte entrebâillée.

Il se tourna soudain vers elle.

— Je t'ai attendue, j'ai attendu que tu te remettes. J'espérais... j'avais bon espoir que je n'aurais plus à attendre trop longtemps. Alors, Hya, es-tu prête à me donner ta réponse ? Nous ne sommes pas éternels.

Dans un geste étrangement vieillot, il prit les mains de Hyacinthe dans les siennes et lui fit sa déclaration.

— Épouse-moi, Hya. J'ai eu envie de toi presque depuis la première fois que je t'ai vue.

Elle ne savait que faire, prisonnière de ses mains et de son regard brillant d'émotion.

— Je te protégerai, je t'aimerai. Je donnerai ma part de la clinique à Gerald en échange du papier que tu lui as signé. Il acceptera. Il y gagnera une fortune.

— Tu lui donnerais vraiment ta part, Arnie ? Ça n'a aucun sens.

— Pourquoi ? Mon avenir est assuré. J'ai des tonnes de très bons investissements dans l'immobilier, et des liquidités tant que j'en veux aussi. Je peux prendre ma retraite, t'emmener avec les enfants n'importe où dans le monde. Où tu voudras.

— Je ne... Je ne m'attendais pas à...

— Mais si, Hya. Ne joue pas les innocentes. Tu savais très bien que j'allais te redemander en mariage tôt ou tard. Écoute-moi. Tu peux rêver mieux ? Ces derniers jours, nous avons formé une vraie famille, avec les enfants, et même ta mère. Demande-lui ce qu'elle pense de moi, surtout maintenant que tu lui as tout raconté. Ce sera la première à te dire, j'en suis sûr : « Saute sur l'occasion, épouse-le. Il est intelligent et pas mal de sa personne ; il aime les enfants et il est fou de toi. Que veux-tu de plus ? »

Arnie la prenait d'assaut avec ses questions. Il lui agrippait fermement les mains et continuait à lancer des arguments.

— Je ne suis pas un don Juan comme Gerald. Tu le sais. Tu pourras me faire confiance. Tu mèneras une vie stable, au lieu d'essayer à tout prix de chercher un homme dont tu essaieras de tomber amoureuse pour échouer comme avec Will, pour la même raison.

Lui relâchant les mains, il l'enlaça, et comme s'il devinait qu'elle n'était pas prête à en accepter plus, il se contenta de l'embrasser sur le front et sur les joues avec une grande tendresse.

— J'aimerais beaucoup qu'on s'installe en France. Tu adores la France, et là-bas, tu ne craindrais plus rien, ni les enfants non plus, si la situation changeait.

— Si la situation changeait ? Tu crois vraiment que le risque existera toujours ?

— On ne peut jamais être sûr de rien, Hya. Nous en avons discuté suffisamment souvent.

Submergée par la peur perpétuelle qui l'habitait, elle sentit ses jambes se dérober sous elle.

— Je veux retourner à la voiture. Je ne me sens pas bien.

Aussitôt inquiet, Arnie ouvrit la portière et l'aida à monter.

— On rentre tout de suite. Je suis désolé, je ne voulais pas t'angoisser. Ça va ? Tu es sûre ?

— J'ai la migraine. Ça m'est tombé dessus d'un coup... C'est trop pour moi. Cette semaine merveilleuse, et maintenant ces pensées qui reviennent.

— Appuie la tête en arrière, recommanda Arnie. Nous n'avons qu'à ne plus parler. Ça va aller. Je prends la route directe pour rentrer.

Elle sourit faiblement.

— Ah ! Il y a une route directe...

— Bien sûr, répondit-il en lui rendant son sourire. J'essayais de faire durer la promenade le plus longtemps possible.

Elle était à bout de nerfs, toute tremblante. À travers ses paupières entrouvertes, elle l'observa : un homme musclé, robuste, qui semblait bien plus jeune que son âge ; son visage, dans le soleil cuivré de l'après-midi, ressortait sous le panache argenté de sa chevelure comme la peau tannée d'un Indien. En se rapprochant à peine, elle aurait pu sentir sa lotion au pin. Il prenait un soin extrême de sa personne.

Il ne lui faudrait pas une semaine pour trouver une dizaine de femmes désirables qui ne demanderaient pas mieux que de se donner à lui. Mais c'était elle qu'il voulait épouser. Il serait aux petits soins avec elle...

Partir n'importe où, avoir les enfants rien qu'à elle, enfin ! Est-ce que n'importe quelle femme à sa place n'aurait pas accepté tout de suite ?... Si tant est qu'une situation aussi folle pût se dupliquer...

— Nous y sommes, dit-il en se garant devant l'hôtel.

Il fit le tour de la voiture pour lui ouvrir.

Les palmiers se dressaient au-dessus de sa tête. La brise sentait délicieusement bon, et un filet de musique leur parvenait d'on ne sait où, laissant dans son sillage un riche sentiment d'espoir.

— Tu as dormi, dit Arnie. Si j'étais psychiatre, je dirais que tu essaies de fuir le moment de prendre ta décision.

Bien entendu, il était aussi suprêmement intelligent, elle l'avait toujours su.

— Combien de temps vas-tu me faire attendre, Hya ?

Elle s'entendit répondre :

— Emma et Jerry doivent finir leur trimestre.

Il inclina la tête.

— D'accord. C'est dans deux mois. J'ai compris.

Cette fois, le baiser tomba en plein sur sa bouche. Ensuite, il la laissa partir, le regard heureux.

De retour dans sa chambre, elle ouvrit la porte-fenêtre et sortit sur le balcon où deux chaises longues faisaient face à l'océan. De nouveau prise par la peur, elle s'affaissa sur l'une d'entre elles. Elle se sentait malade, et de savoir son malaise très certainement psychosomatique ne changeait rien à son état. Elle resta allongée, sans bouger, tâchant de faire le vide dans son esprit.

Au bout d'un moment, lorsqu'elle se sentit un peu mieux, elle essaya de reconstituer exactement les événements des dernières heures. Elle l'avait laissé la prendre dans ses bras ! Aurait-elle pu, aurait-elle dû, le repousser ? Elle avait parlé de la fin du trimestre scolaire. Lui avait-elle fait des promesses ? Tout s'embrouillait dans sa tête : les enfants, la peur, les menaces, ses responsabilités professionnelles, les serments d'Arnie et, de nouveau, les enfants. Elle se leva et regarda par-dessus la balustrade. De cet étage, la mer semblait calme comme si le vent n'en agitait pas la surface, mais quand on descendait, on voyait les grandes vagues vertes et on les entendait s'abattre sur la plage. Elle resta longtemps là, les mains agrippées à la balustrade, à regarder l'immensité de l'océan et à s'imprégner de sa beauté.

Une nuit, il n'y avait pas si longtemps, un homme et une femme couchés dans un hamac avaient regardé les vagues sombres jusqu'au lever de la lune qui les avait éclairées de sa lueur blanche. Que l'oubli finisse par venir à bout de tout, peut-être… Mais quand ? À quatre-vingt-dix ans, quand on n'avait plus envie de rien ? « Je lui ai fait de la peine, songea-t-elle. J'ai fait de la peine à Will. Il aurait mieux valu que nous ne nous soyons jamais allongés dans ce hamac, ou même rencontrés.

« Il aurait aussi été préférable que je ne laisse pas Arnie repartir aujourd'hui en lui donnant une fausse impression. Il m'a tant donné ; c'est vrai que je ne lui avais rien demandé, mais je n'ai pas refusé non plus, et j'en suis désolée. N'empêche, je ne peux pas faire semblant d'être amoureuse, même pour m'acheter de la tranquillité d'esprit, même si je suis un peu tentée. Non, je ne pourrai jamais. Je ne le ferai pas.

« Mon Dieu, arriverai-je un jour à retrouver une vie normale ? »

— Quels beaux enfants, remarqua l'homme assis sur le banc voisin.

C'était un vieil homme courtois qui avait regardé Francine prendre Jerry et Emma en photo, et qui maintenant les observait alors qu'ils s'éloignaient vers les écuries.

— Oui, c'est vrai, mais je ne suis pas objective. Je suis leur grand-mère.

— Je viens ici plusieurs fois par semaine, et je les vois souvent. Ils sont tous les deux très bons cavaliers. Excellents, même.

— Ils attendent avec impatience le concours hippique qui doit avoir lieu sur le terrain de foire le mois prochain. C'est pourquoi ils ont voulu essayer leurs nouveaux costumes d'équitation aujourd'hui. Des bombes en velours neuves, des bottes, le grand jeu. C'est pour l'épreuve de dressage, m'ont-ils dit, mais je n'y connais rien.

— Les concurrents défilent en rond les uns derrière les autres dans le manège, c'est très beau. Ma femme aussi va y participer. D'ailleurs, elle est en train de s'entraîner. Moi, j'ai dû renoncer parce que je me suis cassé la jambe, comme vous le voyez.

Francine ne vit qu'à cet instant la canne anglaise appuyée au bout du banc.

— Quel dommage, murmura-t-elle, compatissante.

— Oh, c'est beaucoup moins grave pour un être humain de se casser la jambe que pour un cheval. Ce sont des animaux très fragiles, même si ça n'en a pas l'air quand on se trouve à côté d'un étalon bien plus haut que soi.

— C'est vrai.

Cette fois, Francine murmura sa réponse d'un ton plus évasif car elle sentait le brave homme prêt à prolonger la conversation. Jerry et Emma en avaient pour une bonne heure avant de revenir la délivrer.

Elle reprit son livre, mais pas assez vite, car l'homme trouva le moyen de lui poser une question.

— Vous avez appris, pour Diamond ?

— Je vous demande pardon ?

— Diamond, le cheval. Il est très connu. Ou du moins, il l'était, mais maintenant il est mort, la pauvre bête. Il s'est pris le sabot dans un trou de taupe et il s'est cassé la jambe. Il a fallu l'abattre. C'est arrivé hier, toute l'écurie était sous le choc. Le propriétaire le met parfois en pension ici entre les concours hippiques et les courses, et le personnel était soulagé que l'accident ne soit pas arrivé ici.

— Mais... Vous ne voulez pas parler du cheval d'Arnie... du Dr Ritter ?

— Si, malheureusement. Arnie – le Dr Ritter – a toujours été très bon juge en ce qui concerne les chevaux. Nous montions souvent ensemble, il y a des années de ça, dans le Texas. C'est incroyable ! Quand je l'ai revu ici hier, il n'avait pas changé du tout depuis la dernière fois.

— Quel dommage ! C'est bizarre qu'il ne m'ait rien dit.

— Je suppose qu'il était trop frappé pour avoir envie d'en parler. Bien, je vois que vous avez envie de lire votre livre, et moi je vais retourner à mon journal pour avoir des nouvelles du monde.

L'après-midi passa trop lentement, comme une aiguille qui se traîne autour du cadran quand on est pressé ou qu'on attend une nouvelle importante. Elle ne pouvait pas s'empêcher de s'inquiéter en pensant à la promenade en voiture de Hyacinthe et d'Arnie. Pourtant, y avait-il vraiment de quoi se faire du souci ? Au moins pour les enfants, Hyacinthe prendrait sûrement la décision qui s'imposait.

Au bout d'un moment, Francine se leva et se dirigea vers le champ où se déroulait la leçon d'équitation. « De beaux enfants », avait dit l'homme, et, en effet, ils étaient magnifiques : Emma avec ses grosses nattes brillantes et ses yeux malicieux sous la bombe de velours, Jerry toujours vif et fier comme l'homme qu'il deviendrait à l'âge adulte. C'était arrivé d'un coup, songea-t-elle, comme une plante qu'on regarde grandir et qui, du jour au lendemain, atteint le niveau de la fenêtre.

Pour des raisons évidentes, même si elle aimait autant tous ses petits-enfants, ces deux-là occupaient une place toute particulière dans son cœur. Elle avait toujours l'impression qu'ils se sentaient abandonnés. Ils se raccrochaient tellement à de petits souvenirs lointains. Jerry connaissait encore par cœur le numéro de téléphone de l'ancienne maison. L'été précédent, chez elle, ils s'étaient tous les deux parfaitement souvenus de l'emplacement des framboisiers, et s'étaient rappelé quand et comment ils avaient fait la cueillette avec Jim, même si ce coin de jardin était maintenant envahi de mauvaises herbes.

Oui, Hyacinthe allait enfin prendre une bonne décision.

« Elle a besoin de calme, qu'on la protège, pensa encore Francine. Je ne sais pas comment elle a fait pour supporter tout ce qui lui pèse sur les épaules, la culpabilité après l'horrible mort de ce pauvre homme, la perte de Will – et on ne peut pas le blâmer, vraiment pas –, et puis, bien sûr, par-dessus tout, la perte des enfants.

« Mais maintenant, ils vont pouvoir vivre avec leur mère. Arnie va certainement régler ça. Je n'arrive pas à me remettre de ce que Gerald lui a fait, et je ne m'y ferai probablement jamais. Je comprends enfin pourquoi elle a refusé si longtemps de me révéler la vérité. C'était trop dur, trop terrible de prononcer ces mots. Elle était terrorisée. Mais Arnie la comprend, et il sera gentil avec elle. Il les protégera tous les trois. »

Le vrombissement des moteurs de l'avion vibrait dans les tympans de Hyacinthe. De l'autre côté du couloir, une femme bavardait sans arrêt depuis une demi-heure d'une voix nasillarde horripilante alors que Francine, elle, n'avait pas ouvert la bouche. Elle s'était déjà exprimée très clairement. Maintenant, elle regardait fixement le ciel bleu.

Soudain, elle se tourna vers Hyacinthe.

— Tu es une femme responsable, et c'est ta vie. Je ne veux pas t'embêter, je voudrais juste essayer encore une fois. Je n'aime pas du tout te faire des reproches, mais j'y suis bien obligée. Tu fais une grosse bêtise. Tu ne m'as pas écoutée pour Gerald, et tu recommences à ne pas me faire confiance. Je ne sais pas quoi ajouter pour te convaincre.

— Et moi, je ne sais pas quoi dire d'autre pour te faire comprendre ce que je ressens, répondit Hyacinthe calmement.

— Je trouve ça tellement triste. C'est triste pour toi et les enfants, et, crois-moi si tu veux, mais je suis aussi triste pour Arnie. Entre toi et son cheval, il n'a pas eu de chance, cette semaine !

— Son cheval ? Quel cheval ?

— Son pur-sang, Diamond, le cheval de course.

— Il lui est arrivé quelque chose ?

— Il s'est cassé la jambe et il a fallu l'abattre. Il est mort. On me l'a dit hier au centre équestre. Arnie évidemment a pris très mal l'accident.

— Mais il ne m'a rien dit ! Qui t'a appris ça ?

— Un vieux monsieur qui a vu Arnie hier. Ils se connaissaient il y a longtemps au Texas. Il a même dit qu'Arnie n'avait pas vieilli.

— Je suis désolée pour lui. Je l'appellerai ce soir.

Francine pinça les lèvres.

— C'est très gentil de te préoccuper du cheval, mais tu ne vas pas réfléchir aussi au reste ?

— Ce n'est pas un sujet qu'on peut aborder par téléphone. Il doit venir à New York dans un ou deux mois. J'attendrai pour lui dire non aussi gentiment que possible. Je l'aimerai toujours beaucoup, vraiment beaucoup, je veux rester son amie, mais je ne peux pas… Oh ! Tu sais bien de quoi je veux parler…

— Oui, oui, je sais.

Sa mère était déçue et même dégoûtée par sa mauvaise volonté. Ce n'était pas agréable pour Hyacinthe de sentir cette réprobation, surtout venant d'une femme comme elle. « Quand je pense comme je me trompais sur son compte quand j'étais jeune ! Elle avait toujours tellement raison sur tout… C'est dur de la décevoir de nouveau. Mais je n'y peux rien. »

Elles passèrent le reste du voyage sans se parler, ne brisant le silence que pour échanger les quelques remarques indispensables. Dans le taxi qui les ramenait de l'aéroport, Francine demanda qu'on la dépose à la gare. Hyacinthe avait cru que sa mère passerait la nuit chez elle avant de rentrer, mais elle ne put pas la dissuader de partir tout de suite. Elles s'embrassèrent donc rapidement et se séparèrent.

Francine était en colère.

Le téléphone sonna juste au moment où Hyacinthe passait la porte. Dès qu'elle décrocha, elle entendit la voix enthousiaste familière.

— C'est moi, Arnie. Je voulais juste m'assurer que l'avion était bien arrivé.

— Oui, tout va bien. J'ai passé une semaine merveilleuse. Mais Francine m'a appris la triste nouvelle pour Diamond. Pourquoi nous as-tu caché ça ?

— Je ne voulais pas tout gâcher. À quoi cela aurait-il servi ?

— Je suis désolée pour toi. Tu adorais ce cheval.

— Je ne vais pas prétendre que ça ne me fait pas de peine. C'était une bête magnifique. C'est arrivé dans le Kentucky. Je suis content de ne pas avoir été là. Il a eu une rupture intestinale. Il paraît qu'il a explosé comme un ballon.

— Ah bon ? Francine a entendu dire qu'il s'était cassé la jambe, une mauvaise fracture.

— Qui lui a dit ça ?

— Un monsieur au centre équestre. Quelqu'un du Texas qui te connaissait dans le temps.

— Comment s'appelle-t-il ?

— Je ne sais pas. Je ne pense pas que Francine le sache non plus.

— Je ne vois vraiment pas qui ça peut bien être. Il n'a pas à raconter des histoires sur mon cheval alors qu'il ne sait rien ! Bon, n'en parlons plus. Quand c'est fait, c'est fait. Je voulais te dire, j'ai pensé à quelque chose. J'ai eu une idée géniale la nuit dernière. Tu vas voir ! Les enfants n'en ont plus que pour quelques semaines de classe. Nous n'avons pas besoin d'attendre ! Nous avons bien assez attendu comme ça, toi et moi. Si on prenait deux ou trois malles et qu'on partait tout de suite ? Les enfants n'auront aucun mal à rattraper leur travail en retard, et puis ils vont adorer ça. Le voyage, c'est beaucoup plus formateur que quelques semaines d'école. Je vais t'envoyer des brochures. Tiens, je vais même te les expédier par courrier express demain. Tu n'as qu'à choisir l'endroit. Nous irons où tu voudras.

Hyacinthe se sentait très mal. Toute la conversation l'exaspérait, à cette heure tardive, et après un long trajet en avion. Elle fit néanmoins un effort pour rester légère.

— Je n'arrive pas à m'habituer à ta rapidité. Ralentis un peu, tu veux ?

— Pour quoi faire ? Nous ne sommes pas éternels, Hya. Une fois que j'ai décidé quelque chose, je fonce. Je suis comme ça.

Il y avait trop de charge émotionnelle pour elle dans cette discussion, elle préférait prendre une échappatoire, se dérober. Elle poussa un grand soupir et prétendit qu'elle arrivait à peine à garder les yeux ouverts.

— Le vol m'a épuisée, je ne sais pas pourquoi. Je n'ai plus les yeux en face des trous, Arnie. J'ai envie d'aller me coucher tout de suite.

— D'accord, va au lit. Je voudrais seulement pouvoir y aller avec toi. Je pourrais t'en montrer, des choses.

Un dégoût d'une violence qu'elle n'aurait jamais crue possible l'envahit. L'idée de se retrouver au lit toutes les nuits avec Arnie lui sembla impensable. Y avait-elle jamais songé, vraiment, un seul instant ?

Non, c'était absolument inimaginable.

En fait, loin de ne pas pouvoir garder les yeux ouverts, elle n'arrivait même pas à les fermer pour essayer de dormir. Elle ne savait trop ce qui la tenait éveillée. Quelque chose la perturbait. Elle était à la fois agitée et très vaguement mal à l'aise.

Arnie lui avait semblé… différent, ce soir. La surexcitation, la tension nerveuse ne ressemblaient pas du tout à l'homme décontracté qu'elle connaissait. Naturellement, il devait beaucoup penser à sa demande en mariage et aux changements que cela apporterait à la vie qu'il menait. Mais, comme il ne savait pas encore qu'elle avait l'intention de refuser, il aurait dû, en théorie, être calme et de bonne humeur.

Ainsi, quand le lendemain, en rentrant du travail, elle le trouva qui l'attendait dans le hall d'entrée, elle ne fut pas entièrement surprise.

Il la salua avec un rapide baiser sur la joue et expliqua :

— Je n'ai pas réussi à dormir de la nuit après notre discussion. J'ai l'impression que nous n'avançons pas. Tu t'arranges toujours pour ne rien répondre de précis. Je me trompe ? Arrête-moi si j'ai mal compris.

— Viens, montons, et tâchons de tirer les choses au clair.

Hyacinthe était loin de ressentir le courage que laissait supposer cette réponse. Elle pensa à son père qui aurait tout tenté pour éviter une dispute. Malheureusement, elle ne pouvait plus retarder l'explication.

Ils s'assirent dans les fauteuils près de la fenêtre, séparés par le superbe buisson d'Arnie qui fleurissait dans son magnifique pot de céramique.

— C'est joli, hein ? remarqua-t-il. J'ai appris pas mal de choses sur le bon goût en t'observant, Hya. Avant, je pensais que tout ce qui était cher était chic.

Maintenant, je sais qu'un prix élevé ne suffit pas. Ce pot, c'est une antiquité, tu sais. Je te l'avais dit ?

— Non, mais ça se voit. Il est très beau, il m'a vraiment fait plaisir.

Une terrible pitié la prit parce qu'il avait cru nécessaire de lui rappeler ce cadeau coûteux. Et puis, son apparence physique avait changé d'un coup ; pour la première fois, on lui aurait donné son âge, ou même plus.

Il surprit son regard et sourit. Apparemment, il avait changé de stratégie pendant le court trajet en ascenseur, car, sans mentionner ses inquiétudes, il sortit des brochures de sa poche et les lui tendit.

— Une photo, ça vaut des discours. Regarde ça. Là, c'est la France, bien sûr, et la Toscane, pas loin de Florence, avec des tonnes de musées pour toi. Et j'ai encore plein de documentation qui doit arriver, des maisons dans les Cotswolds, avec une atmosphère pittoresque et des toits de chaume, le genre de truc qui te plaît. Regarde-moi ça.

En feuilletant les pages illustrées de photos de somptueuses villas, de jardins en terrasses, de statues, de balustrades, de plafonds ornementés de poutres sculptées, elle eut de plus en plus peur de la bataille qui s'engageait. Arnie allait être un adversaire tenace.

— Tu vois la croix rouge que j'ai tracée ? Ça te plaît ? Une petite merveille française. À louer meublée, avec la possibilité d'acheter, et nous pouvons emménager dès demain. Et c'est tout près d'une très bonne école d'équitation. Il y a des kilomètres de sentiers équestres dans la forêt.

Elle avait besoin d'un peu de temps pour se reprendre. Ne trouvant rien à dire sur le moment, elle se mit à bégayer.

— Mais… ce sont des palais… ça doit coûter une fortune… ce sont des manoirs pour aristocrates…

— Tu parles ! Tes aristocrates, je peux leur acheter tout ce que je veux ! Arrête de t'inquiéter pour l'argent. Je sais ce que je fais, quand même.

— D'accord, mais je n'ai jamais accepté de partir à l'étranger, Arnie. En fait, je ne t'ai rien promis du tout. Tu crois que tout est arrangé, tu t'emballes tout seul sur tes projets. Je t'ai même dit qu'Emma et Jerry devaient finir l'école.

La lumière quitta le visage d'Arnie comme si une main l'avait effacée. Un jour, déjà, sur le seuil de la chambre de sa suite, elle avait vu ce regard dur et ces yeux méfiants.

— Il leur reste quelques semaines avant les vacances, je le sais. Mais je te parle de projets pour les années à venir, Hya. Qu'est-ce que tu veux dire ?

Elle prit son courage à deux mains. Elle n'avait plus le choix.

— Des années où je serai ton amie, Arnie. Jusqu'à la fin de nos jours, tu seras toujours un ami très, très cher.

Il se leva brusquement. Les mains plongées dans ses poches, il faisait tinter des pièces de monnaie et ne s'arrêta que pour frapper sur la table avec une force qui fit dégringoler par terre une pile de magazines.

— Bon sang ! J'en ai assez de cette comédie ! Qu'est-ce que tu veux dire ? Tu as promis, il n'y a pas quatre jours, en Floride…

— Je ne t'ai rien promis du tout, Arnie ! Ne me fais pas dire ce que je n'ai pas dit !

— Quand je t'ai ramenée à l'hôtel et que je t'ai embrassée, tu as bien promis quelque chose, bon Dieu !

— Je sais que tu m'as embrassée. Que voulais-tu que je fasse ? Que je me batte avec toi ?

— Tu sais comment ça s'appelle, une femme qui fait marcher les hommes et qui ensuite les envoie promener ? Tu veux que je te le dise ?

— Non. Je ne t'ai pas fait marcher. Je ne savais plus où j'en étais, ce jour-là. Tu as été trop vite pour moi. Je t'aimais beaucoup… et je t'aime toujours beaucoup. J'aurais peut-être dû te dire plus clairement que l'affection ne peut pas remplacer un amour profond. Si je n'ai pas été claire, j'en suis désolée ; je te demande pardon. Mais je ne t'ai rien promis, à aucun moment, même si toi tu n'arrêtais pas d'y faire allusion.

— Quelle garce ! Après tout ce que j'ai fait pour toi ! s'écria-t-il en désignant l'appartement de la main. Tu savais ce que j'éprouvais pour toi. Ta mère le savait aussi. Et voilà comment tu me remercies ?

— Je t'ai remercié des milliers de fois, Arnie. On ne pourrait pas être plus reconnaissant que moi.

— Alors montre-le ! Est-ce que je suis si répugnant que ça ? demanda-t-il avec rage. Je te dégoûte ?

— Ne crie pas, Arnie. Je n'aime pas ça, et je n'ai pas à supporter ta mauvaise humeur. Tu n'as aucune raison de réagir de cette façon.

— Tiens ! C'est intéressant, ça ! Toi, tu ne te contentes pas de crier quand tu es en colère. Tu casses des ordinateurs, tu mets le feu… Ça, ça ne te gêne pas, j'imagine ? Maintenant que tu as réussi, tu te crois tout permis, hein ? Mais que ça ne te monte pas à la tête. Tu ne peux pas te permettre de faire n'importe quoi, ne l'oublie pas.

Elle était horrifiée, elle avait peur, mais en même temps, le caractère emporté qu'elle contenait si bien habituellement refit surface.

— Tu es ici chez moi ! Je t'ai remboursé tout l'argent que tu avais avancé pour que je puisse avoir cet appartement, et maintenant, je te demande d'en sortir. Sors, Arnie, dit-elle en ouvrant la porte. Je t'accueillerai avec plaisir quand tu seras de meilleure humeur.

À cet instant, l'ascenseur s'arrêta à l'étage. Trois personnes en sortirent et leur jetèrent un coup d'œil. Profitant de leur présence, elle referma la porte, le laissant dans le couloir. Puis elle tira les verrous et attendit debout derrière la porte, ne sachant s'il allait prendre l'ascenseur ou se mettre à tambouriner pour qu'elle lui rouvre.

Quand elle n'entendit plus rien, elle s'effondra dans un fauteuil et commença à se calmer. Elle avait eu peur pour rien, songea-t-elle. La menace à peine voilée d'une dénonciation ne devait pas l'inquiéter ; Arnie, même s'il lui en voulait beaucoup, ne ferait jamais quelque chose qui pourrait autant nuire à Emma et Jerry. De cela, elle était certaine. Mais pourquoi avait-il réagi de la sorte ? Ce n'était pas normal.

Il était intelligent, et il savait très bien que, à aucun moment au cours des années écoulées, elle ne l'avait fait marcher. Pourquoi, dans ce cas, s'était-il mis dans un tel état ? Pourquoi était-il soudain si pressé de partir à l'étranger ? Souffrait-il d'une sorte de dépression nerveuse ?

Au bout d'un moment, elle alla se coucher, la tête bourdonnant de questions. Elle avait trouvé l'histoire du cheval si bizarre qu'elle y pensait sans cesse. Une occlusion intestinale, avait-il dit. Ou un éclatement, ou une infection, une cause de ce genre. Francine, elle, avait parlé d'une jambe cassée pour laquelle on avait dû l'abattre.

Elle se redressa dans son lit, tapa son oreiller pour lui donner une forme plus confortable, et se tourna de l'autre côté pour essayer de s'endormir.

Mais le sommeil lui échappait, et ses pensées la poursuivaient. Pourquoi la version d'Arnie et celle du vieil homme que Francine avait rencontré étaient-elles si différentes ? L'un des deux se trompait de façon vraiment inexplicable, ou mentait. Dans ce cas, pour quelle raison ?

Il avait tellement aimé son cheval, et il avait parlé de canne à sucre tout l'après-midi sans mentionner sa mort une seule fois. Et puis, plus tard, il avait prétendu ne pas avoir la moindre idée de qui pouvait être l'homme qui avait parlé à Francine. Pourtant, ils devaient s'être rencontrés, autrement, pourquoi l'homme aurait-il dit qu'Arnie n'avait pas changé ?

Le lendemain matin, elle se réveilla avec une envie terrible de poser des questions à Francine. S'accusant, comme souvent, de se conduire de façon excentrique, elle l'appela tout de même pour lui demander ce qu'elle avait pensé de l'homme du centre équestre.

— Celui qui t'a parlé de la jambe cassée de Diamond... Tu l'as trouvé bizarre ?

— Mais non. Lui et sa femme, que j'ai rencontrée plus tard, étaient des gens parfaitement ordinaires, sans histoire. Pourquoi ?

— Je me posais la question... Est-ce qu'il était sûr que le cheval d'Arnie s'était cassé la jambe ?

— Oui, répondit Francine en s'impatientant. Il s'est pris le sabot dans un trou de taupe, je t'ai dit.

— As-tu eu l'impression qu'il te cachait quelque chose ?

— Pas du tout. Que veux-tu qu'il cache ? Où veux-tu en venir ?

N'ayant aucune réponse à donner, Hyacinthe trouva une excuse pour raccrocher, puis resta assise plusieurs minutes devant le téléphone, essayant de rassembler les éléments de cette énigme. Malheureusement, elle n'avait pas assez d'informations pour avancer.

Pourtant, plus elle réfléchissait, plus sa conviction que quelque chose n'allait pas se renforçait. Granny aurait dit que son instinct la chatouillait.

Trois jours après ces événements, son impression s'accentua encore lorsque, après être rentrée chez elle vers minuit au bout d'une longue journée de travail suivie d'un dîner tardif avec Lina, elle trouva quatre messages sur son répondeur, tous d'Arnie.

« Je m'excuse platement, Hya. Je ne pensais pas un mot de ce que j'ai dit. Tu le sais bien, j'espère... »

« Parfois, en affaires, on se trouve face à des négociateurs qui fichent tout par terre à cause de leurs exigences... »

« Je n'étais pas dans mon état normal, alors je t'ai fait subir ma mauvaise humeur... Dieu sait que je ne veux que ton bien, alors je t'en prie... »

« Appelle-moi, même si tu rentres tard... »

Elle ne savait que faire. D'un côté, elle redoutait le chantage affectif, les excuses, une longue explication, et une énième description d'une villa de rêve en Europe. Cela ne servirait à rien ; sa réponse ne changerait pas. Mais, d'un autre côté, son cœur la rappelait à l'ordre, lui remettait en mémoire les nombreux coups de téléphone... des centaines, certainement, qu'elle lui avait donnés pour avoir des nouvelles des enfants, sans parler des appels d'Arnie destinés à calmer son inquiétude. Elle décrocha le téléphone.

— Hya, je veux que tu réfléchisses encore. Pars avec moi. Je ne peux pas tout te raconter maintenant, mais crois-moi. J'ai toujours été avec toi et les enfants, tu ne peux pas nier ça.

— Non, Arnie, c'est vrai.

— Alors écoute-moi. Je peux refaire un saut à New York demain matin pour te convaincre. Ce n'est pas possible par téléphone. Tu ne le regretteras pas, je te le jure, ajouta-t-il d'une voix tremblante. D'accord, Hya ? Écoute, tu pourras continuer à travailler là-bas. Tu peux faire du stylisme n'importe où, si c'est ça qui t'inquiète. Bon, j'arrive demain.

— Non, Arnie ! Ne viens pas ! s'écria-t-elle. Je pars pour le Texas m'occuper de quelques petits défilés. (C'était vrai.) Je ne sais pas encore combien de temps je vais rester. (C'était faux.)

Elle avait peur sans trop savoir pourquoi, sauf peut-être qu'elle avait besoin de temps pour se préparer à la discussion orageuse qui se préparait.

— C'est pas vrai ! gémit Arnie. Et tu ne sais pas du tout quand tu vas rentrer ?

— Dans une semaine environ, je pense. Je t'appellerai dès que j'aurai une idée plus précise.

Ils en restèrent donc là. Pendant ces cinq jours au Texas, où sa vie d'adulte avait commencé dans l'enthousiasme de l'innocence, Arnie lui pesa sur la conscience. Deux jours après son retour, elle n'avait toujours pas trouvé la force de l'appeler et essayait de rassembler son courage. Ce soir, se promettait-elle, elle lui téléphonerait sans faute. « Blinde-toi et vas-y, Hyacinthe. »

Si elle n'avait pas par hasard entr'aperçu Will Miller qui sortait d'un restaurant de fruits de mer en compagnie de deux autres hommes d'affaires à l'heure du déjeuner, la suite aurait été bien différente. Elle eut beau tout juste deviner sa silhouette de dos tandis qu'il s'éloignait, elle l'aurait reconnu entre mille. Il avait probablement pris un *chowder* de poisson, très chaud, avec des toasts.

Alors qu'elle avait eu l'intention de faire une course avant de retourner travailler, cette vision fugitive de Will, qu'elle n'avait pas revu depuis août, la perturba tant qu'elle rentra directement à l'atelier Libretti. Là, assise à son trop magnifique bureau, elle appuya sa planche à dessin à une pile de livres, et, sans une seule idée en tête, prit son crayon. En un instant, toutes les images magnifiques qui l'habitaient s'étaient envolées ; les projets ébauchés pendant son voyage en Floride s'étaient enfuis. À leur place, des craintes incohérentes l'agitaient et elle ressentait le besoin de parler à quelqu'un qui la comprendrait. Elle retrouvait une angoisse qu'elle n'avait connue que de rares fois au cours des grandes crises de sa vie, quand par exemple Gerald avait exigé qu'elle avorte… La peur de perdre ses repères. Une heure s'écoula, et, le crayon à la main, elle n'avait toujours pas bougé. Entre sa guerre contre Arnie et la rencontre de Will, elle ne savait plus dans quelle direction se tourner, se voyait à son tour dans une ville où personne ne parlait sa langue.

Pourtant, il y avait quelqu'un qui parlait le même langage qu'elle, ou qui l'avait parlé autrefois… Bien sûr, l'idée était plutôt bizarre, mais n'avait-elle pas aussi pris un risque en apportant ses premiers modèles à la boutique de Madison Avenue, quelques années plus tôt ? Elle, une étudiante inconnue ? Il ne pouvait rien lui arriver de pire que de se faire éconduire, avait-elle alors raisonné. Il en allait de même aujourd'hui.

Une seconde heure s'était écoulée quand, sans en avoir pris la décision consciente, Hyacinthe se leva d'un bond. Devant le grand miroir des toilettes, elle inspecta la robe bleu foncé très simple, le petit foulard de dentelle à son cou et les perles qui paraissaient à ses oreilles quand ses cheveux s'écartaient. Elle n'avait aucun désir de séduire, c'était exclu, bien entendu ; elle le savait très bien et ne s'inquiétait que de rester digne et de ne pas perdre contenance. La démarche qu'elle allait entreprendre n'avait aucun sens. Mais après tout... En tout cas, elle avait la ferme intention de tenter sa chance.

Elle entra en souriant. Voyant que Will ne répondait pas à son sourire, elle comprit, comme elle aurait dû s'en douter, que son sourire était trop gêné, trop artificiel.

— Je ne viens pas, comme tu dois le penser, pour essayer de t'attendrir, dit-elle doucement. Je ne te demande pas de revenir sur ta décision parce que je sais que cela ne servirait à rien. Je ne suis pas là pour nous deux. Je viens seulement te trouver parce que j'ai un problème. J'ai besoin d'un conseil, et je ne connais personne d'autre qui soit mieux placé pour me le donner.

— Et ton ami Arnie ?

— Non. Je t'en prie, écoute-moi. Si tu n'en as pas envie, je partirai. J'ai sans doute fait une grosse bêtise en venant te voir.

— Assieds-toi.

Il s'était levé en la voyant entrer et était resté face à elle. Il lui présenta un siège, et ils s'assirent, séparés, comme il est d'usage dans les rencontres professionnelles, par un énorme bureau. Il avait l'air fatigué et songeur, pensa-t-elle avant de détourner les yeux.

— De quel genre de problème s'agit-il ? S'il est d'ordre médical, je ne suis pas médecin, s'il est d'ordre juridique, je ne suis pas avocat.

— Je ne sais pas au juste dans quelle rubrique classer ce qui arrive, c'est une partie de la difficulté. Peut-être y a-t-il un aspect juridique à la question, mais je n'en suis pas certaine, alors…

Will l'interrompit.

— Un avocat te le dirait.

— Je ne peux pas en consulter un. Je préfère ne pas citer le nom d'une personne innocente devant un avocat si je peux l'éviter.

— C'est un excès de scrupules. Ça n'a aucun sens.

— Je crois que si. Quand il s'agit d'un ami qui a été très proche et très fidèle, on ne peut qu'être très prudent.

— Un ami proche et fidèle… Ce ne serait pas encore Arnie, par hasard ? demanda Will avec mépris.

— Oui, je suis navrée, mais il s'agit effectivement de lui.

— C'est ton amant, non ? Alors, pourquoi viens-tu me trouver ?

— D'abord, je t'ai déjà dit qu'il n'était pas mon amant et ne l'avait jamais été. C'est vrai qu'il le voudrait, et il m'a demandé de l'épouser, mais j'ai refusé parce que je ne suis pas amoureuse de lui. Cela n'empêche que je l'aime beaucoup, et je pense qu'il a des ennuis que j'ignore. Je te dis la vérité.

— Tu n'as pas répondu à mon autre question : pourquoi viens-tu me trouver, moi ?

— Je croyais t'avoir répondu. Parce que je te fais confiance.

Elle se redressa sur son siège, très droite, et attendit. Le silence s'installa. Il l'observait sans rien montrer de ce qu'il pensait ni de ce qu'il ressentait.

« Il a trouvé quelqu'un d'autre, pensa-t-elle, et il me regarde comme une bête curieuse. » C'était devenu un étranger. L'élocution froide, la façon raide de se tenir, les mains croisées sur son bureau, le regard qui refusait de rencontrer le sien, tout cela paraissait très bizarre.

Elle avait soudain envie de sortir de la pièce, de fuir cette atmosphère lourde, mais il attendait qu'elle continue son explication. Ce fut donc ce qu'elle fit, de façon aussi claire et concise que possible car il avait tendance à s'agacer des exposés trop longs. Elle lui dit pourquoi elle s'inquiétait, parla de l'affaire du cheval et de l'insistance d'Arnie.

— Il se peut que ça n'ait aucun sens, reconnut-elle. Je crie peut-être au voleur alors que ce n'est que le vent qui tape aux carreaux.

Will regardait droit devant lui, par-dessus la tête de Hyacinthe, et ne répondit pas. Sa mine resplendissante, qui lui allait si bien, avait disparu, le laissant exsangue ; dans la lumière faiblissante de cette fin d'après-midi, il avait le teint gris.

— Je ne veux pas faire de mal à cet homme qui a été si bon pour moi et mes enfants, dit-elle. Mais il se conduit de façon tellement étrange…

Il l'interrompit.

— J'en parlerai à quelqu'un. L'homme que j'ai en tête est discret, et personne ne saura jamais que tu es venue me raconter tout ça. Dès que j'aurai des nouvelles, je t'appellerai.

Comprenant qu'il la congédiait, Hyacinthe se leva et le remercia. L'entrevue s'était bien passée, dans le calme et la dignité, comme elle l'avait voulu, et porterait peut-être des fruits. Leur échange cependant avait été d'une telle froideur que personne, en les voyant, n'aurait pu deviner qu'ils s'étaient aimés.

En posant la main sur le bouton de la porte, elle ne put s'empêcher de se tourner pour demander :

— Tu vas bien ?

— À peu près, et toi ?

— À peu près. Et encore merci.

Il commençait à neiger. Les épais flocons de ce tout début de printemps tombaient doucement, fondant en grosses taches rondes sur l'élégant manteau Libretti de Hyacinthe. De son non moins élégant sac à main rouge, elle sortit un parapluie pliant. Puis elle mit ses lunettes de soleil ; le ciel noir ne risquant guère de l'éblouir, elle ne les sortait que pour cacher ses yeux qui débordaient soudain de larmes.

L'attente fut pénible. Tous les jours, la semaine suivante, Hyacinthe dut repousser les suppliques d'Arnie et déjouer ses arguments de son mieux. Tous les jours, elle luttait contre sa mauvaise conscience. Dans quel guêpier s'était-elle fourrée ? Si elle se trompait, elle allait paraître ridicule et indiscrète. Mais cela n'avait guère d'importance…

Francine, lors de son coup de fil hebdomadaire, n'avait plus abordé le sujet ; on la devinait pourtant toujours irritée de cet entêtement à ne pas écouter ses conseils. Hyacinthe, à la fin de leur conversation plutôt embarrassée, se sentit attristée car Francine était une bonne mère qui ne voulait que le bien de sa fille – même si elle se trompait.

Enfin, le second lundi, elle reçut un message : *« J'ai obtenu un rapport complet. Je peux te recevoir à mon bureau demain après-midi, ou passer chez toi ce soir, comme tu préfères. Will Miller. »*

« Will Miller », au lieu de « Will », comme si, sans le nom de famille, elle eût pu hésiter à l'identifier. Un petit détail qui en disait long. C'était pour la mettre en garde, lui dire de ne rien espérer ; il ne lui rendait service que par obligeance. Soudain, elle n'avait plus envie de le voir, et surtout pas dans ce bureau peu chaleureux. Qu'il vienne plutôt chez elle, sur son propre terrain.

Quand elle lui ouvrit la porte, ce soir-là, elle sentit se reformer l'atmosphère de son départ ; elle entendit le bruit de la porte qui se referme doucement, suivi par le silence. Elle se demanda si des souvenirs de leur rupture revenaient aussi à Will, et si oui, lesquels.

Will, de son côté, ne laissait rien paraître, se conduisant avec une efficacité impersonnelle. Par son léger froncement de sourcils et son refus de prendre un café, il indiquait clairement qu'il était pressé.

— À l'heure de l'informatique, dit-il en tirant un calepin de sa poche, on pourrait espérer avoir accès à ce genre d'informations en quelques heures, mais dans le cas présent, la situation s'est révélée compliquée. J'ai là mes notes personnelles. Je ne voulais surtout pas détenir un rapport rédigé.

Les mains nouées sur les genoux, le cœur battant déjà à cent à l'heure, Hyacinthe ne quittait pas des yeux le papier qui servait d'aide-mémoire à Will.

— Je vais commencer par le milieu, dit-il, avec la mort du cheval. Il se trouve que ce décès faisait déjà l'objet d'une enquête avant que tu viennes me trouver. Les compagnies d'assurances sont toujours très suspicieuses à la mort d'un cheval de valeur. Il y a eu trop de cas semblables. En fait, dès que tu m'as parlé de cette mort, j'ai pensé à un incident qui a eu lieu dans la ville où je suis né. Une personnalité très en vue, une femme élégante… ce qui ne l'a pas empêchée d'assassiner un animal pour toucher l'assurance… enfin bref, peu importe. Ces dernières années, ce genre d'affaire est devenu très rare parce que les gens ont pris peur. Quelques téméraires tentent encore leur chance, et parfois arrivent à leurs fins, mais cela tourne souvent mal pour eux. Une personne honnête découvre ou suspecte quelque chose et va trouver la police. Au même moment, les complices se disputent, sans doute à cause du partage de l'argent. Et on découvre le pot aux roses. Alors… alors…

Elle ne put s'empêcher de l'interrompre.

— Tu ne veux pas dire que c'est ce qui est arrivé à Arnie ?

Will hocha la tête.

— Si. J'ai consulté un détective privé que nous employons, et c'est bien ce qui s'est passé. Comme indice, il y a eu principalement cette contradiction dans la cause de la mort : une jambe cassée et une hémorragie interne. En fait, le cheval a tout simplement pris une balle dans la tête. L'excuse officielle était la jambe cassée, mais apparemment il y a eu une dispute et quelqu'un a parlé.

— Je ne peux pas croire qu'Arnie aurait fait une chose pareille ! Il n'a pas une once de méchanceté en lui, pas une once. Comment aurait-il pu…

— Eh bien, en tout cas, l'animal n'a pas souffert, ce qui n'est pas le cas de l'assurance, répondit Will ironiquement. Beaucoup d'entreprises respectables trouvent très pratique d'avoir un petit sinistre de temps en temps pour écouler le stock. Ça n'a rien d'original.

— Je n'arrive pas à croire qu'Arnie a fait ça, répéta-t-elle. Ça ne lui ressemble pas.

Will fit la grimace.

— On ne peut pas toujours juger les gens d'après l'impression qu'ils donnent. Tu te sens bien ? Tu es toute pâle.

— Ça va. Je suis écœurée, c'est tout.

— Es-tu sûre de vouloir savoir le reste ? L'histoire n'est pas très jolie.

— Continue, murmura-t-elle.

— Il y a beaucoup de preuves : la signature d'Arnie sur un faux certificat, l'homme en Floride, probablement celui qui a parlé à ta mère, là-bas, et quelqu'un d'autre qu'il connaissait depuis vingt-cinq ans, quand Arnie Ritter s'appelait encore Jack Sloan.

— Il peut porter les deux noms. Il s'appelle Jack Arnold Ritter-Sloan de son nom entier, mais il déteste ça. Il dit toujours : « Je ne suis pas un aristo, moi, je n'ai pas besoin de me faire valoir avec un nom à rallonge. »

— Ça a eu l'air de bien l'arranger, pendant un moment. Il y a eu le feu chez lui quand il était étudiant en médecine au Texas, avec une assurance au nom de Sloan. Le feu a tout brûlé, l'appartement y est passé entièrement, et il a perdu tous ses objets de valeur, des livres rares, très coûteux, ou du moins c'est ce qu'il a déclaré. On a eu des soupçons, à l'époque, mais personne n'a rien pu trouver, donc il n'a pas été poursuivi.

— Il y a vingt-cinq ans… répéta Hyacinthe, horrifiée.

Ne lui avait-on pas dit qu'il avait quitté le Texas du jour au lendemain ?

— Oui, et sans cette histoire de cheval, ce serait encore une affaire classée. Maintenant, on a rouvert le dossier.

Ils se turent tous les deux. Will se mit à l'observer et elle trouva l'intensité de son regard si insoutenable qu'elle regarda par terre.

— C'est très douloureux de perdre ses illusions quand on croit connaître quelqu'un, remarqua-t-il.

Sans doute disait-il cela pour elle, mais elle ne releva pas.

— Je te suis très, très reconnaissante. Je ne peux pas t'exprimer à quel point.

Il inclina la tête, acceptant dans les formes ses remerciements.

— Je suis content d'avoir pu t'être utile. Mais, de toute façon, la nouvelle va paraître dans les journaux très bientôt.

« Qu'est-ce qu'on attend ? Les enfants n'en ont plus que pour quelques semaines de classe, partons tout de suite. »

— Arnie…, répéta-t-elle. Je n'arrive toujours pas à y croire. Il était tellement gentil, il a tant fait pour nous.

— Va dire ça à l'assurance, intervint Will d'un ton sardonique. Et au pompier qui est mort dans l'incendie…

— Quoi ? s'écria Hyacinthe. Quel incendie ?

— L'incendie de la clinique dont Arnie était propriétaire.

— C'est Arnie qui a mis le feu ? Tu es sûr ?

— Oui, absolument. Il a été obligé d'avouer. Je ne l'ai appris que ce matin. Bien entendu, il n'avait aucune chance de cacher cet épisode après l'affaire du Texas et maintenant celle du cheval.

Hyacinthe fut transpercée par une intense douleur, comme quelqu'un qui, après un long séjour dans le noir, est aveuglé par un rayon de lumière. Sa vie, les dernières années surtout, se mirent à tourbillonner autour d'elle, et les murs de l'appartement suivirent le mouvement.

— Mes enfants ! s'écria-t-elle. On me les a pris, et maintenant… maintenant… je vais pouvoir les récupérer…

— Je ne comprends pas. De quoi veux-tu parler ?

Dans un état de stupeur trop intense pour trouver ses mots, elle n'articulait plus un son, mais ses pensées filaient comme l'éclair.

Quel soulagement ! Quel soulagement extraordinaire ! Emma et Jerry… Et elle n'était pas responsable, pas même par maladresse en éteignant mal un mégot… Elle n'était responsable de rien… Elle pouvait tout expliquer, rassurer son entourage, et surtout Francine… pauvre Francine… comme elle avait souffert…

Will la contemplait avec inquiétude. Et d'un coup, elle comprit que sa courtoisie froide et mesurée n'était qu'une façade. Elle devina par quels efforts terribles il contenait sa douleur. Alors, inclinant la tête pour l'enfouir dans ses mains, elle éclata en sanglots.

Aussitôt, Will se jeta à genoux devant elle.

— Que se passe-t-il ? Je t'en supplie, dis-moi ce qu'il y a ! s'écria-t-il en l'obligeant à relever la tête pour le regarder.

— C'est que… c'est que, bégaya-t-elle, on a pensé que c'était ma faute, que c'était moi qui avais mis le feu à la clinique ! J'étais furieuse à cause de la maîtresse de Gerald, et il a trouvé mes affaires sur la pelouse, et c'était un meurtre, en fait, parce qu'un homme, le pauvre pompier, est mort, alors c'était un incendie criminel avec homicide involontaire, et je… je…

— Quoi ? On a pensé que c'était toi qui avais mis le feu ?

— Oui, oui, et Gerald a dit…

Will se releva pour la serrer dans ses bras. La tête appuyée contre lui, elle livra toute l'histoire en sanglotant.

— Prends ton temps, prends ton temps, murmura-t-il en lui embrassant les cheveux, en la caressant et en la serrant dans ses bras. Qui a osé t'accuser ? Qui a osé ?

— C'est Gerald. Je t'ai dit…

— C'est lui le criminel ! À moins qu'il ne soit fou ?…

— Non, non. Il croyait vraiment que je l'avais fait.

— Mais bon Dieu, pourquoi ne m'as-tu pas raconté ça avant ? cria Will, au désespoir. Tu ne me faisais pas confiance ? Pourquoi ?

— J'avais trop peur. J'étais terrifiée. On aurait pensé que j'avais un mobile, ce qui était vrai. Je n'aurais pas pu me défendre, tu comprends ? Tu ne sais pas à quoi une telle peur peut conduire. À chaque heure du jour et de la nuit, je pensais à mes enfants. Et je devais enfermer la peur en moi, la cacher comme dans un coffre à la banque. La verrouiller à l'intérieur. J'avais l'impression que si je t'en parlais, ça allait arriver. Tu as bien vu comment ce genre d'affaire peut refaire surface, même après vingt-cinq ans.

— Mais moi ! Moi... Tu savais que je t'aimais. J'aurais tout fait pour...

— J'avais envie de vivre avec toi, Will. Mais toi, tu voulais une épouse. C'était impossible de te faire ça. Si tout à coup on m'avait accusée, et très probablement condamnée... Je ne pouvais pas te faire partager la responsabilité d'un drame pareil. Tu étais... tu es un homme qui fait carrière. Je ne voulais pas te mettre en danger, t'imposer cette peur... Comment voulais-tu ?

— Mais on s'en fiche de ma carrière ! Tu crois vraiment que ça m'aurait arrêté ?

— Tu veux dire que ça t'aurait été égal ? Will, dis-moi la vérité.

— Je t'ai toujours dit la vérité, même quand j'ai vu les tableaux un peu ratés que tu peignais. Entendu, j'aurais été très inquiet, très inquiet pour toi. Mais ça ne m'aurait jamais empêché de t'épouser. Tu étais, tu es toujours la femme de ma vie, la plus parfaite de l'univers.

« Parfaite ». Respirant à peine, Hyacinthe sentit le cœur de Will qui battait, à l'unisson avec le sien.

— Tu as pensé à moi ? murmura-t-elle.

— Oui, comme on pense malgré soi avec tristesse à quelqu'un qui est parti ou qui est mort.

— Je ne suis pas partie, mais très souvent, j'ai eu envie de mourir.

— Mais tu es venue me trouver quand tu as eu besoin d'aide.

— Je savais que, si un jour on me dénonçait, tu ne me ferais pas de mal.

— Je n'aimais pas Arnie, tu le sais. Je te l'ai dit. La seule fois où je me suis trouvé en tête à tête avec lui, en partant en taxi de chez toi, j'ai senti qu'il cachait quelque chose derrière ses grands sourires joviaux. Ce n'était pas parce que j'étais jaloux, même si j'admets l'avoir été un peu. Je ne l'aimais tout simplement pas.

— Tu ne le connais pas, Will. C'était… c'est la gentillesse même, et je n'arrive pas à comprendre ce qui lui est arrivé.

— Ah ! Les contradictions humaines… Nous en avons tous, seulement, son cas à lui est un peu extrême.

— J'ai pitié de lui… Bien sûr, je lui en veux aussi de m'avoir laissé souffrir autant. J'imagine que ça fait partie de mes contradictions à moi.

Après une longue minute, Will reprit la parole. Sa voix était très douce et tremblait un peu.

— Je me souviens du hamac et du bruit des vagues. Ces nuits que nous avons passées là-bas me reviennent sans cesse à l'esprit.

— Tu te souviens du jour, dans le parc, où nous nous sommes regardés tout d'un coup et que nous avons compris ce qui se passait au même moment, et que nous n'avons rien dit ?

— Et avant, le jour où tu as laissé tombé ton sac de livres sur le trottoir.

— Et je me souviens aussi…

Will leva la main.

— Arrête, les souvenirs, ça suffit. Nous avons trop de temps à rattraper.

Il l'embrassa et dit en riant :

— Lève-toi, que je te prenne dans mes bras pour te faire passer la porte.

17

— Oui, dit Gerald, je n'en reviens toujours pas ! Je suis encore sous le choc.

Hyacinthe descendait les dernières affaires des enfants quand il était rentré. Elle avait espéré pouvoir l'éviter, mais, surprise en bas de l'escalier, elle lui avait fait face, entourée par des valises et des sacs.

— Comment un type aussi malin qu'Arnie peut-il gâcher sa vie de cette façon ? Ça me dépasse. Qui aurait pu se douter qu'il manigancerait tout ça ?

Et qui aurait pu se douter qu'un jour Gerald s'adresserait de nouveau à elle avec autant de naturel, comme s'ils se voyaient tous les jours ? Il portait une tenue de tennis blanche et tenait sa raquette sous le bras. Secouant la tête pour marquer sa surprise et son incrédulité, il lui rapporta ce qu'il savait.

— Il a liquidé toutes ses valeurs, il a vidé ses comptes en banque jusqu'au dernier centime, mais il n'a pas touché au compte de notre société, ce qu'il aurait pu faire sans difficulté. Maintenant, il a disparu dans la nature. Dieu sait où il est allé. Je me demande comment tout ça va se terminer.

— Pas la moindre idée, répondit-elle tristement.

— Oh, ils vont bien finir par le pincer. On rattrape toujours tout le monde. Avant, on y arrivait déjà, mais maintenant, avec Internet et les avis de recherche internationaux, c'est devenu encore plus facile. Et puis, aussi..., ajouta-t-il en prenant un air sagace, un type comme lui, qui adore claquer son argent et se montrer, n'arrivera pas à rester discret. Tu devrais voir la façon dont il a décoré son cabinet à la clinique. Arnie a toujours eu des goûts de luxe. L'argent lui file entre les doigts.

« Toi non plus, tu ne te débrouilles pas mal dans ce domaine », pensa Hyacinthe. Elle regardait derrière Gerald les pièces qui donnaient dans le hall. Tout avait changé depuis son unique passage dans la maison. De nouvelles influences avaient laissé leurs marques un peu partout, avec d'horribles fleurs artificielles, des dorures surchargées, et des satins épais et sombres, sans doute fort coûteux et peu adaptés au climat. À une certaine époque, il aurait critiqué le côté tape-à-l'œil de ce décor.

— Il m'a laissé un mot, continuait Gerald. La lettre est arrivée hier, postée d'ici, probablement juste avant son départ pour une destination inconnue. Il me présente des excuses, et il parle aussi de toi : *« Hya n'est pas responsable, elle n'a strictement rien à voir avec l'incendie. »* Il a même souligné.

Elle se tut un instant, de nouveau submergée par la tristesse. Arnie. Comment comprendre ce qui lui était arrivé ? Pouvait-on jamais expliquer pourquoi les gens honnêtes se mettaient hors la loi ?

— Moi aussi, j'ai reçu une lettre.

Cela ne regardait pas Gerald, et pourtant, elle avait tout de même envie de lui en apprendre la teneur.

— *« Excuse-moi, Hya, pour tout le mal que je t'ai causé. J'ai essayé de me racheter. Je t'en prie, essaie de te souvenir que je t'aimais vraiment, et que je t'aime toujours. »*

Sur ces derniers mots, sa voix se brisa, et Gerald poussa une exclamation d'indignation.

— Tu dois avoir envie de lui tirer une balle en plein cœur ! En tout cas, moi j'en aurais envie si j'étais toi. Je voudrais le lui faire payer.

— Non. Je trouve ça tragique. Il y avait tant de bonnes choses en lui qui sont perdues maintenant.

— Comment ? Tu n'es pas folle de colère ? Tu es vraiment une drôle de fille, Hyacinthe, tu es incroyable.

— Oh ! si ! Je suis en colère contre lui, très en colère, même. Mais je t'en veux beaucoup plus à toi.

Ce fut au tour de Gerald de se taire, et elle se rendit compte qu'elle avait fait mouche.

Profitant de ce qu'il détournait la tête, elle l'examina. Elle voyait le visage aux yeux un peu en amande brun doré, ironiques, le visage qui plaisait tant aux femmes. Il n'avait pas pris une ride depuis l'après-midi où elle l'avait secouru sous une pluie battante, elle, l'adolescente attardée, naïve et amoureuse. Aujourd'hui encore, on lisait sur ce visage le même humour, le même amour du plaisir, la même passion. Un visage qui n'offrait toujours rien. Il n'avait jamais vraiment su donner, ni aimer.

Enfin, si, se corrigea-t-elle. Il avait aimé les enfants ; après tout, c'étaient des prolongements de lui-même.

— Je te croyais vraiment coupable, Hyacinthe. Je pensais réellement que tu étais assez jalouse pour avoir mis le feu. Je te le jure.

— Alors, c'est que tu ne me connais pas. Si tu m'avais suffisamment aimée, tu aurais compris que c'était impossible. Tu aurais su que j'étais incapable de faire une chose pareille. Si tu m'avais aimée, tu ne m'aurais pas enlevé mes enfants.

Gerald leva les mains comme pour se rendre.

— Je te jure que je m'en veux. C'était une erreur abominable, un truc moche. J'ai eu tort. Mais je ne vois quand même pas comment tu peux être plus en colère contre moi que contre Arnie.

— Arnie, lui, avait du cœur. Il ne trompait que les assureurs, ce qui est un crime, je le sais, mais il a aussi remboursé le crédit de la maison de la veuve du pompier, et il lui a donné assez d'argent pour payer quatre ans d'université à chacun de ses enfants. Et je ne parle pas de tout le reste, surtout de sa gentillesse pour Jerry, Emma et moi. Je pense qu'il doit être un peu déséquilibré, ce doit être ça. Je le plains de tout mon cœur.

— Peut-être… tu as sans doute raison. C'était un grand joueur, et la passion du jeu doit pouvoir entraîner à commettre des actes de plus en plus répréhensibles, par besoin d'argent. Oui, présenté comme ça, on peut avoir pitié de lui. C'est comme avec l'alcool, on devient vite dépendant.

— Ou comme avec les femmes. À ce propos, comment va Sherree, ou Cheryl, je ne sais plus… Celle qui succède à Buddy, je veux dire.

Le sourire de Gerald s'effaça et il devint écarlate.

— Ce n'est pas une histoire sérieuse, dit-il. Avec un peu de volonté, on peut venir à bout de toutes les dépendances.

Il la contemplait avec admiration. Soudain, elle prit

conscience de l'élégance de la robe qu'elle portait, d'une couleur d'abricot mûr, de ses sandales noires brillantes et du bandeau qu'elle avait mis pour empêcher ses cheveux de voler dans ses yeux. Jamais elle ne s'était sentie si sûre d'elle devant lui, si supérieure à lui, même. Une image fugitive lui passa par la tête : Jim, assis à leur petite table de salle à manger du Texas, venait de parler de leur donner la grande maison familiale quand Gerald aurait fini son internat, et, sous ses yeux, Gerald avait aussitôt abandonné l'idée de lui demander d'avorter. Rétrospectivement, ce n'était que trop facile à comprendre.

— J'ai lu beaucoup de reportages sur toi, et tout le monde parle de ton succès, dit-il. Je veux te féliciter depuis longtemps, mais comme tu refusais de m'adresser la parole...

— À quoi cela aurait-il servi qu'on communique ?

Elle perdait patience. La conversation s'éternisait, et Will l'attendait dehors, dans leur voiture de location, car elle avait préféré qu'il n'entre pas. Elle fit quelques pas vers la porte, mais Gerald l'arrêta par une question rapide mais un peu hésitante.

— Maintenant que nous parvenons de nouveau à nous parler, je me disais que... que peut-être tu voudrais bien réfléchir à la possibilité de retenter notre chance ensemble.

Les deux valises que Hyacinthe portait s'échappèrent de ses mains et tombèrent par terre avec un bruit mat.

— Retenter notre chance ? Je crois que je n'ai pas bien entendu.

— Mais si, si. Toi et moi... après tout, nous étions... je me disais, en te revoyant comme ça, et avec les idées plus claires...

— Tu ne peux pas dire ça sérieusement, Gerald, ce n'est pas possible. Je préférerais adopter un cobra !

Il recula comme s'il craignait qu'elle ne le frappe.

— Bon, d'accord, très bien, je n'ai rien dit. Mais ça m'ennuie de te voir repartir avec tant de haine pour moi.

— Non... en fait, ma haine n'est pas aussi forte que ça. Je viens de me rendre compte qu'au fond je ne te détestais même pas. Enfin, peut-être encore un peu, à cause du drame abominable que tu m'as fait vivre. En tout cas, je ne vais perdre ni mon temps ni mon énergie à me complaire dans ce sentiment. Je suis beaucoup trop heureuse pour ça. (Elle s'interrompit et le regarda droit dans les yeux.) Maintenant, si tu voulais bien demander à Tessie de m'aider à porter les valises, je te serais reconnaissante. Ma mère attend à l'hôtel avec Emma et Jerry. Nous dînons tôt et nous prenons l'avion tout de suite après pour New York.

Elle en voulut soudain horriblement à Gerald de sembler si indifférent au départ des enfants. Oui, comme il l'avait dit, les enfants lui manqueraient, il espérait qu'ils aimeraient leur nouvelle école, et il prendrait régulièrement de leurs nouvelles ; malgré cela, il avait l'air de souffrir bien peu quand on songeait à la torture qu'elle avait endurée dans la situation inverse. Mais Arnie ne lui avait-il pas expliqué que Gerald ne prenait plus autant de plaisir à leur compagnie ? La voilà, la raison, pensa-t-elle. Il commençait à se fatiguer un peu de leur présence, tout comme il s'était lassé d'elle. Quelle inconstance...

— Encore une chose..., dit-elle brièvement car Tessie venait de paraître sur le seuil.

La cuisinière avait les yeux braqués sur elle, mourant de curiosité, et soudain très respectueuse de la « mauvaise mère ».

— Encore une chose… Je veux que tu saches que je n'ai pas l'intention de dire du mal de toi aux enfants. Je ne l'ai jamais fait, et je continuerai pour leur équilibre, pour leur santé mentale, et non pas par respect pour toi. Tu pourras les voir quand cela m'arrangera, s'ils en ont envie bien sûr, mais je suis certaine qu'ils le voudront parce qu'ils t'aiment, c'est naturel. Ah ! et une dernière chose ! J'avais presque oublié le chien ! Est-ce que l'un de vous pourrait aller me chercher Charlie ?

— D'accord, mais d'abord laisse-moi apporter tout ça à ta voiture.

— Merci, je ne préfère pas. Tessie et moi, nous nous débrouillerons très bien toutes seules. Ce sera moins gênant, vu les circonstances. Mon mari m'attend dehors.

— Comment cela s'est-il passé ? demanda Will.

— Pas aussi mal que je le redoutais. C'était plutôt pitoyable.

— Francine trouve que tu as beaucoup de cran d'y être allée toute seule, et même d'accepter de le voir. Nous avons parlé de ça hier soir. Elle avait peur qu'il soit hargneux et qu'il te fasse une scène.

— Non, tout au contraire, mais ça m'aurait été égal. Il a même proposé qu'on se remette ensemble, tu imagines !

— Après l'histoire d'Arnie, je suis prêt à croire n'importe quoi.

— Dis plutôt la tragédie d'Arnie.

— Une tragédie et une grande énigme. On n'a jamais expliqué, et personne ne saura sans doute jamais, pourquoi on devient comme Gerald, ou comme Arnie, ou... comme n'importe qui d'entre nous.

— Francine n'arrive pas à comprendre comment elle a pu se tromper autant sur Arnie, jusqu'au point même d'espérer que j'allais l'épouser. Elle n'a pas l'habitude de se tromper autant, après avoir eu tellement raison pour Gerald.

— Francine est un drôle de personnage, commenta Will avec un petit rire. Elle m'a juré qu'elle allait laisser tomber ses consultations de voyante !

— Elle t'a raconté qu'elle partait pour une croisière en Amérique latine avec son nouveau compagnon ? Je n'ai encore rien dit, mais je vais lui faire une surprise en lui offrant toute une valise de vêtements pour l'occasion. Une garde-robe Libretti.

— Une garde-robe de la griffe *Hyacinthe*, tu veux dire. Oui, elle m'a parlé de la croisière. Elle a aussi eu le toupet de me déclarer qu'elle espérait te retrouver enceinte à son retour.

— Elle a toujours autant d'humour, je vois.

— Non, je t'assure qu'elle était sérieuse. Elle le pensait vraiment. Et moi aussi, au cas où je ne l'aurais pas encore mentionné.

Un bleu profond s'étendait à l'infini, entre la plage et l'horizon où se découpaient trois voiles qui filaient vers l'ouest, dans la direction du soleil déclinant. Elle vit ses enfants qui couraient le dos au soleil sur le sable humide... ses enfants à elle.

— Regarde, chérie, dit Will. Ils nous attendaient.

Elle se sentit alors si légère, si heureuse, qu'elle ne put s'empêcher de s'écrier :

— J'ai l'impression d'avoir des ailes !

Il baissa les yeux vers elle, l'enveloppant de son regard plein d'humour, un regard droit et bon auquel rien n'échappait, qui la comprenait si bien. Ils se sourirent et il l'enlaça.

— Alors, nous allons nous envoler ensemble, dit-il.

Impression réalisée sur Presse Offset par

BRODARD & TAUPIN

GROUPE CPI

22230 – La Flèche (Sarthe), le 04-02-2004
Dépôt légal : février 2004

POCKET – 12, avenue d'Italie - 75627 Paris cedex 13
Tél. : 01.44.16.05.00

Imprimé en France